qui est à la fois
une plongée
vertigineuse
dans le puits
intérieur des
angoisses et
des peurs de
t une introduc-
ique du mal: la
mondiale lais-
ope en feu, dé-
olie humaine.
e étrangeté, te-
e du rêve qui
ut à l'autre *Le*
la traduction
endre le style
ici porté par
re
fic
et
d'une iron...

à habiter durablement le lecteur par-delà les époques.
*«Nikos Kachtitsis a créé une
vision de l'homme moderne
que le monde contemporain ne
se lasse pas de confirmer:
l'homme réduit à un point vulnérable»*, écrit le critique et
essayiste Lakis Proguidis
dans la présentation.

Nikis Kachtitsis a peint un
portrait au fusain, noir et gris,
avec du rouge qui représente
ces minces fêlures de l'âme que
nous portons tous secrètement.

Collaboratrice du Devoir

LE HÉROS DE GAND

kos Kachtitsis
raduit du grec par Fred A. Reed
Jacques Bouchard
oréal
ontréal, 2010, 342 pages

Les Éditions du Boréal
4447, rue Saint-Denis
Montréal (Québec) H2J 2L2
www.editionsboreal.qc.ca

LE HÉROS DE GAND

L'Hôtel Atlantic, roman, Hatier, 1995.

Nikos Kachtitsis

LE HÉROS DE GAND

roman

traduit du grec par
Jacques Bouchard et Fred A. Reed

postface de Lakis Proguidis

Boréal

© Les Éditions du Boréal 2010
Dépôt légal : 4ᵉ trimestre 2010
Bibliothèque et Archives nationales du Québec

Diffusion au Canada : Dimedia

*Catalogage avant publication de Bibliothèque et Archives nationales du Québec
et Bibliothèque et Archives Canada*

Kachtitsis, Nikos, 1926-1970

[Ērōas tēs Gandēs. Français]

Le héros de Gand

Traduction de : O heoras tes Gandes.

ISBN 978-2-7646-2050-2

I. Bouchard, Jacques, 1940-   . II. Reed, Fred A., 1939-   . III. Titre. IV. Titre : Ērōas tēs
Gandēs. Français.

PS8571.A34E714   2010   C889'.334   C2010-941373-3

PS9571.A34E714   2010

ISBN PAPIER 978-2-7646-2050-2

ISBN PDF 978-2-7646-3050-1

ISBN ePUB 978-2-7646-4050-0

Honni soit qui mal y agit !

Avant-propos

Le lecteur se rappellera que, dans l'introduction de l'un de nos récents livres, où nous avons publié, traduites du flamand, les dernières pages écrites par un certain S. P., qui avait dû répondre de ses actes, nous avons fait part — avec déception — de notre impossibilité d'établir l'identité véridique de l'auteur, et ce, malgré toutes nos initiatives auprès de diverses autorités coloniales, tant d'Afrique que d'Europe. En guise de réponse à nos lettres, nous n'avons reçu que des réactions négatives, ou rien du tout, à notre plus grand désespoir.

Et, comme si cela ne suffisait pas, les manuscrits de notre héros, que nous avons découverts dans nos cartons, étaient peut-être de la même main, et pouvaient jeter quelque lumière sur son passé, mais ils présentaient de telles lacunes entre eux que le lecteur se trouvait plongé dans le mystère le plus obscur. Comment alors pouvait les publier ainsi un éditeur consciencieux, sans s'attirer l'ire des lecteurs? Voilà la question qui nous tourmente depuis de longues années.

Nous sommes toutefois en mesure d'informer aujourd'hui notre cher public, ô combien sensible aux questions d'esthétique, ce public qui attend avec impatience que nous tenions notre promesse, qu'entre-temps nos efforts ont porté des fruits. Enfin, après autant d'impatience et d'angoisse, sont parvenus entre nos mains non seulement des renseignements d'une grande valeur sur les faits et gestes de notre héros (ainsi que sur son nom), mais aussi de nombreux textes publiés, rédigés de sa propre main, avec des coupures de journaux d'époque, etc., lesquels, s'ajoutant aux documents non classés déjà en notre possession, nous ont permis de parachever notre histoire.

Tout cela nous est arrivé d'un seul coup, dans les conditions suivantes.

L'encre d'imprimerie des pages de ce livre martyr avait eu à peine le temps de sécher — dont les fascicules, toutefois, se vendaient déjà par centaines, étaient dévorés par les masses aux quatre coins du royaume, provoquant de vives discussions un peu partout — quand, un beau matin, nous avons trouvé dans notre boîte à lettres, avec notre courrier habituel, une lettre qui a tôt fait de nous étonner.

Tout d'abord, l'enveloppe, légèrement surdimensionnée fabriquée de ce papier brun que l'on utilise pour les colis de service, avait l'air d'être faite à la main. On pouvait facilement voir l'usage maladroit de ciseaux par notre correspondant, qui avait suivi les lignes tracées au crayon sur le papier aux dimensions d'une enveloppe normale. Au lieu de la colle, il avait employé de la mie de pain. Cela avait eu pour conséquence que, la mie une fois sèche, l'enveloppe s'était presque défaite dans le sac du facteur bien avant sa livraison à destination ; par miracle, personne ne l'avait par curiosité dépouillée de son contenu au bureau de poste.

Notre adresse, ainsi que celle de l'expéditeur, était écrite à l'encre lilas, de cette encre à reflets dorés ; et quand on s'approchait les narines des feuilles, on sentait l'odeur persistante du vinaigre utilisé pour diluer les granules. Cela nous a amené à conclure que notre distingué correspondant s'était procuré de la poudre chez le pharmacien expressément pour la circonstance. Sa méticulosité nous a beaucoup ému. Ces mêmes feuilles exhalaient une odeur particulière — mais pas désagréable du tout — de papier imprégné de l'humidité d'une pièce sans soleil ou bien d'un bahut ; cette senteur aurait pu être la conséquence de la promiscuité des pages de la lettre avec celles, jaunies, du manuscrit et des coupures de presse du héros de notre livre. Quoi qu'il en soit, tandis que les manuscrits étaient relativement bien conservés, les coupures, elles, s'étaient détériorées avec le temps à un point tel qu'elles s'effritaient, et ainsi il a fallu les recopier sur-le-champ, en les manipulant avec une dévotion presque religieuse.

La lettre avait été écrite avec la même encre, à la plume. Nous en présenterons le contenu non sans avoir d'abord exposé quelques détails susceptibles d'intéresser le lecteur.

Elle était composée de feuilles oblongues, pas toutes du même format, ni de la même qualité, ni de la même époque. Tout le manuscrit — écrit recto verso — ne laissait presque pas de marge ; on y apercevait même des traces à peine visibles de lignes qui n'avaient pas tout à fait la même distance entre elles, inscrites à l'aide d'un crayon et d'une règle, pour être ensuite gommées, mais pas toujours avec le même soin.

Nous regrettons de devoir relever le fait que notre correspondant, sous l'emprise de très vifs sentiments, semble-t-il, avait laissé son écriture se détériorer au lieu de s'améliorer — ce que, selon toutes les indications, il désirait faire. Ainsi, outre que les lettres n'avaient pas les mêmes dimensions, une vague de mots roulaient tantôt à bâbord, tantôt à tribord, une par ici, une autre par là, de sorte que le manuscrit nous donnait, a priori, l'impression d'herbes fouettées par un vent fou de mi-carême.

Cela nous fit conclure qu'il souffrait probablement d'arthrite aux extrémités, ainsi qu'il le laisse entendre lui-même à un moment donné, mais qu'il gardait aussi de manière systématique, comme par une vieille habitude, le petit doigt appuyé sur le papier, en guise de support à la main qui traçait les lignes.

L'embarras et le soin avec lesquels il écrivait à un inconnu avec l'intention de l'impressionner se manifestaient également à un autre détail : à un point crucial d'une des pages, l'on pouvait voir les traces mal effacées d'une paume maculée, provoquées par l'irruption par-derrière d'un chat (qui aurait ainsi renversé l'encrier), ou bien par un geste spasmodique qu'il aurait lui-même fait sous la contrainte de circonstances quelconques.

De toute manière, alors qu'il avait réussi à tracer des lignes à peu près parallèles, d'un point de vue graphologique, son écriture trahissait un homme frappé d'hypocondrie frisant la manie, qui, ayant empoigné le porte-plume comme d'autres se seraient emparés d'organes génitaux, avait le dos cambré, exactement comme si un gouffre s'était ouvert au milieu de la feuille pour y aspirer son visage, le transformant en museau de quelque ruminant. On aurait dit qu'il avait murmuré un à un les mots que formait la pointe de sa plume ; que son oreille, dressée vers la source de ses griffonnages, se plaisait à l'entendre.

À ces quelques détails, nous devons ajouter le fait d'avoir senti qu'il avait écrit son texte au moins cinq fois, sinon plus, avant de le recopier (le verbe prend ici tout son sens). Malgré cela, hélas ! même lors de sa dernière tentative, il avait commis pas mal de fautes d'orthographe criantes, dont certaines avaient été corrigées aussitôt au détriment toutefois de la beauté du mot en question ; mais d'autres étaient restées intactes — toujours selon les vérifications effectuées par notre cher ami M. Réal Deslauriers, qui nous a aidé bénévolement, comme pour le volume précédent, à la traduction de celui-ci.

À la lecture de la lettre — nous l'avons maintes fois relue —, nous avons eu l'impression, très forte d'ailleurs, que notre correspondant, aussi bienvenu que, bien sûr, inattendu, avait trouvé une jouissance singulière dans la possibilité de pouvoir s'adresser enfin, lui aussi, à quelqu'un possédant des perspec-

tives philologiques, pour y étaler ses qualités littéraires. Mais il ne faut pas oublier que le monde fourmille de présumés écrivains qui ne se sont jamais illustrés, faute de bonnes occasions pour le faire.

Un désir irrépressible s'est saisi de nous, le désir de nous trouver dans cette ville lointaine où il vit, et plus précisément dans la chambre ou le bureau à partir desquels ils nous a écrit. Quelle sorte d'homme était-il ? Quel âge avait-il ? Qu'est-ce qui lui passait par la tête lors de ces sorties nocturnes où il errait seul par les rues sombres et le long des canaux ? Tout cela, par pudeur, nous n'allions jamais oser l'apprendre.

Mais, à ce point précis, notre imaginaire nous suffit. Il nous suffisait d'avoir le sentiment que nous avions devant nous un type hystérique qui, comme s'il faisait face à un ennemi mortel, rejetait en soufflant, et avec des gestes de prestidigitateur, la moindre poussière — non seulement du papier sur lequel il écrivait, mais de partout autour de la table, y compris de ses vêtements, aussi humbles et décolorés qu'ils fussent. Il s'agissait de quelqu'un, croyions-nous, qui de temps à autre se raclait vainement la gorge afin d'y déloger le phlegmon (imaginaire, semble-t-il) qui, comme la boule de verre d'une carafe de limonade, n'entendait pas bouger de là où elle s'était accrochée.

Par ailleurs, et en dépit de sa minutie dans de tels détails, il se pouvait fort bien que les croissants de lune à la base de ses ongles non coupés aient été couronnés de sombres nuées. Plusieurs indices laissent entendre cela. Nous nous sommes approché de lui en esprit ; ses cheveux en bataille dégageaient une odeur de chair humaine ; ses vêtements, le renfermé et la naphtaline, la poussière accumulée ; l'intérieur, par contre, de ses sous-vêtements (vers les aisselles) exhalait une petite odeur qui faisait penser, mélangée avec un soupçon de patchouli ou peut-être de verveine, à l'une de ces eaux de Cologne du siècle passé. Mais de types pareils vient parfois la lumière.

Quoi qu'il en soit, il serait tout à fait superflu de décrire les émotions que nous avons senties à la suite de la lecture de ces pages — ainsi que du manuscrit de notre héros. Nous l'avons remercié chaleureusement, et lui avons promis, dans une longue missive que nous ne croyons pas utile de publier ici, que nous allions nous plier à toutes ses exigences. Ainsi avons-nous laissé intacts certains passages obscurs afin de rendre fidèlement son style dans notre langue.

En fin de compte, nous ne pouvons qu'exprimer de nouveau nos remerciements les plus vifs à l'endroit de notre vénérable ami M. Réal Deslauriers : sans son soutien infatigable et désintéressé, cette traduction n'aurait pu se faire, ou aurait été incomplète.

L'éditeur

Contenu de la lettre

[1]

Gand, le 26 février 19**

Cher Monsieur,

La lettre, par laquelle vous demandiez aux autorités des renseignements sur une personne connue, a fini par aboutir dans mes mains fatiguées, il y a de cela plusieurs mois, dans des conditions que je préférerais tenir secrètes pour des raisons compréhensibles. Mais, après tout, le fait de recevoir une réponse devrait vous satisfaire. Je ne vous ai pas répondu immédiatement — et je vous demande humblement pardon en cette heure nocturne où je vous écris — certes pas parce que je ne le souhaitais pas, et même ardemment. Depuis longtemps, j'éprouve le besoin de communiquer avec quelqu'un comme vous, quelqu'un qui me comprendrait. Mais, tantôt la récurrence de la goutte dont je souffre depuis des années (je l'ai attrapée alors jeune soldat dans les tranchées), tantôt divers ennuis familiaux et journaliers, tantôt les pressions et la monotonie de mon service (je possède le rang d'archiviste, tout en n'étant, en réalité, qu'un gratte-papier) et, enfin, la procrastination qui me caractérise en toute chose m'ont fait toujours renvoyer la question aux calendes grecques. Ce soir, après le souper, je suis resté à table, déterminé, et je me suis dit : « Je dois lui écrire ce soir même, sinon je ne lui écrirai jamais. » Vous êtes donc chanceux, car ces jours-ci, je ne sais pas, je sens en moi des poussées d'écriture comme dans le bon vieux temps. C'est peut-être le printemps qui commence à se manifester timidement.

Nous avons reçu votre missive, il y a plus de trois ans. Je peux m'imaginer votre impatience. Je vous demande pardon. Mais il ne faut pas oublier — sans vouloir me justifier — le temps et l'effort que j'y ai consacrés, à chercher, à l'insu des autres employés, dans toutes les archives du Service, pour colliger les renseignements appropriés. Soyez assuré que, en plus de mes souvenirs personnels, tout ce que j'ai à vous écrire au sujet de ce salaud est fondé sur des preuves. Passons sur le martyre que j'ai enduré pour pouvoir mettre de côté l'argent des timbres. Mille et une coïncidences dans ma vie ont fait en sorte que j'en sois arrivé à une telle déchéance à mon âge, même si mon corps a pris le pli du banc et du pupitre du fonctionnaire au fil de tant d'années. Le devoir, voyez-vous, c'est le devoir. Mais il ne faut pas trop s'en faire ; évitons de nous plaindre. Cela aurait pu être bien pire. Et, d'ailleurs, qu'est-ce que nous avons à gagner à ronchonner ?

Parfois, je m'arrête et je pense à la vie. Il y a quelques jours à peine, nous avons perdu un brave type du bureau, à la fleur de l'âge, destiné même à une promotion. Dieu sait quels efforts il avait faits, le gars, pour sa fameuse promotion. Avec quel résultat ? S'il n'avait pas fait d'efforts mais avait survécu ? Et s'il avait survécu, mais malgré tous ses efforts n'avait pas été promu ? À quoi bon ? Cela ne sert à rien… Et moi, qu'est-ce que j'ai gagné de plus avec mes promotions ? Une chance que, cette année, au moins, je n'ai pas eu à affronter le problème de l'hiver. Un juge a eu la noblesse de me faire cadeau, sans que je lui en eusse glissé un mot, d'un beau paletot bien chaud, presque neuf et à ma taille, avec un collet de velours mauve qui me va à merveille. Je ne lui ai pas fait la moindre retouche. Que puis-je vous dire? — longue vie à mon bienfaiteur! — ce paletot m'a permis de m'en sortir en lion pour ce qui est du froid, et je suis plus que présentable pour mes sorties mondaines. Une seule chose me tracasse : je suis obligé de le porter tout le temps, ce qui veut dire qu'il s'usera aux manches et au collet avant l'heure. Quelle misère de devoir jeter un si beau paletot uniquement parce qu'il est un peu élimé aux extrémités…

Veuillez me pardonner la manière désobligeante que j'ai employée pour parler de *celui-là*. Mais, comme vous allez voir, il ne mérite pas mieux. D'ailleurs, entre collègues — j'ai déjà occupé le poste d'assistant libraire de même que celui d'auteur —, on peut se passer de formalités. Je suis donc dans l'obligation de vous envoyer les originaux des documents qui se trouvent en ma possession. J'aurais voulu vous faire parvenir des photocopies afin de préserver les originaux de tout accident, mais où dénicher l'argent pour de pareilles dépenses? Gardez-les donc autant que vous voudrez, jusqu'à ce que vous acheviez de les mettre au propre pour l'impression. Je vous demanderais, et je vous en tiendrai pour responsable, de ne pas vous comporter comme un tel ici, en province, qui a cru bien faire en ne m'écrivant même pas deux mots pour la forme, pour me remercier de certaines choses que je lui avais envoyées, mais de me les retourner à la première occasion. Là-dessus, je serai intraitable. Vous allez en convenir qu'il s'agit, après tout, de ma propriété privée, peu importe la manière dont je les ai acquis.

Ces documents, preuve criante d'un comportement des plus ignominieux, leur valeur historique mise à part, auraient pu, si je décidais de m'en départir — et je ne vois pas de raisons de ne pas le faire —, me rapporter un montant appréciable grâce auquel je pourrais résoudre une fois pour toutes le problème de ma vie, pour que l'incertitude du lendemain cesse de me tourmenter. À moins qu'un collectionneur passionné ne se trouve dans vos parages, qui veuille se les procurer, et, dans pareil cas, veuillez agir comme bon vous semble car vous m'inspirez une confiance sans bornes : à la lecture de ce que vous écrivez, et à votre manière d'écrire si bien ordonnée, si dépouillée, il me semble que vous êtes un jeune homme de qualité. Celui qui s'en porterait acquéreur saurait, avec certitude, s'enrichir. Ils ne peuvent que trouver le destinataire qui convient. De telles personnes abondent partout[1].

Comme vous allez le constater en examinant son écriture, il s'agit bien de la même personne qui a écrit les autres documents que vous avez en votre possession. Je suis convaincu que cette déclaration catégorique vous réjouira au plus haut point, car je sais ce que cela signifie pour l'amateur d'art que vous êtes. J'ai déjà été, dans ma prime jeunesse, éditeur d'une revue littéraire, qui n'a vécu que pendant peu de temps il est vrai, et j'avais collaboré dans mes jeunes années à plusieurs revues et journaux, surtout de province. À l'un de ceux-là je tenais, à une certaine époque et pendant un certain temps, la chronique sur l'actualité. De temps à autre, même de nos jours, je travaille encore en tant que journaliste, mais en utilisant toujours un nom de plume. Je garde toutes les coupures de mes travaux bien classées et ordonnées dans un grand album, que je mets à votre disposition — si, Dieu

---

1. Note de l'éditeur : Nous avons compris quel était le but de ces sous-entendus par ailleurs polis, et nous lui avons envoyé un montant, et nous avons gardé les documents. Ainsi avons-nous porté secours à un être humain, et en même temps avons-nous assuré nos arrières pour le cas où se présenterait quelqu'un qui mettrait en doute l'authenticité de ce livre. Pour le moment du moins, il n'y a pas de raison de nous en départir.

aidant, vous décidiez de faire un petit saut par ici, où de belles choses à voir ne vous manqueront pas. Il suffit d'avoir une bonne santé ; tout le reste s'ensuivra.

Je mets actuellement la dernière main à mon autobiographie, intitulée *Envers et contre la société,* œuvre sur laquelle je compte pour m'assurer un capital respectable, à part la gloire qui s'y rattachera. Je vous en enverrai un exemplaire. Que voulez-vous ? La vie nous réserve beaucoup de choses, à chacun d'entre nous. Trois fois j'ai connu l'infortune, et trois fois je suis remonté à la surface. Car l'œil de la justice veille et ne laisse pas mourir les innocents… [Ici, il réfère à des sujets tout à fait personnels, sans intérêt pour le lecteur.]

Avec les documents, j'inclus diverses coupures de journaux de son époque, ayant la certitude qu'elles sauront captiver votre public lecteur. Quand, Dieu aidant, vous aurez réalisé de grandes ventes — je ne vois pas pourquoi vous ne vendriez pas à prix élevé plusieurs milliers d'exemplaires après le succès de librairie de votre dernier livre, comme je viens de l'apprendre par ailleurs —, vous m'enverrez tout ce que vous voudrez, car moi aussi, qu'est-ce que vous croyez ? c'est avec de telles affaires que je boucle mon budget.

J'ai la main fatiguée. N'oubliez pas mon travail aux archives. Je me suis fait un durillon sur l'index à force d'étreindre le porte-plume. Alors, je vous salue pour ce soir, mon jeune ami — là où vous vous trouvez, en faisant ce que vous faites, dans ce pays blanc où vous vivez.

Vous êtes là, je suis ici ; une amitié de loin.

Toutefois, il existe entre nous une communication secrète.

N'êtes-vous pas d'accord ?

[2]

La lettre, je la porte dans la poche intérieure de mon paletot. Je vous écris tantôt de chez moi, tantôt du bureau, où je me trouve en ce moment. À l'extérieur, le soleil brille, mais à quoi bon ? il fait froid en diable. Et cette maudite chaufferette n'y change pas grand-chose. Il y a une heure à peine, j'ai filé à l'anglaise pour faire une promenade l'après-midi dans les rues étroites qui nous entourent, mais j'ai senti le froid me scier les os — il faisait un froid pareil l'autre jour, aux funérailles ; c'est là que j'ai été vraiment frigorifié — et je me suis arrêté un peu là, pas trop loin, à l'abri du vent sur le quai du canal, uniquement pour retarder un tant soit peu mon retour à cette atmosphère étouffante du bureau. Toujours la même chose, toujours : le tuyau rouillé du poêle, l'unique fenêtre par laquelle je n'observe que les jambes des rares piétons qui passent, les émanations de cigarettes — vous comprenez ce que je veux dire.

Sachez que vous devez vous considérer comme chanceux. Je vais faire des révélations qu'il vous serait impossible d'obtenir de quelque autre source que ce soit. C'est un miracle que votre lettre me soit tombée entre les mains. Vous savez, c'est parfois une question de chance. Je ne vous demanderai qu'une chose : pour l'amour de Dieu, discrétion

absolue en ce qui concerne mon nom et mes fonctions —
vous aurez déjà deviné dans quel service je travaille — car il
s'agit de secrets d'État. Là-dessus, je ne puis pas vous en dire
plus. Il ne me reste que quelques mois avant de prendre ma
retraite de ce travail détestable ; alors vous comprenez l'im-
pact que pourraient avoir pareilles déclarations. Les gens
bien intentionnés sont légion.

* * *

J'arrive à notre sujet, car vous devez sans doute mourir
d'impatience.

Vous dépensez de l'argent pour acheter des timbres, vous
entretenez une correspondance avec les autorités de divers
États, vous gaspillez de la matière grise, sans parler de votre
temps précieux — tout cela pour découvrir qui est, en fin
de compte, ce mystérieux S. P. du livre que vous venez de
publier. Veuillez m'excuser, mais je crois que si vous aviez la
moindre petite idée de ce qui se passe ici — je ne vous en
veux pas de ne pas le savoir, j'aurais préféré n'en rien savoir
moi-même —, vous devineriez qu'il s'agit de nul autre que
du fameux Stoppakius Papenguss, celui-là même qui, outre
les nombreux aspects sombres de sa vie, a joué, à titre d'agent
secret de l'ennemi, un rôle perfide et inhumain lors du siège
de notre ville martyre. Sans parler du fait qu'il a causé la mort
de ses deux amis fidèles tout simplement par un soupçon
satanique qui a traversé son esprit malade. Je vois dans ses
documents africains qu'il parle d'un troisième homme ;
mais à son sujet je ne possède pas, malheureusement, de renseignements précis, et je n'ai jamais entendu parler de lui. Par
conséquent, je laisse l'affaire à votre jugement.

Je reste stupéfait de voir comment il a eu le culot d'ajouter ses initiales même sur le manuscrit que vous avez publié. J'en suis outré. Mais que dire ? N'a-t-il pas été ainsi effronté et téméraire toute sa vie durant ? Je n'ai pas le moindre doute qu'un but ultime, autre que celui auquel pense le lecteur, se dissimulait derrière ses actes. Car je serais fort étonné qu'un type pareil ait écrit ces derniers documents tout simplement pour se faire pardonner.

Je possède, dans mes archives personnelles, un daguerréotype assez clair datant du siècle passé que je ne vous enverrai pas, car outre sa valeur marchande, il fait partie des trésors de la famille — legs de mon père, que Dieu ait son âme, dont notre héros fut le patron. (Cela vous surprendra, je le sais ; mais votre lecture vient à peine de commencer.)

Dans ce cliché, de couleur brun pâle tendant vers le jaune, nous voyons qu'on a tiré du côté droit un rideau, enjolivé de petits pompons, et que le jeune Stoppakius Papenguss se tient debout, le visage alors innocent de profil. Au fond, l'on peut apercevoir la bordure fleurie d'un jardin, que je comparerais volontiers à la peinture d'un Fragonard — telle était la qualité du panneau.

L'on veut nous faire croire qu'il vient de descendre d'un vélocipède, dont il tient le guidon de la main droite, tout en contemplant, d'une expression rêveuse et légèrement ironique, le vide hors du cadre de l'image, vers le haut, comme s'il avait suivi avec un grand intérêt l'envol d'une colombe blanche au moment même où l'objectif a cligné de l'œil. Il a son bras gauche tendu vers le haut, avec fougue, à la manière de quelqu'un qui déclame une élégie. Encore un peu et l'on croirait que, d'un seul élan, il allait prendre son envol avec son vélocipède — que le vent allait s'emparer de lui comme d'une plume, comme si c'était là son désir refoulé.

Et pourtant l'observateur attentif perçoit que son esprit,

à ce moment précis, ne se trouvait pas ailleurs que dans le tréfonds de la chambre obscure de l'appareil. Curieusement, il donne en même temps l'impression persistante qu'après la prise de la photo il s'empresserait de regarder vers l'arrière pour voir ce que voulait celui qui lui avait effleuré l'épaule avec deux doigts et qui avait couru se cacher dans les coulisses avant que l'objectif ne le saisisse, lui aussi.

Ce ne sont que des trucs, me direz-vous, de l'art de la photographie de cette époque. Mais en mesure, je crois, de donner en forme d'allégorie une image prophétique du monstre d'hypocrisie qu'il allait devenir.

Dans une autre photographie de la même époque — l'on ne peut pas exclure qu'elle ait été prise immédiatement à la suite de la précédente, parce qu'il porte les mêmes vêtements, chose rare dans son cas, et la même lavallière —, il est encore une fois debout. Il a son coude gauche appuyé, avec une nonchalance affectée (tout ici est calculé), sur une pile de livres magnifiquement reliés et de mêmes dimensions, disposés en diagonale sur un porte-vase, pendant que l'une de ses jambes, à partir du genou, est repliée avec un charme tout factice — qu'à cet âge d'or seulement on pouvait rencontrer —, dévoilant les boutons et les guêtres de ses bottines pointues. Il regarde l'objectif avec l'air imperturbablement réfléchi de l'intellectuel; sous l'aisselle on peut apercevoir son claque, grossièrement replié, comme si on le lui avait piétiné.

L'observateur n'a pas besoin de scruter de trop près sa mine dans ces deux clichés pour constater combien sentimental, doux et affable était le jeune homme à cette époque, celui-là même qui allait devenir un parfait salaud. Par quel concours de circonstances cette créature virginale avait-elle fini par s'avilir, au point que son visage se soit transformé pour ressembler, lorsqu'il se trouva à la fin de sa vie, au museau d'un crocodile? Cela, honnêtement, dépasse tout entendement.

Pourtant, les faits parlent d'eux-mêmes. Encore de nos jours, le nom de Papenguss est devenu presque légendaire — non seulement chez les plus âgés, qui ont vécu et souffert les derniers temps, mais encore chez les jeunes, qui n'existaient même pas encore dans l'idée de leurs grands-pères alors qu'il faisait des siennes. Quand ils veulent stigmatiser quelque chose, quand ils veulent exprimer leur horreur à l'égard de quelque chose de sombre, de traître, de frauduleux, de satanique, c'est ce mot-là qu'ils utilisent. J'ai entendu de mes propres oreilles des jeunes se lancer : « Fous-moi le camp d'ici, Papenguss ! » Et quand, en passant sans me faire remarquer, je les entends, moi, porteur de cette époque lointaine, je me dis dans mon for intérieur : « Ah, si vous saviez qui vous invoquez ! » Au fond, ils savent que ce mot-là a le sens qu'ils lui donnent. Comment vous dire ? Il leur est devenu instinctif, de génération en génération.

De la bouche de mon défunt père, qui faisait partie de son entourage quand il était encore jeune, mais d'autres personnes aussi, j'ai entendu dire tellement de choses sur les années de sa jeunesse. Il s'agissait, tout compte fait, d'un jeune romantique et hypersensible, doté des sentiments tendres d'une jeune fille pourrais-je dire, qui vivait constamment dans un rêve. Il voulait goûter absolument toutes les belles choses de la vie ; il voulait les faire siennes. Et il enrageait, ou bien plongeait dans la mélancolie, quand il constatait que certaines circonstances, qu'il avait parfois lui-même créées, ne lui permettaient pas d'aller jusqu'au bout, ou que ne se réalisait pas ce qu'il voulait, quand il le voulait. Il se rendait à l'évidence, à son grand désespoir, que personne n'était en mesure de l'aider en cela, et ainsi était-il obligé de se renfermer en lui-même — pour se heurter là aussi à une impasse.

De l'autre côté, même la plus grande jouissance, soit celle de l'amour, qui pouvait transporter n'importe qui d'autre au septième ciel, demeurait pour lui incomplète. C'était ce précieux « reliquat » indistinct qu'il attendait avec une telle passion, mais qui ne se concrétisait pas et qui le tourmentait. Il admettait, dans les notes de son journal ou dans ses confidences à des amis intimes, que c'était en dernière analyse sa faute à lui, et sans le vouloir, il captait avec une ladrerie indescriptible chaque moment, au lieu de se « laisser aller », et advienne que pourra.

Quand il se trouvait ici, il ne pensait qu'à là-bas, et quand il se trouvait là-bas, il ne pensait qu'à être ici. Pris d'angoisse, il répétait inlassablement : « J'ai le sentiment que je vais mourir d'un instant à l'autre. Je dois alors vivre tous les moments le plus intensément possible… Je dois gagner du temps. » D'accord. Mais en se comportant ainsi envers lui-même, il se condamnait : au lieu de gagner du temps, il en perdait. Il avait dû trouver un autre truc. À la fin, il gaspillait son temps non pas pour se satisfaire du résultat, mais à faire des efforts pénibles pour atteindre un but suridéalisé — qui, par conséquent, lui semblait pauvre jusqu'à la déception devant toutes les lamentations qui l'avaient précédé.

Mais à mon humble avis, le plus pénible de tout, c'était la pingrerie avec laquelle, comme je vous l'ai dit, il goûtait ses plaisirs, de la même manière qu'un affamé qui, devant une assiette bien garnie, parvient à ne pas se rassasier dans sa furie d'y aller à petites doses dans l'espoir de faire durer — ainsi croyait-il — le plaisir. D'une façon ou d'une autre, nous souffrons tous de choses pareilles — mais pas à ce point.

Je vais vous donner un exemple, et tirez vos propres conclusions. Je suis très bien placé pour le savoir : il dévorait littéralement les paysages ; le culte qu'il vouait à la nature sous toutes ses formes, ainsi qu'aux éléments de cette même nature dans chacune de ses manifestations, était sans bornes. Eh bien, cette nature qu'il adorait tant lui était demeurée hostile. Il en revenait toujours dans un état de mélancolie. Qui d'autre pouvait-il blâmer, cependant, si ce n'est lui-même, car dans son angoisse d'en jouir, il négligeait d'en tirer plaisir pour rester uniquement avec l'inquiétude ? Alors qu'il mérite notre sympathie, nous ne pouvons pas nous culpabiliser, tant il nous est impossible de porter secours à de tels types, et je suis d'ailleurs certain que, malgré son étroitesse d'esprit, il serait lui-même d'accord, si, bien entendu, il était encore en vie.

Il sortait, accompagné d'un ami à lui très cher, faire une « promenade privée », comme il l'appelait. (C'est ainsi qu'il désignait certains chemins de campagne peu fréquentés, certains sentiers pédestres.) Dès qu'il sortait à la campagne, il s'émerveillait si absolument du paysage, peu importe le temps qu'il faisait, même si je devais affirmer avec certitude qu'il allait pleuvoir. Mais pendant que son ami contemplait la nature et s'en mettait plein la vue, le plus naturellement du monde, en s'unissant à elle aussi longuement qu'il le voulait, notre héros tirait, avec l'œil intérieur, une petite photo par-ci, une petite photo par-là, et c'était tout. Le reste du temps, c'était comme s'il n'avait rien eu devant lui, comme s'il avait voulu s'enfuir à la première occasion — comme si, après tout, on l'avait amené de force en cet endroit idyllique auquel il avait rêvé ardemment quand ils s'étaient mis en route.

Ensuite, on le voyait aussitôt tomber dans une profonde mélancolie, et trouver noir et lugubre l'endroit auquel ils étaient revenus. Chaque fois qu'il vivait de tels moments, aucun remède ne pouvait le secourir. Et quand son ami, exaspéré par les réactions qu'il observait dans tout son être, lui demandait par pure affection comment il se faisait qu'il n'éprouvait pas, en tant qu'être humain, de plaisir dans les moments qu'il vivait devant cette magie qu'ils avaient laissée derrière eux, il lui répondait, en minaudant avec amertume, qu'il « avait peur que le négatif ne prenne trop de lumière », que, soi-disant, à force de trop regarder, l'impression ou bien l'image « ne se dégrade », ainsi que d'autres conneries du genre. Rien de tout cela. Il n'y avait qu'une seule cause : l'horreur qui l'envahissait de constater qu'il serait impossible de tout posséder, et qu'il lui était impossible de prolonger la jouissance. Soit tout et toujours, soit rien et jamais. Une belle logique.

Et, comme si tout cela ne suffisait pas, il protestait lamentablement qu'il n'y avait personne pour le comprendre ; il avait la prétention de croire que toutes ses lubies prenaient des dimensions universelles. Pas étonnant que tous se soient mis à le fuir, alors.

Il y avait des moments où il se mettait en frais de se justifier — comme s'il y avait eu une raison de se justifier, du moment que vous conviendrez qu'il n'y a de place pour des justifications, si vraiment il y en a, que dans nos rapports avec autrui. Il disait, par exemple, que peut-être (car il n'avait rien expliqué, au fond), que peut-être il se débattait de cette manière pour avoir constaté que chacun de nos pas ne nous rappelait que la mort, et il luttait avec passion pour échapper à ses griffes. Plus ses pas étaient décidés, disait-il, plus vif était le rappel de la mort qui le guettait. Ainsi justifiait-il sa mélancolie. Passé, présent et avenir avaient pour lui perdu leur sens pour devenir un : le chaos. N'est-il pas triste, disait-il, de ne pas pouvoir arrêter le temps, de ne pas pouvoir faire durer nos moments à l'infini ? De toute façon, je ne suis sûr que de ceci : quelque chose me dit que si nous avions pu le convaincre de prendre une décision relativement à ce sujet du moins — ce qui ne s'est produit qu'au dernier moment de sa vie, comme nous le savons —, la moitié de son angoisse n'aurait pas existé, et sa vie n'aurait pas été une incessante fuite en avant.

[3]

Par ailleurs, c'était un type sensuel ; je ne serais pas trop loin de la réalité si je disais qu'il tombait amoureux d'objets et de situations qui lui rappelaient, même indirectement, la gent féminine. Là-dessus, ses fantasmes se déchaînaient. Le bruissement ou la moindre agitation des feuilles d'un arbre quelconque, à une saison donnée de l'année, à un moment précis sous un rayon oblique du jour (car il était entier en tout ce qu'il faisait), pouvait le plonger dans des scènes érotiques — pas forcément obscènes, entendons-nous —, si je vous les explicitais, vous l'auriez cru timbré. Mais il était tout sauf timbré, je vous le souligne, car ce prétexte (des fantasmes qui faisaient apparemment croire qu'il n'était pas tout à fait normal) fut utilisé par certains types misérables qui avaient voulu ainsi justifier, lors du procès tenu par contumace, ses actes de trahison…

Allons donc voir maintenant quels furent ces fantasmes qui avaient tant impressionné certaines personnes…

Il avait été réduit à être la cible, la risée pourrais-je dire, d'amis et de non-amis, selon une scène qui était devenue sa constante préoccupation. Avec le temps, il avait fini par croire à moitié que cela lui était arrivé autrefois, et que cette expérience s'était transformée en souvenir qui le brûlait. Il y a des gens prêts à jurer que cela leur a laissé l'impression qu'il s'agissait de faits réels.

Faites attention. Le voilà qui voyage — selon ses dires — en train. C'est un doux après-midi d'automne et il lui reste — quelle suprême jouissance ! — une grande distance à parcourir avant d'arriver à sa destination : une ville quelconque qui possède quelque chose de toutes les villes qu'il a soit connues, soit imaginées par le passé, mais qui n'existe pas, comprenons-nous bien, sur la carte. La distance qu'il parcourt dans sa fantaisie maladive est telle que le train aurait dû franchir les frontières de notre pays et de je ne sais combien d'autres… Il a pris ses mesures pour se retrouver seul dans son compartiment, en attendant l'inconnu — quel inconnu ? — qui l'a toujours fasciné. Tout d'un coup, le train s'arrête dans une gare de campagne invraisemblable, noyée dans une végétation luxuriante, qui rappelle les cheveux de la folle emportés par le vent du nord qui souffle à ce moment-là. Avec l'exaltation de celui qui, en dépit de toutes ses précautions, craint de manquer le train, entre dans son compartiment le seul voyageur à monter dans cette gare et prend place en face de lui sur la banquette de velours. Il s'agit d'une dame mystérieuse dont l'apparence seule le transporte en mille et un mondes fabuleux.

Elle l'excite ; il souhaite qu'elle ne descende pas dans quelque petite gare avoisinante. Elle aurait bien des secrets à révéler, la dame en question, si jamais elle lui ouvrait son cœur. Chose presque inespérée, du moins pour le moment. Mais tant mieux, car ainsi la situation se prolonge… Nous arrêtons le temps… Ah, pauvre Papenguss ; parfois il m'arrive de vouloir tout te pardonner !

Le visage de la dame, beau à rendre fou, et d'un érotisme à peine voilé, porte les traces d'un tout léger déclin mais aussi de la chasteté : pour être précis, les traces de quelqu'un qui a été brièvement défloré puis dont la virginité s'est pendant des années refaite, même si elle devait avoir dans la trentaine. Tout d'elle : son tailleur, quelque peu démodé, ses chaussures, comme celles d'une morte, sa posture en face de lui, sa toilette appliquée avec l'incomparable minutie féminine avant qu'elle ne sorte de sa résidence de campagne, et que recouvre maintenant un peu de la poussière de la route laissée par la calèche, font croire qu'elle s'est préparée expressément pour l'impressionner, nul autre que lui. C'est-à-dire qu'elle voyage tout en ayant le même but que lui !

Mais où va-t-elle au juste — et d'où vient-elle ? Pourquoi cette ligne-ci du train qui, à l'instar de l'imagination de notre homme, fait toutes les bifurcations possibles ; et qui sait quelles perspectives elle a, quels sont ses projets, à quelle gare elle descendra pour prendre un autre train, puis un autre après ? Dans un tel cas, alors, son esprit est incapable de tout contrôler ; il ne sait même pas où il se trouve, il a perdu souvenance ; la vitesse du train lui fait tourner la tête, en plus de tout ce que lui passe par l'esprit. Dans quelle direction aller ? Vers là d'où est partie cette apparition, ou bien vers là où elle se rend ? Vers son aspect aristocratique, ou bien vers ce qui se cache en elle, ce qu'il tâche en ce moment de sonder ? Vers les situations qu'elle a laissées derrière elle, ou bien vers celles qui l'attendent ? (Entre-temps, il éprouve une jouissance continue.) Fait-t-elle un voyage d'agrément, ou par nécessité ? Nécessité ou non, des situations agréables ou du moins neutres l'attendent-elles, ou bien des funérailles ? Car s'il devait juger par la façon dont elle est habillée... S'il devait juger par ce parfum lourd, très ancien que portait autrefois sa mère — mais exactement le même —, alors...

L'attitude de cette dame est si énigmatique qu'il lui est impossible de trancher. Mais tant mieux. D'après ce qu'il peut juger, dans le chaos où elle l'a plongé, toutes ces versions sont vraisemblables, mais aucune ne l'est non plus. Et s'il prenait le temps d'aller au fond de chacune, il pourrait écrire un roman entier.

Parfois, après lui avoir lancé un regard fugace empreint de condescendance, plus ou moins un signe d'encouragement, elle détourne brusquement les yeux de lui avec dédain — pas tout à fait avec dédain, mais plutôt avec lassitude — et regarde avec indifférence vers la campagne, dans cette région plutôt plate, et la monotonie du paysage se reflète jusque dans ses yeux. Elle a l'air d'être déçue par le fait que ses tentatives pour trouver, elle aussi, un jeune homme à son goût se soient soldées par un tel cuisant échec. Mais la malheureuse, tant sa présence à lui la laisse impassible, ne préfère-t-elle pas regarder vers l'extérieur, vers ce paysage sans relief, au lieu de le regarder, lui ? Il essaie, à un moment donné, d'entrer dans son esprit, de se contempler avec ses yeux à elle. Mais elle ne se résout en aucune manière à admettre que ces yeux-là, lesquels auraient pu regarder en face le spectacle le plus éblouissant du monde avec dédain et lassitude, soient disposés à lui témoigner la moindre sympathie.

Fera-t-elle une chose insensée, descendra-t-elle à une prochaine gare avant même qu'il n'arrive à la flairer, avant qu'il ne trouve quelque prétexte pour y descendre avec elle (et ensuite on verra) ? Oui, sa présence l'a cloué là jusqu'à l'assoupissement ; il ne sait que faire. Il veut et en même temps il ne veut pas que se prolonge encore ce tourment. Soudain ne semble-t-elle pas chercher à lui transmettre quelque chose de ses yeux violets, qui maintenant le regardent avec insistance, comme si elle voulait l'hypnotiser ? Cela ne peut être que ceci : elle aime son genre (il pense à sa tenue, toujours tiré à quatre épingles grâce à l'argent de papa, bien entendu…). Mais peut-être qu'il se trompe dans ses calculs ? S'il essuie une rebuffade ; s'il se fait humilier en osant lui parler? Ou bien, peut-être a-t-elle adopté cette attitude pour lui donner le courage de lui parler, lasse de l'inertie dont il fait preuve, le benêt, depuis tant de temps? Ah, s'il avait ce courage, lui aussi, comme tant d'autres jeunes gens, d'entamer la conversation sur-le-champ, usant d'une observation ridicule! Mais voilà, tout lui semble ridicule!

À la suite de ce moment de panique, mais aussi de désespoir (de désespoir pour des raisons manifestes), ils se sont connus là une fois pour toutes. Alors, comment la discussion s'est-elle embrasée, sans qu'il s'en aperçoive? Qui a pris l'initiative de commencer le premier, quel sujet ont-ils touché pour que la conversation s'enflamme? Avec la même facilité, l'amour s'est propagé comme le feu. Il le voit distinctement dans ses yeux. L'ayant bel et bien tenu en haleine, comme si elle était la pire mégère qui puisse exister, maintenant elle l'assomme, elle se confie toute à lui, jusqu'à ce que bientôt elle le fasse plonger dans la mélancolie, mettant ainsi tout à nu, comme elle le fait. Mais, particulièrement dans son cas à elle, cela n'a pas d'importance. Tout se justifie.

*　*　*

Comme cela allait s'avérer, elle arrive de sa villa isolée, dissimulée entre les arbres, là-bas, vers l'ouest, et elle indique la direction de la main, qui lui faisait penser que c'est une main faite pour jouer du piano. Il lui demande plus d'explications; quelle coïncidence! Sa villa se cache très exactement parmi ces arbres qui l'ont attiré avec une telle intensité alors qu'il passait en train, là, au fond, très loin des rails, au moment où le soleil s'inclinait légèrement vers le couchant, là-bas, où l'œil parcourait, à une vitesse incalculable, des prairies où broutaient des vaches le dos tourné au soleil, d'humbles arbrisseaux, des poiriers sauvages dirait-on, des ruisseaux, d'autres arbres, des maisons… Il avait observé comment, au moindre souffle du vent, les plantes qui entouraient sa villa ployaient au point de toucher, presque, le sol, fins, quasi aériens, il s'agissait sans doute de camomille. Sauf si c'est son imagination qui a créé toute cette mise en scène sans qu'il le veuille. Plutôt non, toutefois, car il se rappelle les détails — la preuve que c'est cela, le paysage, comme il le verra plus tard de la calèche qui les y amènera pour y vivre ensemble à jamais…

C'est donc là, dans ce lieu marqué par le deuil, un peu décadent, appartenant à une époque révolue, qu'elle habite seule depuis la mort de son mari, disparu en pleine jeunesse. Ses parents sont morts depuis longtemps. Ses frères et sœurs vivent dans des pays lointains. Non habituée à la vie en ville — même si elle rayonne d'une telle distinction, elle ne connaît la ville que par le voyage, au cours de visites à des membres de sa famille —, elle n'entend pas abandonner le domaine paternel : ainsi donc vit-elle avec sa mémoire, entourée de deux ou trois domestiques fatigués par la vie. Si fatigués en fait qu'ils ne font que le strict minimum, avec comme résultat que le jardin, qui avait été l'endroit mystérieux où elle faisait ses rêves les plus chers, était noyé dans la luxuriance des herbes et des fleurs sauvages qui poussaient et se multipliaient chaque année un peu partout. Les fruits tombaient pourris des arbres sur le sol humide pour y épandre un genre d'humus. Dans les fissures qui se sont ouvertes dans les murs extérieurs, ainsi que dans le cadre rouillé de la porte principale, qui émet un gémissement quand vous l'ouvrez, la même situation domine. Mais, à l'intérieur, il règne une propreté toute particulière, comme dans les monastères ; cependant, là encore, on remarque cet air vieillot, l'odeur du passé qui se dégage du bois vermoulu des meubles, des placards où l'on pend des robes démodées qui respirent les parfums et la naphtaline éventée.

Les jours se succèdent, mais pas la moindre chose ne change dans sa vie. Seuls ses souvenirs viennent remplir ses heures vides. Mais quels souvenirs, en fait? De quoi au juste? De ses parents morts, de ses frères et sœurs qui ont cessé il y a des années de lui écrire, de certains voyages en ville, de certaines stations balnéaires, ainsi que de son mari, qu'elle connaissait depuis son enfance, et dont elle a complètement oublié la mort pour mieux le conserver vivant dans sa mémoire. Mais alors qu'elle ne quitte presque jamais l'enceinte de la villa — qui couvre, faut-il le préciser, une immense superficie —, elle s'habille, se parfume et se maquille avec une coquetterie innée, assise devant la table de toilette de sa chambre, comme si elle allait recevoir, quelques secondes après, la visite d'un jeune qui, de passage en ces lieux si peu fréquentés, franchirait avec curiosité et fascination la porte de fer forgé rouillée pour y entrer, s'étant au préalable frayé un chemin à travers la verdure jusqu'à la porte principale de la villa, envoûté par l'idée fixe que cette vaste maison était inhabitée. Mais quelle surprise l'attend! Elle, qui l'avait entraperçu d'en haut, de sa fenêtre, alors qu'il apparaissait comme une simple silhouette au loin, au point qu'elle ne pouvait savoir s'il venait ou s'éloignait, s'est empressée de dévaler les marches de l'escalier, et voilà qu'elle lui ouvre avant même qu'il n'ait sonné.

Cela, toutefois, ne s'est jamais produit depuis de si longues années, jusqu'à ce qu'un jour, comme si elle venait de se réveiller d'une torpeur, elle constate combien tout autour d'elle n'est que chimères. Se regardant dans la glace avec un mélange de satisfaction et de confiance, elle se demande pourquoi elle avait adopté un tel comportement pendant tant d'années sans qu'une solution lui soit venue à l'esprit. Ainsi décide-t-elle aussitôt d'entreprendre un voyage — sans programme, sans destination, sans les visites d'usage à des parents lointains — dans l'espoir de faire, soit dans le train ou bien dans l'un des hôtels où elle descendrait, cette rencontre dont elle rêvait sans pouvoir la réaliser, enfermée comme elle était toujours dans ce milieu suffocant. En souhaitant secrètement tomber sur celui qui corresponde à ses rêves, exactement à l'image de celui qui se trouvait, en face d'elle, sur la banquette du compartiment. Elle lui explique pour quelle raison elle a hésité pendant si longtemps, de peur de se tromper, elle voulait être sûre que celui auquel elle allait désormais consacrer toute sa vie était à la hauteur de ses attentes, etc.

Spontanément, sans préparation, elle s'est jetée sur lui, l'enlaçant dans ses bras tendres et accueillants qui dégageaient l'arôme doux du corps féminin. Maintenant ils ne parlent plus ; ils ont hâte d'arriver quelque part, dans une grande ville. Après un voyage de plusieurs heures — pendant toute sa durée, les deux s'adonnaient parcimonieusement à leurs ultimes moments avec la même passion —, ils arrivent la nuit tombée dans une ville inconnue. Ils se précipitent de la gare au premier hôtel qu'ils trouvent sur leur chemin, et, ayant souffert le pire des martyres avant de se dévêtir, ils tombent ensemble dans le lit, sans hésitations ni appréhensions à propos de ce qu'il va penser que je vais penser, ou de ce qu'il va soupçonner que je suis ce que je détesterais qu'il soupçonne, etc.

Tout le long de cette nuit inoubliable, et tout le temps qu'ils passent dans cette ville, ils se comportent l'un envers l'autre exactement comme lorsqu'ils se sont trouvés pour la première fois. Rien n'est changé entre eux ; au contraire, quelque chose continue à les emballer de plus en plus.

Quand il la prend dans ses bras pour lui caresser les cheveux ou pour l'embrasser, il a le sentiment de tâter un objet d'art fragile, pendant qu'elle lui répète, avec une sincère passion qui laisse entrevoir la profondeur de son âme, qu'elle a besoin de sa présence, qu'elle bénit la chance d'être montée dans ce wagon-là et non pas dans un autre…

Sans avoir élaboré le moindre plan, comme d'ailleurs dans tout ce qu'ils faisaient, ils s'embarquent par un superbe matin cristallin dans le train du retour, encore plus fous d'amour ; ils parcourent la même distance que naguère, se remémorant chacun de leurs moments, l'un après l'autre ; à partir de l'instant où elle est entrée dans son compartiment du wagon jusqu'à ce qu'ils aillent à l'hôtel, alors qu'elle ne cesse de le taquiner : « Comme tu es bête… de ne pas m'avoir parlé dès le début… Nous avons perdu des heures entières ; quand les revivrons-nous ? » Lorsque, enfin, ils arrivent à la petite gare, ils prennent le fiacre, et par des paysages qu'il n'avait connus jusque-là que dans son imaginaire, ils atteignent sa maison déserte, dans laquelle ils allaient vivre pour toujours, isolés du monde. Et dans ce nouveau milieu, les mêmes étreintes continuelles, la même tendresse toujours ; et tout indique, comme si cela allait de soi, qu'il en sera ainsi à jamais — jusqu'à la mort, qui ne leur effleura même pas l'esprit. Ils répètent sans cesse — par leurs gestes et non pas, que Dieu nous en protège, par leurs paroles — le vers archiconnu du poète : « Je t'aime plus qu'hier, mais moins que demain. » Mais ils échangent aussi des mots doux par la bouche, même aux heures les plus prosaïques de la journée.

Ils soignent tous les deux leur apparence, s'habillant comme s'ils étaient de tout nouveaux amants qui vont se rencontrer dans un hôtel. Parfois, il leur arrive de penser que, pour qu'ils puissent maintenir leur relation à ce degré d'exaltation, ils se doivent de disparaître pendant des jours entiers dans diverses chambres, ce qu'ils font sans en avoir au préalable discuté : voilà à quel point ils se connaissent. De leurs chambres respectives, ils communiquent par billets doux qu'ils plient comme s'il s'agissait d'une poudre quelconque achetée en pharmacie, comme lorsqu'ils étaient encore enfants. Ils fixent comme lieu de rencontre un coin bien dissimulé du jardin ou encore plus loin, dans la forêt luxuriante, à la lueur de la lune… Là-bas, il est exclu qu'un œil humain puisse les épier — seules les plantes innocentes et les fleurs…

* * *

Nous pouvons (ou bien peut-être nous ne pouvons pas) considérer tout cela comme inventé, voire invraisemblable. Mais jamais que de telles choses puissent laisser croire que nous avons affaire à un homme taré, et ce, pour la seule et unique raison que cela ne nous est jamais passé par la tête.

Rêveur alors, notre Stoppakius. Et quand il revenait finalement sur terre, son état devenait de plus en plus désespéré. Par malheur, sa timidité de jeunesse était trop pathologique pour qu'il puisse traduire ses chimères en réalités — en dépit de tous ses voyages et de toutes ses prétentions, en dépit de sa position sociale élevée et des biens dont il disposait en abondance —, pour lui permettre de donner libre cours à toutes ses lubies.

Je suis certain que le service militaire lui aurait fait grand bien, mais les siens avaient pris des mesures pour qu'il n'y aille pas. Bien justifiées, d'ailleurs, car il était maladif. D'aucuns disaient, derrière son dos, qu'il était tuberculeux — aérien et transparent comme il était, à un point tel que l'on pouvait observer le tracé bleu de ses veines anémiques aux tempes et aux mains… Même qu'un printemps il avait failli succomber à une phtisie galopante; ainsi l'ont-ils fait filer dare-dare en Suisse en train, enroulé dans des couvertures. Dans son entourage familial immédiat, l'on faisait tout pour que le véritable mobile du voyage ne soit pas connu. Mais s'ils ne l'avaient expédié pour cause de tuberculose, pourquoi alors l'ont-ils fait, et avec une telle hâte en plus? Pour quelles raisons allait-on en Suisse à cette époque? Pour quelles raisons, alors, tous ces chuchotements, ces murmures, ces conciliabules et ces consultations avec des médecins pendant des journées entières avant son départ? Pourquoi donc ses voyages préalables en Europe n'avaient-ils jamais créé de tels soupçons?

Il est resté plus de deux ans en Suisse, faisant parvenir à ses amis (il en avait alors beaucoup) des cartes postales et des lettres pleines de nostalgie. Il envoyait en plus des descriptions et des poèmes contenant une pléthore de fantasmes sur les edelweiss, qui établissent, paraît-il, des relations amoureuses entre eux, sur des vierges en longues robes diaphanes surgissant de la brume matinale au bord de la rivière, sur les sons mystérieux émis par les gouttes d'eau des glaciers qui fondent dans le désert, et ainsi de suite. Publiés dans des journaux et dans ces revues au lourd papier glacé et ornées de culs-de-lampe, ces textes n'ont pas manqué d'impressionner, pendant un certain temps, nos cercles littéraires, ou plutôt mondains. Toutefois, dans les poèmes que j'ai consultés à la bibliothèque municipale, l'on peut diagnostiquer les symptômes de cette maladie maudite, même s'il ne l'évoque que par allusions, bien évidemment. Même si le moindre doute avait subsisté quant aux raisons de son voyage en Suisse, les documents que nous possédons l'auraient dissipé. Pour la petite histoire simplement, j'ajouterai ceci: on a relevé des empreintes digitales dans les marges des pages qui contiennent ses poèmes (pendant que les autres pages des volumes consultés sont presque intactes), et elles sont parfois couvertes de sous-entendus ironiques, voire d'injures crues et d'obscénités à l'endroit du personnage, non bien sûr du poète éthéré de cette époque, mais de l'ordure qu'il est devenu.

À la suite de la publication de ses textes, il devait fatalement se lier avec quelqu'un dont le sort a voulu qu'il finisse par être sa victime : le poète de renom depuis lors, Dialème Xentadine, qui, pendant des années, fut son mentor et protecteur en ce qui a trait aux questions littéraires. Mais très vite, il a été évident qu'en tant que poète Papenguss était stérile ; aussitôt terminé le désespoir de l'exil et du spectre de la Mort, prirent fin les mélodrames. Je dis cela sans parti pris, sans me laisser influencer par la haine que j'ai pu avoir, ou que j'ai, envers cet homme. D'ailleurs, il connaissait lui-même sa propre faiblesse. S'il ne l'avouait à personne, il n'était pas difficile de le deviner, et son chagrin secret de n'avoir jamais reçu de distinction nulle part le poursuivait telle une plaie ouverte. C'est peut-être pour cela qu'il est devenu espion et traître — pour pouvoir s'éclater quelque part. Son père s'était illustré dans les affaires ; lui, il voulait en faire autant en littérature. Mais puisque cela ne marche pas en littérature, essayons du côté de l'espionnage ! Finalement, peu importe ce qu'il en était et ce qu'il n'en était pas, peu importe ce qu'il intriguait derrière son dos, l'amitié qui l'unissait à Xentadine est restée intacte — sauf un court intervalle — jusqu'à l'époque où se produisirent les événements tragiques dont vous avez l'intention de publier le récit, selon ce que vous nous écrivez, du moins. Vous avez mon accord sans réserve.

Quelle activité conspiratrice avait-il déployée durant les deux années et plus qu'il avait passées isolé dans les Alpes, je ne suis personnellement pas bien placé pour le savoir avec précision. Il s'ensuit que je ne peux me prononcer de façon catégorique sur cette période de sa vie. Je préfère mille fois ne rien écrire, comme on dit, plutôt que d'avoir recours à des conjectures absolument inutiles. Ainsi donc, si vous connaissez quelques détails que ce soient à ce sujet, vous avez, je crois, le devoir sacré de les faire connaître. En ce qui me concerne, je serai contraint de me limiter à des souvenirs personnels épars provenant de récits de mon père et de tiers, que je conserve avec une clarté qui m'étonne, et à des renseignements qu'il nous donne lui-même dans ses fameux journaux intimes. Comme vous pouvez le constater en consultant les pièces jointes, une grande partie a été conservée.

Maintenant, parmi ses affirmations, lesquelles possèdent le moindre atome de vérité et lesquelles n'en possèdent aucun, cela est vraiment une autre histoire, et j'attire votre attention sur cette question. Toujours est-il que nous pouvons conclure, à partir de plusieurs indices, que ce qui a trait au côté sombre de sa vie, il l'écrivait exclusivement pour lui-même; c'est donc à peu près authentique. Il aurait été bête de sa part d'écrire pour se faire lire par d'autres, car en l'occurrence, les faits arrangés selon ses propres intérêts l'incriminent. D'ailleurs, presque tous les documents cachés ont été retrouvés à la suite des efforts persistants des agents de la police. Et puisqu'il écrivait uniquement pour lui-même, nous ne pouvons qu'accepter lesdits documents de bonne foi. Mais à l'heure où je vous écris, ceci vient de m'effleurer l'esprit : satanique comme il était autant dans ses pensées que dans ses actes, se peut-il qu'il fît *semblant* de n'écrire que pour lui-même (afin de nous convaincre de sa bonne foi, justement), alors qu'au fond il a tout fait pour laisser derrière lui des traces?

S'il avait fait preuve d'un tel souci, nous ne pouvons alors que conclure qu'il était conscient de sa culpabilité, qu'il éprouvait des remords, pour dire la triste vérité. Devant le néant que nous sommes tous devenus, cela représente quelque chose, n'êtes-vous pas d'accord ?

Le drame, pour nous qui nous sommes occupé de cette sale affaire, c'est qu'il écrivait son journal intime sur des feuilles volantes et non dans des cahiers. Pour ensuite les enfouir, bien sûr, non pas dans son coffre-fort — dans lequel on a trouvé quelques papiers, malheureusement sans importance, avec des liasses de billets de banque d'avant-guerre —, mais dans les endroits les plus incroyables, et parfois les plus évidents, dans ce capharnaüm qu'était sa maison. La partie où il mentionne l'aérostat (qui va nous occuper plus tard), il l'avait cachée sous le socle d'un buste de marbre dans un renfoncement du mur. C'était dans son bureau même, où il était resté pendant des jours sous l'œil crédule des policiers. Vous conviendrez que s'il y avait un objet qui ne devait pas attirer le moindre doute, c'était bien cette statue-là. Qu'y a-t-il de plus innocent qu'une statue, que les visiteurs avaient vue pendant des années, toujours à la même place ? Toutefois, la possibilité était d'autant plus grande qu'elle soit l'une des premières cibles des policiers. À quoi se résoudre ? Toujours est-il que c'est à ce genre de subterfuge qu'il avait eu recours.

Si nous, qui jugeons froidement tout cela après tant d'années, nous formulons pareilles hypothèses, imaginez la trouille qu'il a dû avoir, et les stratagèmes qu'il a dû imaginer pour sauver sa tête. Parfois, quand je pense à lui, je me demande quel enfer sa vie était sûrement devenue, surtout vers la fin, quand il a senti l'étau des soupçons se resserrer autour de son cou pour l'étouffer. Pour conclure mon histoire, deux agents ont fait, à la blague, un pari à savoir qui était capable de transporter cette grosse masse d'une seule main. Et c'est ainsi qu'on en est venu à trouver le bout de papier. Sinon, on ne l'aurait jamais découvert, ou bien il aurait été découvert plus tard, par des travailleurs en train de faire des rénovations dans tout l'édifice, et, sans savoir ce que c'était, ils l'auraient jeté à la poubelle.

Ici, une question bien légitime se pose : l'avait-il caché là exprès, pour qu'on le trouve ? Ou bien avait-il été obligé de le cacher là à la hâte, selon la psychologie du prestidigitateur à un moment où il appréhendait le danger, pour l'oublier par la suite, préoccupé par tous les autres problèmes que son misérable rôle lui causait ? Comme je vous l'ai dit, encore une fois je ne puis me prononcer catégoriquement.

Nous est-il donc possible de conclure quoi que ce soit dans pareilles circonstances, et d'affirmer que telle interprétation de ses faits et gestes soit plus véridique que telle autre ? Bien sûr que non.

Je me souviens vaguement de quelque chose, que je vous écris sous toute réserve. D'après les rumeurs infâmes qui couraient peu de temps avant qu'il ne soit découvert pour de bon, remontant à l'époque où il séjournait au sanatorium, la larve de l'espionnage et du complot ressurgit. Cela, je le relie à la déposition plus ou moins circonstanciée d'un témoin, un médecin, que j'ai entraperçue aux archives. D'après cette source, je ne peux que conclure que c'est au sanatorium qu'il a noué ces liaisons dangereuses qui lui sont montées à la tête comme tant d'idées folles, et qui allaient avoir des conséquences funestes, non seulement pour lui et le regretté Xentadine, mais aussi pour le pays tout entier.

Ainsi, à partir de ces renseignements confus, dont je garde un vague souvenir dans ma mémoire — je ne suis pas parvenu à les copier ; chaque fois que j'avais tâché de le faire, il y avait toujours quelqu'un qui passait —, on peut du moins supposer que, pendant tout ce temps, il était en contact uniquement avec le médecin et l'infirmière qui s'occupaient personnellement de lui. En silence, avec méthode, ils l'observaient tous les deux sans fermer l'œil, sans éveiller ses soupçons, en appliquant de bons vieux principes de l'hôpital, de sorte que leur attitude ne trahît pas le moins du monde les consignes qu'ils avaient reçues de ses parents et des médecins de famille. Un tel comportement ne pouvait être perçu par un malade, qui plus est par Stoppakius, que comme une conspiration en règle.

Puisqu'ils connaissaient bien sa sensibilité et son tempérament chatouilleux, ils évitaient de l'irriter de quelque manière que ce soit — étant toujours pondérés et conciliants — malgré qu'il ne fût pas si différent d'un prisonnier aux prises avec ses gardiens. Mais dans de tels hôpitaux, ils sont triés sur le volet ; ils savent comment se comporter envers les patients : sans trop d'indulgence (pour ne pas les rendre indolents au point qu'ils dépérissent), mais sans trop de dureté non plus (pour qu'ils ne perdent pas leur moral, ce dont ils ont un si grand besoin).

La lecture lui avait été poliment interdite. Sous divers prétextes, qui n'avaient rien à voir avec la santé, mais qui relevaient plutôt des usages de l'établissement, il n'était pas non plus permis d'écrire beaucoup ; je veux dire, non pas à lui seulement, mais, en règle générale, à la centaine de patients. Ainsi, il devait rédiger ses poèmes, de même que ses autres textes, de façon clandestine, pour ensuite les faire sortir par le truchement de sa mère, qui allait tous les mois lui rendre visite. Je crois qu'il vaut la peine de mentionner ici un trait caractéristique de l'influence néfaste qu'a eue cette dame sur la formation de notre héros : ce fut, entre tant d'autres dont je parlerai plus tard, qu'elle mettait en jeu la vie même de son précieux fils, il suffisait qu'il excelle dans un domaine.

À la lecture des descriptions contenues dans ses lettres personnelles, nous apprenons qu'il passait le plus clair de son temps couché sur son lit, enfermé entre les quatre murs d'une chambre spacieuse et bien aménagée, dont la fenêtre donnait sur les pentes enneigées de la montagne solitaire d'en face. Au cours des repas, toutefois, dans la salle à manger commune, ainsi que pendant les manifestations festives que le sanatorium organisait à la première occasion afin de remonter le moral des malades, il avait certes la chance d'entrer en contact avec les autres reclus, et de tisser des liens plus serrés avec certains d'entre eux.

Ces derniers étaient de toutes graines, y compris des plus hostiles. Ce facteur, d'une importance capitale pour la conduite de notre héros, n'est nulle part explicite dans ses dépêches, ni dans ses lettres, mais s'insinue comme un serpent pour se dissimuler dans des propos vagues qui trompent le lecteur, ou bien détournent son attention vers des points futiles. C'était comme s'il avait cherché dès ce temps-là — alors qu'il n'était pas encore coupable — à protéger ses arrières. De toute manière, on constate que c'est là qu'il a cultivé ses relations. Ou bien, d'après d'autres, ce sont ceux qui avaient intérêt à le faire qui se sont efforcés de les cultiver — version que je ne trouve pas de raison de ne pas accepter, si nous nous rappelons quel garçon sincère avait été Stoppakius, du moins jusqu'à l'époque où il a été expédié en Suisse.

Comment alors se manifestèrent les premiers symptômes? Selon une information qui a fait surface lors de la tenue du procès, il semble que, dans l'isolement qui l'anéantissait, il se soit laissé entraîner à des « contacts illicites » — nous ignorons lesquels exactement — avec un autre malade, celui qui allait devenir par la suite l'un des cadres les plus importants des services du renseignement de l'ennemi — s'il ne l'était pas déjà. Et que, dit-on, lorsque les deux eurent reçu leur congé du sanatorium — toujours selon cette même information —, ils se sont rencontrés dans un endroit de province, plus spécifiquement dans une station thermale, à la suite d'une exigence de notre héros inconnu qui, en usant de chantage, un truc aussi vieux que le monde, l'a prestement transformé en agent soudoyé, le menaçant de créer autour de lui un scandale s'il ne pliait pas. Il n'est pas difficile de comprendre ce qu'un tel scandale aurait pu signifier pour la famille d'un Papenguss. Mais qu'on me permette de rejeter du revers de la main toute cette histoire comme étant une machination de ces quelques individus qui, à leur grande honte, se sont portés à sa défense lors du procès.

L'esprit de leurs allégations était le suivant : ils m'ont soi-disant fait chanter ; ils me forcent à faire contre ma patrie tout ce qu'ils veulent. Toutefois, moi, patriote fervent que je suis, je n'entends pas céder — cela me réduirait à néant —, mais que voulez-vous que je fasse ? je lève très haut les mains et je me rends car, sinon, nous sommes perdus ; l'honneur des Papenguss est terni, et puis, bof ! Eh bien, ce n'est pas comme ça que ça marche. Que l'on me permette de dire que je trouve cela aussi hypocrite que perfide. Même si cela vous paraît scandaleux, j'ai tendance à croire plutôt la version que Stoppakius formule lui-même d'une manière on ne peut plus crue.

Sa propre version est la suivante.

Quelque part dans ses papiers (je vous parle de choses archiconnues, provenant d'autres sources), il nous écrit quelque chose sur son enfance, sur l'atmosphère estivale de leur maison de campagne, qui se situait sur la côte nord-est de notre pays, un endroit renommé pour sa beauté naturelle. Là, parmi les enfants des villas avoisinantes, avec lesquels il jouait l'après-midi dans les arbres et les dunes en bordure de la mer, pendant que les adultes faisaient la sieste, se trouvait un petit Allemand, envers lequel il eut tôt fait de sentir une puissante attraction. Afin d'éviter tout malentendu, nous le nommerons Helmut. Les deux garçons se ressemblaient comme deux frères ; on aurait dit qu'ils étaient sortis du même ventre. Mais ils se ressemblaient aussi à plusieurs autres égards. Tout comme Stoppakius, Helmut avait un penchant pour les livres, et « écrivait », lui aussi, depuis son plus jeune âge.

D'instinct, après les premiers rapprochements et aveux enfantins, ils se mirent à s'échanger, timidement, de naïfs morceaux de poésie et de prose. Ce n'étaient que des imitations d'œuvres d'auteurs pour la jeunesse de l'époque. Mais le fait de lire et d'écrire à un tel âge et avec une telle passion n'était pas peu de chose, je crois. Ils étaient surtout attirés par les récits d'aventures — quoi de plus normal pour des gamins de cet âge.

Ils avaient pris cette habitude, et les après-midi, ils laissaient les autres enfants à leurs jeux de cache-cache dans le boisé, et ils se réunissaient tous les deux dans un coin de la bibliothèque du père de Stoppakius, les volets fermés, pour s'adonner avec joie à des discussions littéraires frivoles qui duraient des heures. Que le diable les emporte s'ils savaient seulement ce qu'ils disaient, mais puisqu'ils y trouvaient leur plaisir, cela était suffisant. Certes, les disputes et les querelles d'enfants étaient de la partie, qui les virent souvent se séparer, fâchés, la mine basse. Il n'en reste pas moins que la plupart du temps, ils s'entendaient bien, et ils envisageaient la perspective de leur séparation chaque automne comme une véritable catastrophe, en se disant mutuellement : « Cesse de me le rappeler ! » mais, au fur et à mesure que « le jour » approchait, ils se mettaient à compter à rebours : « Encore quinze jours, encore quatorze », etc. Comme ils passaient vite, hélas ! ces satanés jours-là ! Ils s'en apercevaient surtout le soir, après le repas, alors que, pour avoir la paix, les adultes les envoyaient tôt au lit. Le matin, au contraire, dès le réveil, ils voyaient bien qu'ils avaient oublié leur désespoir de la veille, qu'ils ne mentionnaient même pas, pour ne pas gâcher leur journée ; peu leur importait ce qui allait arriver, du moment qu'ils avaient toute une belle journée devant eux ! Les deux débordaient de joie, et avec une parcimonie digne d'un adulte, ils essayaient de voler du temps et, si la chose était possible, de le passer dans un coin de la bibliothèque. Mais vers la fin de l'après-midi, la mélancolie leur était plus insupportable que lors de toute autre journée précédente.

Et pendant, finalement, qu'ils se séparaient, fin septembre, les deux versaient de petites larmes amères qui déchiraient encore un peu le cœur de leurs parents. La petite tête de celui qui partait le premier tout comme la petite main qui lui faisait signe restaient longtemps visibles de la fenêtre du wagon, jusqu'à ce que la queue du train se perde de vue derrière l'horizon de la gare. Ils s'écrivaient de façon systématique, pendant toute la durée de leur séparation, jusqu'à ce que revienne la période estivale, qu'ils attendaient avec un désir ardent, rempli de beaux rêves.

Cette façon de faire se répéta pendant bon nombre d'années. Tout à coup, un midi un peu avant le repas, à l'heure où les deux amis rêvassaient, loin du monde, au bord de la mer, voilà que la mère de Helmut arrive, affolée, attrape son gamin, hors d'elle, sans dire un mot, et ils partent tous les deux. L'expression de la mère leur fit une telle impression que ni Stoppakius ni Helmut n'osèrent ouvrir la bouche. Cela se produisit environ au milieu de la période estivale, alors qu'il leur restait encore beaucoup de beaux jours à parcourir ensemble. Au grand désespoir de Stoppakius, qui ne s'était pas remis de l'absence de son ami cet été-là, inconsolable et muet à tout moment de la journée, ils s'en allèrent cet après-midi-là en toute hâte, sans donner d'explication à qui que ce soit. Helmut ne lui écrivit jamais plus alors qu'il l'avait promis la mort dans l'âme au moment de leur séparation désordonnée ; les lettres de Stoppakius, qui depuis sa tendre enfance avait la manie des communications secrètes, restèrent toutes sans réponse.

Malheureusement, aucune source ne nous permet de savoir ce qui se cachait derrière ce départ mystérieux, qui scandalisa tous les estivants sans exception, ni pour quelle raison Helmut, qui avait toujours été si méticuleux dans sa correspondance, avait gardé un tel silence — sans doute sous la pression des siens. Nous pouvons facilement, toutefois, présumer un certain nombre de choses si nous examinons un tant soit peu ce qui est arrivé par la suite ; il paraît que, depuis lors, on se préparait à la guerre. Quant au fait que, dans ses papiers, Stoppakius laisse sans réponse ces épineuses questions (alors qu'il s'étend sur d'autres avec minutie), cela n'est qu'une preuve supplémentaire du mystère qui continue à envelopper certains aspects de sa vie. Quand on pense que la faux de la camarde a fauché cette génération tout entière, on peut dire avec certitude que ces aspects vont demeurer pour toujours impénétrables — sauf s'il se trouve quelqu'un pour déterrer d'autres documents. Qui sait ?

* * *

Le temps passe, et nous retrouvons Stoppakius dans un piètre état, au sanatorium. Un midi, bien après son arrivée, dans la salle à manger, il reconnaît, avec certitude, dans les traits de l'un des patients son ami d'enfance. Les retrouvailles sont spontanées ; ils s'embrassent avec émotion et se donnent l'accolade, les larmes aux yeux. Helmut lui dit qu'ils se seraient sûrement rencontrés plus tôt, dès le premier jour où Stoppakius a franchi le seuil du sanatorium, s'il n'avait été alité, gravement malade, et qu'il vient tout juste de prendre du mieux. Tous les deux se déclarent désespérés d'avoir perdu autant de temps sans raison, dans cet endroit lugubre, alors qu'à peine quelques portes les séparaient l'un de l'autre.
De manière générale, vous pouvez certes vous imaginer

ce que cette rencontre inopinée signifie pour les deux jeunes hommes, surtout dans de telles circonstances. Helmut a laissé de côté les livres, a cessé de s'intéresser sérieusement à la littérature, mais leur amitié s'enflamme de plus belle, et aux restrictions et règlements ridicules de l'hôpital, auxquels ils vouent un profond mépris, ils opposent un cynisme rare, constatant avec ravissement qu'ils le partagent. Ils forment donc une sainte alliance à l'insu de tous, même des leurs, et se retrouvent à la moindre occasion. Ils demandent un transfert dans des chambres contiguës, pour avoir la liberté de se rencontrer clandestinement la nuit, mais la direction leur oppose une fin de non-recevoir, ce qui renforce davantage leur amitié.

Têtus, ils refusent de se limiter aux rencontres habituelles dans la salle à manger ou pendant les promenades auxquelles on les amène en troupeau dans la forêt environnante quand le temps le permet, mais ils communiquent entre eux par lettres écrites sur des bouts de papier subtilisés au salon de la réception ou bien à la salle de récréation et ils se les remettent en mains propres dans le couloir, loin du regard des autres, pour ensuite disparaître, chacun dans sa chambre, pour y lire avec boulimie les écrits de l'autre et y répondre. À tout hasard, ils appliquent un code cryptographique de leur invention. Ainsi, pour eux, « z » tient lieu de « a », « y » de « b », etc., comme s'ils étaient en train de commettre un crime par le simple fait de s'écrire. Sans qu'ils s'en rendent compte, il se crée entre eux un esprit de complot qui leur plaît, mais surtout à Stoppakius.

Telle était donc la situation quand, un dimanche, comme toujours, les portes du sanatorium étant grandes ouvertes pour l'accueil des visiteurs, Stoppakius, qui n'attendait pas sa mère ce jour-là, aperçut, en dévalant les marches de l'escalier, son ami assis dans la salle à manger avec un monsieur d'un certain âge qui allait garder, à leur égard pendant leur entretien, une attitude circonspecte et un langage mesuré. Lorsque Stoppakius apparut devant eux, Helmut échangea avec notre visiteur un signe convenu, comme s'il avait voulu dire : « C'est lui. »

Très rapidement, Stoppakius comprend à certains indices — comme il nous l'assure lui-même assez crûment — que cet homme taciturne, qui s'est présenté en tant qu'« oncle » de Helmut, est venu dans un seul but : le jauger, sonder ses intentions, pour voir quel genre de jeune homme était ce Stoppakius Papenguss, qui écrivait de telles dépêches croustillantes, et ce qu'il avait à « nous » offrir. Les hypothèses qu'il voit se formuler clairement dans les crispations du visage de son interlocuteur et reflétées dans l'expression de Helmut, qui se révèle de connivence, ne manquent pas de scandaliser Stoppakius. Mais, après tout, peu importe à cet homme mystérieux que Stoppakius le soupçonne. Au contraire même, c'est comme s'il voulait lui faire comprendre que oui, je suis venu expressément pour cela et il est temps de cesser ce jeu de cache-cache, du moment que nous nous comprenons parfaitement. De l'autre côté, ne crains rien, nous ne nous compromettons pas, ni toi, ni moi, étant donné que nous n'avons soufflé mot sur ce que… tu vois ce que je veux dire…

Toujours est-il que, à l'exception de quelques compliments mitigés qu'il lui a faits sur son style, l'« oncle » en question n'a rien dit à Stoppakius qui puisse avoir la moindre importance (la plupart du temps il écoutait, et c'était comme s'il prenait des notes dans sa tête), et encore moins par rapport au sombre rôle pour lequel Helmut et lui le préparaient. Ils se séparèrent cet après-midi-là en bâillant. Au moment de se quitter, à l'extérieur des portes du sanatorium, où faisait le guet un type sinistre qu'on ne prit même pas la peine de lui présenter, Stoppakius fut déconcerté par le dernier regard pénétrant que notre visiteur lui lança, tout en communiquant du coin de l'œil avec Helmut comme pour lui dire, les dents serrées : « Fais attention à lui. Ne laisse rien échapper. C'est lui, notre homme. Tu auras des instructions par écrit. » Depuis, il ne semble pas qu'il soit réapparu au sanatorium.

C'est donc avec lui, Helmut, que Stoppakius avait établi des rapports clandestins. Rapports illicites, certes, et même très largement. Mais pas du genre que certains, futés, ont tenté de nous faire croire. Quelques jours plus tard (pour ne pas faire mauvaise impression), Helmut commença à lui poser des questions écrites sous forme de blagues, et toujours dans l'esprit d'innocent complot qu'ils avaient institué : « Quelle division est cantonnée à Gand ? » Stoppakius, qui n'en avait aucune idée, une fois la réponse dévoilée, lui demandait à son tour : « À Dresde (la patrie de Helmut), quelle division est cantonnée ? » À cela Helmut, qui était au courant, donnait une réponse imaginaire et fallacieuse, tout en continuant de poser des questions selon ce qu'on avait élaboré pour lui. De manière générale, il lui écrivait des balivernes en ce qui a trait à son pays — tout en sachant qu'il avait affaire à un être sans danger — alors qu'il prenait des renseignements relativement précis concernant notre patrie de la part de Stoppakius, qui adorait comme jamais ces échanges sur des questions primordiales, qui lui donnaient l'impression d'être important.

Cela va de soi que les escarmouches ne se produisent pas soudainement, mais une fois de temps en temps. D'ailleurs, ces hommes de l'ombre qui se cachaient derrière Helmut n'avaient pas l'intention, Dieu en est témoin, de recueillir d'une façon aussi superficielle des informations d'un pauvre type (pareils renseignements, ils pouvaient les obtenir d'autres sources), mais c'était pour lui roder l'esprit, le disposer à s'aligner dans une direction précise, pour lui préparer l'avenir — pendant qu'ils cultivaient le terrain pour le faire chanter grâce aux pièces écrites qu'ils possédaient sur son compte. Car chantage il y a eu, mais non de la manière dont ces individus tentèrent de nous le représenter au procès. La rencontre à la station thermale a bien eu lieu (des photos ont même été prises par un photographe dissimulé), mais probablement avec l'assentiment de Stoppakius, et non contre son gré. Nous pouvons affirmer que s'il n'avait pas voulu, il n'y serait pas allé.

Un dernier commentaire avant de m'arrêter pour ce soir, car je suis mort de fatigue. Quelle ironie du sort! Leur villa sur la côte fut rasée jusqu'au sol, avec toutes les autres il faut dire, par les forces armées de notre État, au sein desquelles notre héros faisait sans vergogne son service. Toutefois, je dois avouer que leur maison de Gand resta presque intacte, car à ce sujet il eut la prévoyance de donner des informations précises. De toute manière, ma théorie, selon laquelle cet œil de la justice existe, se trouve renforcée par ces quelques renseignements. N'êtes-vous pas d'accord? Allez, bonne nuit.

[5]

Le père de Stoppakius, le bien connu vieux Papenguss, je l'associe vivement dans ma mémoire à un épisode qui aurait pu se passer mille fois, alors que je doute qu'il se soit passé plus d'une, et ce, quand sa gloire tirait à sa fin.

Attention…

Mais, tout d'abord, le moment est venu de dévoiler quelques aspects cachés de mon propre passé, et d'aborder de front la situation telle qu'elle était, si je ne veux pas vous laisser des points d'interrogation çà et là. Comme vous l'aurez peut-être deviné, ils nous avaient donné une maison ; il ne s'agissait, certes, que d'un pavillon au fond de leur jardin, qui se trouvait dans un état d'abandon général quand je m'en suis souvenu, à la suite de l'insistance du vieux Papenguss, ce grand amant du vrai dans la nature, qui ne tolérait pas les interventions du jardinier, l'élagage, le couchage, l'émondage, etc. La seule chose qu'il autorisait, c'était d'irriguer, et, à la fin de l'automne, de brûler des feuilles mortes, et dans ce cas, seulement pour des raisons pratiques. Là-dessus, c'était l'une des très peu nombreuses concessions que lui a faites son épouse endiablée, la très bien connue madame Solange, qui exerçait sur lui une domination presque totale, elle qui fut l'épouvantail de nous tous, enfants, qui, en apercevant ses yeux si beaux mais si sévères, devenions des lapins ou baissions les yeux, épouvantés, et nous changions en statues de sel jusqu'à ce qu'elle disparaisse de notre vue.

C'est là, dans cette petite maison, que je suis né, de même que tous mes frères et sœurs ; c'est là que nous avons passé nos premières années, tous entassés dans deux misérables pièces, aux murs badigeonnés en rouge. Mais au plafond, il y avait de belles représentations qui m'ont laissé des souvenirs inoubliables. Ô combien souvent, quand j'étais malade au lit, ou bien quand je faisais le malade pour ne pas aller à l'école certains matins de tempête, je me suis transporté dans des mondes imaginaires extraordinaires, contemplant les nuages peints au plafond avec un art inégalé, avec des poupons nus, véhiculés dans des phaétons dorés, aux corps sains et aux pommettes roses, avec dans la bouche une trompette chacun... Soit. Des années mémorables, malgré la misère qui s'abattait sur nous.

En face de chez nous, plutôt en diagonale, se trouvait leur manoir, dont la porte extérieure, la Grande Porte comme nous l'appelions tous, ne donnait pas sur la route municipale mais sur la cour vis-à-vis de notre porte selon le système alors en vigueur. À notre gauche, il y avait les écuries d'où émanaient de superbes vapeurs de fumier et d'urine de cheval. Mon père était non seulement un très bon cocher, mais aussi un maréchal-ferrant de premier ordre ; il avait justement installé un véritable atelier, avec tous les outils du métier — le soufflet, l'enclume, etc. —, dans un coin de cette écurie qui, je puis dire, accaparait plus de superficie que notre maison.

J'arrive maintenant à l'incident. C'était le matin — ce devait être soit le printemps, soit l'automne —, à en juger par la limpidité qui cernait toutes choses. La lumière du soleil, qui venait de se lever derrière les arbres du jardin et les toits des maisons, baignait la porte extérieure, faisant briller la poignée et le heurtoir fraîchement astiqués. Mon père, selon une vieille habitude, s'était levé à l'aube. Il avait nettoyé avec application, de mouvements lents et soutenus, le fiacre à l'extérieur de l'écurie. Il avait étrillé les chevaux, les avait caressés affectueusement sur le chanfrein, ainsi que sur la croupe ; il les avait nourris avec de l'avoine bien choisie et parfumée. Il avait poli ses bottes jusqu'à ce qu'elles luisent. Tout à la perfection.

Maintenant, il attendait juché là-haut, sur le siège du fiacre, dans la cour devant la porte par laquelle devait apparaître, d'un instant à l'autre, toujours frais, toujours avec cet aspect de bon vivant, le vieux Papenguss. Les chevaux, les sacs pendus à leurs oreilles, qui étaient protégées par de petits capuchons coniques, ne cessaient de mastiquer nonchalamment tout en déféquant avec volupté, et de la bouse émanait une odeur pas du tout déplaisante qui m'arrive aux narines comme pour m'apporter un tas de doux souvenirs, au moment où j'écris.

Je surveillais la scène avec insouciance depuis le seuil de notre maison ; impossible de savoir pourquoi j'étais sorti si tôt, par un froid pareil. À un moment donné, j'entends, malgré la distance qui nous séparait, mon père me héler, mi-blagueur, mi-sérieux : « Vanille ! (c'est comme cela que tous m'appelaient) Rentre dans la maison avant d'attraper la crève… » De l'intérieur, ma mère, éveillée depuis longtemps, question de lui préparer son café, l'entend et répète, de sa voix de mégère : « Vanille… Amène-toi vite, petit sacripant, rentre en dedans, je veux pas avoir d'autres malades, j'en peux plus… » Mais, d'une certaine manière, son empressement visait plutôt mon père, même si elle ne s'adressait pas à lui.

Au moment où elle sortait, avec son tablier souillé et ses mains mouillées, dans l'intention de me tirer par le collet vers l'intérieur, et où j'amorçais un mouvement afin de la regarder en face, craignant qu'elle ne me donne une taloche par-derrière, voilà le vieux Papenguss en pleine forme et de cette bonne humeur qu'il affichait toujours. Une femme de chambre, coiffée d'un bonnet blanc, arrive en courant et lui donne une mouchoir plié pour la pochette de son veston, qu'il avait oublié. Le vieux Papenguss le prend au moment de monter sur le marchepied du fiacre. La femme de chambre s'efface discrètement, fermant la porte derrière elle, comme si elle voulait montrer au vieux Papenguss combien elle respectait sa présence. Cela, le vieux Papenguss l'a compris. Ainsi, la tendresse que lui avait inspirée ce détail, il la transmet à mon père qui, entre-temps, se trouve assis à son poste, là-haut, le dos tourné, mais l'oreille tendue, tout comme les chevaux, pour ne pas laisser s'écouler la moindre seconde entre la consigne et la mise en route. Il n'aime pas démarrer sans le mot d'ordre qui est devenu, au fil des ans, une habitude bien ancrée. Avec la tendresse dont je vous ai parlé, le vieux Papenguss donne l'ordre et, d'un brusque coup de fouet en l'air, mon père donne aussitôt le second commandement, et les chevaux se mettent en branle à l'instant même où le vieux Papenguss ouvre son journal aux pages de l'actualité économique. Avant que le fiacre n'eût exécuté le virage pour sortir de la cour, ma mère m'a traîné à l'intérieur pendant que mon esprit songeait à madame Solange, au sobre diadème qu'elle portait dans ses cheveux, elle qui se trouvait encore au lit. Pourquoi se réveiller à une heure pareille, au risque d'abîmer son épiderme ?

Tout le monde parlait de la générosité et du caractère qui étaient le propre du vieux Papenguss dans toutes ses affaires. On le décrivait (mon père surtout) comme étant un marchand affable, juste et taciturne, un homme de la vieille école, qui ne s'adonnait pas aux manigances. Son habileté tenait tout d'abord à l'aisance avec laquelle il concluait les marchés les plus avantageux. Le veux-tu? C'est à toi. Tu n'en veux pas? C'est comme tu voudras, donc; on n'en fera pas un plat. En d'autres mots, nous ne devons pas, de quelque façon que ce soit, l'inclure dans ce groupe de rapaces qui, de leurs griffes crochues, cherchent à dépecer le corps de l'autre pour ensuite l'immoler aux pieds de Moloch. Tout ce qu'il touchait se changeait en or, comme s'il avait vécu les Mille et une nuits. Pour lui, l'argent coulait à flots, comme de source, un vrai pactole. Ainsi donc, nous pouvons affirmer avec assurance que s'il avait tiré profit de certaines situations, il fallait plutôt blâmer le système.

Il était le fils d'une vieille mais humble famille de petits-bourgeois de notre ville. Et il a réussi à s'enrichir en jouant à la Bourse. Toujours est-il qu'il a gagné ses premiers billets de mille à un très jeune âge, quand il était encore un employé obscur d'une grande société d'importation d'épices. Sans le sou, il avait imaginé une combine : une cargaison de thé, qu'il avait fait importer pour son propre compte à crédit en provenance d'Indochine, et qu'il avait réussi à placer chez des clients de la société où il travaillait pour de l'argent comptant, et avec un profit extraordinaire, bien avant que la lettre de crédit n'arrive à échéance. La société s'en est rendu compte, mais avant qu'elle ne puisse le congédier, il a démissionné de son poste de commis et, avec l'argent liquide en main, il a acheté un hôtel qu'il avait déniché; mais il lui restait un capital respectable avec lequel il réglait la note d'autres livraisons de thé qu'il avait eu l'intelligence de commander quand l'affaire était toujours chaude. Quand il s'agit de telles affaires, il n'en faut pas trop pour monter très rapidement au sommet.

Il ne serait pas exagéré de dire que tout ce qu'il a fait, que tout l'argent qu'il a gagné, n'aurait été qu'un demi-succès n'eût été son mariage avec Solange. Cette dernière était la fille unique d'une famille déchue de notre ville, mais appartenant à la noblesse. En tant que mère de Stoppakius, toutefois, elle se révéla une véritable mégère. Je l'appelle ainsi non pas parce qu'elle usait de brutalité à l'endroit de son fils — tout au contraire, elle l'abrutissait en lui faisant des tas de concessions —, mais parce qu'elle avait distillé dans son âme toutes les zizanies qui allaient le détruire. Pendant sa tendre enfance, c'était un ange. Mais soit ses relations, soit cette maladie maudite, soit sa mère — et surtout elle, à mon avis — ont fait de lui un monstre, étant donné que, comme on s'en est aperçu plus tard, il n'avait pas, à proprement parler, de personnalité qui vaille. À bien y penser, sa mère était, avant le mariage, une jeune fille rangée, mélancolique et plutôt repliée sur elle-même. Elle était aussi très séduisante : une de ces beautés cachées qui ne s'épanouissent qu'après le mariage. Elle ne sortait presque jamais de cette immense demeure qu'ils étaient parvenus à préserver, et on aurait dit, en observant son apparence, qu'elle vivait dans la pleine connaissance de la déchéance tragique qu'avait connue la famille après tant de grandeur.

Stoppakius, s'il avait hérité quelque chose de son père — même s'il n'avait rien pris, et il ne le voyait pas souvent, occupé qu'il était jour et nuit par ses entreprises : une erreur magistrale de sa part ! —, n'aurait pu prendre de lui que du bien. Mais, s'agissant du vieux Papenguss, je sais aussi qu'il avait la réputation d'être un avare redoutable, ce qui faisait dire proverbialement que c'est ainsi qu'on fait de l'argent. Mais rares étaient les jours où il ne donnait pas à mon père, de la poche de sa veste de soie — quand il était de bonne humeur ; quand ne l'était-il pas ? —, une petite pièce d'or qui, encore de nos jours, nous suffirait largement. En plus des autres bénéfices dont nous jouissions : la maison, les cadeaux, etc.

Avec une générosité incontestable, il distribuait des dons impressionnants à des pouponnières, etc. De même, Solange, qui passait le plus clair de son temps à faire des apparitions discrètes et des activités philanthropiques, n'était pas du tout une femme mondaine. C'est-à-dire que, à ce chapitre non plus, Stoppakius ne ressemblait pas à son père. Celui-ci n'était pas davantage coureur de jupons, comme Stoppakius allait le devenir. Là n'étaient pas les raisons pour lesquelles Solange houspillait sans cesse son mari. Je doute même qu'il y ait eu jamais quelque raison que ce soit. Elle aimait tout simplement l'irriter à partir du moindre prétexte, par pur caprice. Mais que pouvait-il faire, le malheureux? Il donnait aveuglément suite à tous ses désirs, il avalait toutes ses insultes, même celles qu'elle lui faisait devant des tiers, sans émettre la moindre plainte, de peur peut-être de lui procurer l'occasion de faire des scènes d'hystérie, ce en quoi Solange était passée maître.

Les jours fériés, ceux qui lui restaient, le vieux Papenguss les passait bien à l'abri des regards indiscrets, derrière ses bureaux, dans un club privé qui se trouve toujours au même endroit. Son plaisir consistait à se retirer dans un coin du salon, dans le fauteuil qui lui convenait si bien, et à s'abstraire, le nez fourré dans un journal ouvert, sans bouger ni mains ni tête des heures durant, ce qui donnait à croire qu'il faisait semblant de lire. Et pourtant, c'était un lecteur assidu, surtout des pages économiques, qu'il dépouillait en profondeur. Les dimanches, pour échapper aux griffes de Solange, il prenait régulièrement le petit train — sauf dans ses derniers jours — jusqu'à leur maison de campagne où l'on pouvait le voir, tâchant de s'isoler, plongé dans la lecture, fouillant dans sa bibliothèque, ou, son panama sur la tête, sillonnant en solitaire les banlieues de notre ville, qui se vident encore aujourd'hui les jours de fête.

C'était un bel homme, aux traits masculins et à la forte stature — Stoppakius, lui, était comparativement petit de taille, comme sa mère. On disait que, pendant de longues années, il allait se baigner à la mer tous les jours, même en hiver, même quand il pleuvait. J'ai encore ceci à ajouter à son sujet, qui m'impressionne toujours. Malgré qu'il n'ait été affecté en rien dans aucune de ses activités (quelle contradiction avec Stoppakius!), rien ne laissait paraître que cet homme si imposant, dont même le teint avait une certaine noblesse, avait pu vivre une vie de privations dans son enfance, dans une bicoque qui menaçait ruine dans un des quartiers du nord de notre ville, un logis privé de soleil, enfoui parmi les usines dont les cheminées crachaient leur fumée noire jour et nuit. Qu'elles étaient lugubres, ces habitations! Quand on aperçoit leurs briques noircies par la brume et la fumée…

Au faîte de sa gloire économique, à l'époque où il vivait les problèmes de santé de Stoppakius, nous le retrouvons patron des usines de gaz, une entreprise florissante même de nos jours. C'est-à-dire une affaire de millions, sachant qu'il s'agissait d'un monopole, sans parler du prestige. Mais il n'allait pas beaucoup en profiter, le malheureux.

[6]

Après le retour de Stoppakius de Davos (c'est au sanatorium de cette ville qu'on l'avait envoyé), nous voyons se promener insouciant sur les boulevards à la mode un jeune romantique, tiré à quatre épingles, à la chevelure coiffée de façon excentrique, l'air poète, une canne d'ébène sous l'aisselle. Le passant était tout de suite impressionné, au point de se retourner pour l'examiner comme une sorte de phénomène — pendant que notre héros, affichant un souverain dédain, s'éloignait de ce pas dansant comme s'il avait marché sur des ressorts. On aurait dit que, pendant son séjour à l'étranger, son seul souci avait été de se préparer à une telle parade, et qu'il était inconcevable qu'un tel esprit évaporé soit capable, un jour, de tramer la ruine de sa patrie. On aurait pu le prendre pour n'importe quoi d'autre, mais jamais pour un traître. Partout où son chemin le menait — sans programme bien défini —, il prenait des airs de globe-trotter, de celui qui avait ostensiblement oublié, pendant cette absence d'une si courte durée, même le nom de certaines rues, oublié certains us et coutumes du pays, comme s'il avait été d'origine étrangère, de quelque ville mystérieuse, inaccessible à son interlocuteur. Dans sa main libre, comme s'il s'agissait d'un bouquet de fleurs qu'il s'apprêtait à tendre au premier venu qui consentirait à l'accepter, il tenait une liasse de journaux étrangers et de revues d'art, les titres bien en vue.

Il posait des questions comme celles-ci : « Comment est-ce que vous préparez ceci ? Comment vous appelez cela ? Vous savez, en Suisse, nous faisons comme ceci, ou bien comme cela… » De plus, il prononçait certains mots de manière affectée, avec des inflexions dans la voix, ce qui portait certains à se moquer de lui, le prenant pour un grand snob. Mais tout cela ne l'importunait point, pour ne pas dire qu'au contraire il y prenait plaisir. À en juger par son expression, c'était comme s'il avait dit : « Bien sûr que je suis affecté. Je comprends que vous comprenez que je comprends que vous comprenez mon ostentation. Mais cela m'importe peu. Si cela ne vous plaît pas, allez voir ailleurs ! » avant de disparaître avec la même légèreté que celle avec laquelle il était apparu.

L'on ne peut pas exclure qu'il ait fait tout cela intentionnellement, afin de cultiver dans la conscience de tous l'impression qu'il voulait créer ; je dois toutefois avouer qu'à cette étape son comportement n'était pas encore devenu aussi culpabilisant. D'ailleurs, pour un grand malade et un enfant gâté comme lui, quoi de plus naturel que de se conduire avec une telle indécence ? Seuls lui et son âme connaissaient le point de départ de tout cela, pour dire la cruelle vérité. Allez, mettez-vous un tant soit peu dans ses souliers, et vous comprendrez. C'était, pour lui, une période d'hypersensibilité et d'ennui — résultat de sa maladie, de l'isolement et des séquelles qui le minaient sans pitié. C'est la seule façon de le juger si nous ne voulons pas être partial dans nos jugements. Ceci l'ennuyait, cela l'irritait ; il passait son temps à faire des scènes. Les mots « je déteste » se retrouvaient constamment sur ses lèvres, et il avait des exigences absurdes.

Dans les grands magasins, si tel ou tel commis ne lui prêtait pas l'attention qu'il croyait mériter, il se fâchait aussitôt, enrageait, et avait l'habitude d'aller directement au bureau du patron, au fond. Là-bas, il faisait toute une scène pour rien, haussant la voix comme un coq, menaçant, à travers les barres de bronze de l'officine, avec la pointe de sa canne, l'employé foudroyé puis ensuite tétanisé par la terreur. Maintes fois, il exigeait que l'employé soit renvoyé sur-le-champ (comme si toute la ville lui avait appartenu en propre), et il perdait son sang-froid quand le patron, balbutiant et caressant le revers de sa veste, l'implorait, dans un effort pour le calmer, de bien vouloir comprendre qu'il ne pouvait pas jeter à la rue un humble travailleur. Mais comment Stoppakius pouvait-il comprendre de telles choses, lui qui mangeait toujours à sa faim?

De telles scènes, enfin, sans nombre. En voulez-vous d'autres? À table, où il mangeait seul avec sa mère (son père, très pris par ses entreprises et ses nombreuses relations professionnelles, dînait rarement avec eux, en dépit de la vénération pathologique qu'il entretenait à leur égard), à table, dis-je, sous le moindre prétexte risible, il s'emportait. Devenant tout rouge, il repoussait son assiette avec répugnance et des caprices de jeune fille, au grand désespoir de sa maman, qui se retirait dans la cuisine où elle pleurait à sanglots étouffés sur l'épaule de la cuisinière, pour que son fils chéri ne l'entende pas. Bien sûr que Stoppakius entendait tout, mais il avait du plaisir à la faire souffrir. Passons de plus sur ceci : elle adorait elle aussi le voir prendre plaisir à la tyranniser, et elle faisait tout ce qu'elle pouvait pour se faire entendre jusque dans la salle à manger, alors qu'elle feignait de chercher le contraire. Fouillez un peu cette attitude, avec la perspicacité qui vous distingue, et vous allez comprendre à quel jeu hautement risqué se livraient ces deux-là.

Quelque chose s'était passé avec ses relations d'amitié et, de manière générale, avec ses vieilles connaissances. Tous avaient rompu. Le matin, vers onze heures, il sortait tout frais, les yeux gonflés par un bien-être particulier, le bien-être du malade que trahit un teint rose trompeur au visage. Il sortait par les rues. Mais pour quoi faire ? Pour livrer sa pièce. Mais où ? À qui ? Avec qui ? Tous avaient disparu. L'un avait trouvé du travail ou bien venait de se marier et s'occupait de sa maison et de son boulot. L'autre l'évitait parce qu'il puait les médicaments (tel n'était pas le cas, bien sûr) ; un autre avait peur d'attraper quelque chose. Cet autre encore avait honte de se montrer aux côtés de quelqu'un dont la tenue irréprochable le faisait paraître comme un parasite. Mais par ailleurs, ses vieilles connaissances ne semblaient pas être impressionnées par sa présence autant qu'il l'aurait voulu, et cela le mettait en rogne. Là-dessus, il se trompait, dois-je ajouter, car tous étaient impressionnés, et même beaucoup, par sa présence. Seulement, il les éloignait de lui avec cette affectation. Donc, c'est lui qui était dans l'erreur.

Pendant cette période, qui correspondait à l'automne, quand les siens avec toute leur suite étaient revenus de la campagne, il faisait des expéditions dans l'arrière-pays, tout seul, et même il s'était rendu une ou deux fois jusqu'à leur villa, où il demeurait, après qu'il eut insisté, en compagnie exclusivement d'une vieille intendante qui veillait sur lui du matin jusqu'au soir. Tout cela sans envie particulière, mais uniquement pour tuer le temps, pendant que la bibliothèque, dans laquelle il avait probablement passé les meilleurs étés de sa vie, ne le captivait plus comme auparavant, et il n'y entrait que pour prendre tel ou tel livre dans les rayons. La plupart du temps, il demeurait au lit, son oreiller entouré de divers livres et périodiques. Il ne savait pas ce qu'il voulait lui-même. Le bord de la mer ne l'attirait pas non plus ; on peut se demander s'il y avait jamais mis les pieds. Son unique plaisir était de faire une promenade vers la fin de l'après-midi, le long de l'allée boisée qui reliait la villa au chemin de campagne. Cette allée d'arbres existe encore. Il existe aussi des papiers où il esquisse, à gros traits, et avec élégance, non seulement l'allée d'arbres, mais aussi tout ce qui l'entoure : des monticules qui s'élevaient sur la gauche, des prairies, des champs d'une riche terre noire qui étaient marqués par les feux qu'allumaient d'habitude les paysans à cette époque, etc.

De même, quand il se sentait bien, il ne mettait jamais les pieds dans le bureau de son père, au cœur du quartier commercial où étaient réunies toutes les banques et les succursales des sociétés financières, en dépit de tous les souhaits et de toutes les promesses que lui prodiguait cet homme en or le matin quand il se préparait à sortir et allait lui donner un baiser dans son lit. Seulement quelques fois s'était-il permis d'aller dans cette direction, mais uniquement par besoin, quand il se trouvait dépourvu de fonds suffisants et voulait par hasard acheter quelque chose dans un commerce auquel il n'avait pas encore établi son crédit…

Dans l'intervalle, la nostalgie qu'il ressentait pour son pays pendant qu'il était en Suisse le tourmentait maintenant à rebours, et il se mit à envoyer à Helmut, qui y était resté, ainsi qu'à son médecin et à son infirmière, des cartes postales, des lettres — ainsi que des poèmes aux revues helvétiques. De nouveaux succès à ce chapitre, qui lui donnaient un peu de courage, lui permettaient de meubler un peu son temps avec des chimères. Mais nous ne savons pas pourquoi ce nouveau tapage qui s'était créé autour de son nom pendant quelque temps s'est estompé, mais il s'est lassé et a tout laissé tomber. À ce que je suis en mesure de savoir, il n'a jamais repris la plume, sauf pour s'occuper de certains travaux journalistiques, et de son fameux journal intime.

La nuit, là où il aurait pu se confier un tant soit peu, lui était interdite. Les ordres de ses médecins étaient on ne peut plus explicites : d'accord, plus de sanatorium, mais pendant une bonne année encore, peu de fréquentations, peu d'émotions et de folies en vélocipède, peu de contacts avec des femmes de petite vertu. Le tout bien dosé. Les mêmes boissons tonifiantes, beaucoup de repos, une alimentation nourrissante et abondante, et, à partir de huit heures, au lit, sans lecture (car, comme je vous l'ai expliqué, c'était un jeune homme très friand de lecture). Sinon, il y aurait un autre voyage à Davos, et s'il faisait une rechute, cette fois-là ils s'en laveraient les mains.

Mais comment — j'avoue être d'accord —, comment quelqu'un qui avait pris d'autres habitudes pouvait-il supporter de telles épreuves ? À cet égard, feu son père avait une part de responsabilités. Fort occupé par les problèmes de ses entreprises, et pour éviter la grogne de Solange, qui prenait continuellement parti pour Stoppakius, on pouvait l'entendre dire : « Laisse le garçon faire à sa tête. S'il ne le fait pas maintenant, quand le fera-t-il ? » Ainsi mettait-il fin à la discussion. Que voulez-vous, comment le voulez-vous, un saint homme, un homme bien, le vieux Papenguss, n'empêche qu'il avait aussi d'inexcusables faiblesses. Au chapitre de la famille, il s'en est très mal tiré ; il s'est révélé en fait dépourvu de toute volonté. C'est pour cela que tout s'est écroulé, et que nous, les innocents, avons payé le prix fort. Il restait là à raconter ce qu'il avait enduré dans sa jeunesse, il ne voulait pas que son fils vive la même chose. D'accord ; qui ne veut pas voir son enfant heureux ? Mais, à vrai dire, il exagérait dans les concessions qu'il lui faisait. Même si les justifications ne sont pas de mise, il n'est pas exclu qu'il eût tort quant à son attitude, et à la faiblesse sans bornes qu'il manifestait à l'endroit de Solange, d'une quinzaine d'années sa cadette, qu'il traitait comme sa fille. Songez que cet homme par ailleurs au caractère d'acier bégayait de peur quand il lui parlait, comme s'il avait craint qu'elle ne l'abandonne sur place et ne s'en aille. Pour lui faire plaisir à elle (et non pas à son fils, car je suis certain qu'il savait que cela lui faisait du tort), il avait commis, entre autres, l'erreur impardonnable de lui ouvrir un compte dans tous les grands magasins. Alors, pour se défouler quelque part, Stoppakius ne lésinait en rien sur les achats d'objets et d'articles pour la plupart inutiles — jusqu'à la déraison et à la licence. Alors qu'il était cupide et voulait tout posséder, il s'en défaisait immédiatement après l'acquisition, par écœurement, ou bien il distribuait tout à gauche et à droite, en cadeau.

C'est toute une fortune que cette famille martyre a dû payer pour de tels agissements, sans parler des maladies. S'ils avaient eu une telle somme quand, plus tard, ils ont eu des embarras, cet argent aurait suffi pour les tirer d'affaire. Je me rappelle feu mon père qui arrivait la nuit, écrasé par la fatigue, enlevant ses bottines de ses pieds moites, assis sur le bord du lit, et qui disait à ma mère, sans soupçonner que mon oreille le captait : « Ah, ma femme, que d'argent gaspillé... nous allons payer ça cher, ce malheureux garçon nous jettera à la rue. » Vous ne pouvez pas savoir combien ces quelques mots semaient la terreur dans mon esprit. C'est à ce moment que l'on peut faire remonter l'angoisse du lendemain dont je suis prisonnier depuis tant d'années. Et j'entendais ma mère lui dire : « Prends garde de ne pas pécher, ne jette pas de sort au garçon, dans le piètre état où il est ; Dieu y pourvoira ! » Dieu y pourvoira, mais pas pour nous, j'entends dire mon père, à l'heure où j'écris.

C'est vers cette même période que je place ses déboires avec quelques types louches du marché, qu'il avait commencé à réunir chez lui. Nous ne savons pas comment expliquer le fait qu'il gobait, pour ainsi dire, leurs flatteries, qu'il leur faisait confiance d'une manière si scandaleuse : était-ce la naïveté qui le distinguait toujours, ou bien une stratégie soigneusement échafaudée ? La plupart d'entre eux furent décimés sur les champs de bataille, ou par la famine qui frappait notre ville assiégée, ou bien ils furent dispersés de la même façon que des générations tout entières se font disperser au passage de chaque guerre. Ainsi, malheureusement, nous ne savons pas dans quelle mesure leurs relations sont restées sans conséquence pour la patrie. Mais, malgré que nous ne puissions condamner quelqu'un sans lui donner l'occasion de se justifier, personne d'entre eux ne s'est présenté au procès qui s'est déroulé par contumace ; il n'existe pas non plus le moindre indice d'eux dans les archives — je crois, personnellement, qu'ils ont joué eux aussi un rôle dans le complot ; Stoppakius, si diabolique qu'il ait été, n'aurait jamais pu faire cela tout seul, sans complices.

Puisque ses bons amis l'avaient repoussé, disait-il, il avait eu raison d'amener ceux-là chez lui jour et nuit, où ils s'adonnaient à des beuveries interminables, et où ils circulaient, même pendant son absence, dans toutes les pièces comme s'ils avaient été les maîtres, portant ses habits, souliers, cravates et chemises. Certains n'hésitaient pas à y passer la nuit, sans que le vieux Papenguss, qui n'en savait rien, les remarque. Il leur arrivait même de s'indigner quand tel ou tel repas ne leur plaisait pas, comme s'ils avaient signé un contrat comportant l'obligation de les nourrir. Solange tolérait tout cela, pourvu que son chouchou n'ait pas de liaisons avec des dames de petite vertu, comme elle appelait toutes les jeunes filles. Pour elle, toutes les autres femmes étaient laides, mégères, vulgaires, ou bien n'étaient pas de sa classe sociale.

De ses fréquentations il prit des tendances dangereuses : les courses de chevaux, les cartes, les maisons closes. C'est là qu'il gaspillait sans compter les avoirs de son père. Le fait qu'il en soit sorti indemne relève du miracle. Il s'en fallut de peu qu'ils ne mettent la main sur les entreprises elles-mêmes, mais certains du cercle de son père étaient intervenus, lesquels, mus par leur propre intérêt, tirèrent la sonnette d'alarme pendant qu'il était encore temps. Je me dois d'avouer que, là-dessus, le vieux Papenguss avait montré de quel bois il se chauffait. Aussitôt après avoir compris, il les avait boutés dehors, ignorant les exploits de Stoppakius et, surtout, de Solange, laquelle, quand elle le voyait s'exprimer avec prestance, se la fermait, puis battait en retraite. Cependant, il ne pouvait pas, pour des raisons qu'on ignore, se tenir continuellement debout devant elle, quoique, logiquement, il eût dû faire précisément cela afin de s'imposer. Voilà donc le drame qui eut finalement raison de Stoppakius aussi.

∗   ∗   ∗

Dans ce dénouement, Stoppakius devait beaucoup au regretté Xentadine. Dès l'instant où, pour la première fois, il avait lu ses écrits dans ces revues imprimées sur du papier glacé, ce saint homme l'a pris en affection. Il lui avait même consacré un article plein d'enthousiasme et de sympathie alors qu'il était encore inconnu, prédisant qu'il serait la future gloire de notre pays. Il a malheureusement raté son coup, et très tôt. Curieux tout de même pour un Xentadine, qui ne s'exprimait jamais au sujet de quelqu'un si ouvertement — il était extrêmement prudent dans ses jugements —, mais quand, finalement, il partait en guerre, les circonstances lui donnaient raison. Peut-être s'était-il comporté ainsi par pitié pour l'état de Stoppakius? D'un autre côté, il se peut fort bien qu'il ait été impressionné par l'ascendance de Stoppakius, ainsi que par le faste dans lequel il savait que ce dernier vivait. Car il avait de telles faiblesses, malgré son antipathie aveugle pour Solange, et malgré le fait qu'il venait lui-même d'une famille noble, profondément enracinée dans le passé. Le mausolée familial, dans lequel il repose, se dessine, en haut de la colline du cimetière, de quelque point de la ville que vous regardiez — comme d'ailleurs vous vous en rendrez compte quand, un de ces jours, vous viendrez nous visiter. Des problèmes économiques ? Il n'en avait tout simplement jamais eu. Son travail de journaliste auprès des quotidiens, il le faisait pour la frime et non par besoin d'argent, puisque, de toute façon, il n'était pas payé.

Si leurs relations se sont refroidies presque immédiatement après leur rencontre, c'est-à-dire au retour de Stoppakius de Suisse, la faute en incombe à Papenguss et à nul autre. Tout d'abord, l'arrogance qu'il affichait dans ses moindres gestes a fini par créer une impression dévastatrice chez le poète ; ce comportement lui rappelait, avec une horreur égale, Solange. Mais étant réaliste, et connaisseur de l'âme humaine, il n'accordait pas d'importance à cela et il faisait tout pour l'expulser de ses pensées. Ce qui le gênait, c'était que, de pair avec son arrogance, Stoppakius manifestait un manque du respect qu'il aurait dû, à titre de cadet et d'auteur mineur, nourrir à son égard. Ajoutez à cela ses extravagances, qu'il exagérait exprès pour épater la galerie, et vous comprendrez combien Xentadine avait eu raison de l'envoyer promener. Enfin, après s'être livré à de basses flatteries à propos de son œuvre, quand il comprit qu'il perdait du terrain, il avait amené Xentadine — une âme sensible incapable de souffrir de telles choses — au point d'en avoir marre, de perdre patience et d'écarter cette tête de linotte. Pendant des mois, le poète l'avait gardé à distance, résistant avec une froideur, qui était sincère, à certains rapprochements que l'autre avait tentés.

73

Ainsi s'ensuivirent les jours de dévergondage. Entre-temps, Xentadine est parti en voyage. Les plaies s'étaient cicatrisées à l'occasion d'une rencontre fortuite une fin d'après-midi pluvieux, mais encore une fois grâce à la mansuétude de Xentadine. C'étaient les jours pendant lesquels Stoppakius, amer d'être resté seul, sans compagnie et sans folies, tournait à gauche et à droite, sans but, cherchant à tuer le temps qui semblait ne pas vouloir s'écouler. L'automne s'était installé; les siens venaient de rentrer de la campagne — ils passaient la moitié de l'année là-bas, l'autre moitié en ville — pendant que lui, qui n'avait pas quitté Gand de tout l'été, voyait, le matin, après le petit-déjeuner qu'il avalait difficilement, les arbres et les fleurs dans le jardin se faner, et souhaitait instamment que quelque chose lui arrive. Cette dégradation du visage de la Nature — si mélancolique qu'elle fût; peut-être justement parce qu'elle était mélancolique — venait lui rappeler qu'il devait changer un tant soit peu sa vie, et les humbles petites fleurs qui frissonnaient sous la rosée automnale du matin semblaient lui faire signe, semblaient lui indiquer qu'il fallait faire quelque chose. Ballotté par-ci, tournaillant par-là, dans le jardin, dans la cour, d'une pièce à l'autre, dans les rues principales, les mains fourrées dans les poches de son pantalon, il ne savait pas lui-même ce qu'il cherchait, mû par une mystérieuse nostalgie. Il ne parlait à personne, n'avait pas le goût de lire quoi que ce soit, en dépit du fait qu'il amassait des livres sans arrêt uniquement pour avoir une quelconque activité. Sa seule consolation — à part ses occupations clandestines, elles-mêmes plutôt ennuyeuses alors, à ce qu'il semble, mais au sujet desquelles nous ne possédons que des informations très nébuleuses — était les brouillons qu'il couchait sur papier quand cela lui venait à l'esprit, de manière sporadique, et qu'il laissait à moitié finis sur sa table, sans y prêter attention, sans y apporter de corrections, sans même les examiner de nouveau, peut-être par narcissisme comme autrefois, alors qu'il avait pu consacrer des heures entières à admirer la tournure d'une phrase, ou bien un mot original agréable à voir et à entendre, mis à part son contenu. Rien, rien de tout cela. Il se rendait compte qu'il s'enfonçait de plus en plus profondément dans un marécage fangeux, celui de l'abandon de soi — comme il aimait le répéter dans les textes dont je vous ai parlé plus haut.

Un après-midi pluvieux, alors qu'il se trouvait seul dans cette lugubre maison, il aperçut son image dans une glace du couloir, et il fut effrayé de voir ce qu'il était devenu. Relativement jeune encore à l'époque, il se sentait vieux — rien ne l'intéressait dans la vie. Mais, pour se consoler, il se disait que dans son cœur il resterait toujours un enfant. Où étaient ses rêves, toutefois? De ses rêves — et Dieu seul sait quelle sorte de rêves c'était et s'ils pouvaient jamais se réaliser —, rien ne s'est réalisé. Que de voyages, de séjours en Suisse, de nuits il avait vécus pendant sa période de restrictions! Et quel en était le résultat? Il ne lui restait qu'une grande amertume. Et ceci et cela, mais par où commencer, et par où terminer?

Voilà l'état d'esprit dans lequel il se trouvait, lorsqu'il prit la décision, même par ce temps humide qu'il craignait comme le diable, de sortir, peu importe où le conduirait son chemin. Il n'aurait pas hésité à faire même une folie extrême, vu son intention de quitter ce carcan immonde. Si une voix intérieure lui avait dicté de se livrer à la débauche en pleine rue avec la première femme dont les pas croiseraient les siens, il l'aurait fait sans s'excuser et sans en demander la permission; et si elle s'y était opposée, et s'il avait entendu, de l'intérieur, l'ordre de la tuer, il l'aurait étouffée sans songer aux conséquences. Nombre de scènes de ce genre lui passaient par la tête, qui n'avaient aucun rapport avec une hypothétique passion pour de telles relations avec les femmes, mais tout simplement parce que cela lui avait traversé l'esprit, de la même manière que l'idée pouvait lui venir de sortir de sa poche tout ce qu'il avait — il avait toujours pas mal d'argent sur lui — pour le donner à la première petite vieille rencontrée, sans rester là à entendre ses bons vœux, car cela aussi l'assommait.

Il déambulait dans la rue, avec ce pas dansant qui était le sien, emmitouflé jusqu'au nez, tenant très bas le parapluie, dont les baleines frappaient de façon irritante le sommet de son haut-de-forme, qu'il avait enfoncé jusqu'aux oreilles, enjambant avec dégoût les flaques d'eau pour ne pas salir ses souliers vernis. En aucune manière, certes, il n'avait songé à donner suite aux pensées qu'il avait eues devant la glace, ou quand il s'était habillé. Son seul souci : comment ne pas être mouillé par la fine pluie qui tombait, comment éviter de se tacher, comment s'abriter quelque part si jamais il avait pu se décider où.

À un moment donné, il s'apprêtait à passer d'un trottoir à un autre lorsqu'une main l'effleura par-derrière, d'une manière qui n'accusait ni compassion, ni curiosité, ni amitié, ni hostilité de la part de l'autre. Il se retourna avec fébrilité, et il perçut la main gantée de Xentadine, qui déjà, sans parapluie (il semblait sortir d'un magasin quelconque), le regardait l'œil interrogateur, mais sans trahir ses émotions. Alors Stoppakius ne put contenir ses larmes coupées de sanglots, sous le parapluie où Xentadine s'était réfugié, pendant qu'il l'entraînait vers l'autre trottoir, pour éviter qu'ils ne soient happés par une calèche qui passait.

Ils entrèrent dans un café qu'ils trouvèrent devant eux. Mais comme Stoppakius, le dos tourné aux clients, continuait de pleurnicher, tout en se regardant de travers dans la glace, où il vit certains se tourner pour le dévisager, Xentadine le prit par le coude, lui glissa que cette salle était lugubre, et l'emmena au café d'en face, d'où il était sorti quelques minutes plus tôt. Là, Stoppakius se remit un peu, et Xentadine lui commanda du rhum, qui dut lui faire du bien, car il devint affable, de bonne humeur, comme si de rien n'était. Toutefois, il était évident que quelque chose lui rongeait le cœur ; le dégoût se voyait dépeint dans ses yeux. Xentadine comprit qu'il eût été vain d'entamer les exhortations et les bons conseils pour son plus grand bien, etc., d'autant plus qu'il voyait que, d'un instant à l'autre, Stoppakius allait retomber dans la même mélancolie. Entre-temps, la pluie s'était arrêtée, et la rue était illuminée d'une lumière orange indécise qui filtrait entre des nuées noires passagères. De telles circonstances — il le savait — importunaient mortellement notre jeune homme. C'est pourquoi il l'entraîna dans un fiacre couvert et, après lui avoir fait faire le tour d'une place des alentours, où justement Stoppakius avait vécu de beaux moments pendant ses jeunes années, il l'amena chez lui. Là, la femme de Xentadine, qui venait à peine de se réveiller de sa sieste, leur réserva un après-midi inoubliable — comme il nous le décrit dans ses notes — en jouant au piano quelques morceaux familiers de Chopin, les seuls qu'elle possédait bien, avoua-t-elle avec modestie. Ensuite, elle leur récita quelques-uns des poèmes les mieux connus de son mari avec un léger accent provincial et une certaine affectation qui ne le gênèrent pas du tout, du fait qu'elle-même l'intriguait beaucoup en tant que femme, au point qu'il oublia complètement sa situation, pour s'adonner aux épanchements, auxquels l'épouse de Xentadine répondait, semble-t-il, à sa manière. Mais son attitude ne visait pas, comme le croyait Stoppakius, à communiquer secrètement avec un jeunot, pour ainsi dire, ni à flirter avec lui, mais tout simplement à faire plaisir à Xentadine, qui s'entendait avec elle par signes. Ils restèrent là près de trois heures. Après le thé et les biscuits, et avant de se mettre au piano, la femme de Xentadine avait suggéré à Stoppakius de rester pour le souper, mais il avait résolument décliné, prétextant qu'il devait partir tôt pour aller se coucher. Maintenant, c'était l'heure de sortir, insistait Xentadine, pour qu'ils aillent faire un tour au journal, Stoppakius ne voulait plus partir, et plongeait sans vergogne son regard dans le doux demi-cercle que dessinait le décolleté de la femme ; un peu plus bas s'étalait délicatement un sobre collier de perles en harmonie parfaite avec la forme ovale de son visage, avec la couleur de ses joues, avec tout son corps finalement. Le voulant ou non, et pour ne pas indisposer Xentadine, probablement plus impatient de sortir que soucieux des conséquences possibles de cette affaire, il se leva brusquement du fauteuil dans lequel il était assis et, s'inclinant pour lui donner un baisemain avec une passion secrète, il descendit avec Xentadine l'escalier en colimaçon avec la certitude qu'il lui avait communiqué ce qu'il voulait, et qu'elle, par son silence, avait reçu le message et répondu oui.

En partant du journal, Xentadine, sans dire mot, le conduisit et lui offrit le champagne dans un club à la mode, tout illuminé et pavoisé de glaces, et après, avec la même impatience qui le tourmentait depuis les deux dernières heures, il l'installa dans une calèche et ils se rendirent dans une maison close de luxe dans la banlieue de notre ville, au nord-ouest du lieu où je vous écris ; Stoppakius n'y avait jamais mis les pieds auparavant. Et là, la même idée lui revint à l'esprit, c'est-à-dire de le vendre, surtout maintenant que les conditions étaient si favorables, mais il eut honte et ne le fit pas. Il s'éclata avec une fille qui lui plaisait, qui l'avait reconnu dès leur arrivée dans l'entrée, et dans la chambre où elle le conduisit, elle se jeta sur lui en l'embrassant comme si elle avait été amoureuse de lui. Mais lui, il avait toujours à l'esprit le même visage, et c'était à ce dernier qu'il pensa pendant toutes les étreintes jusqu'au spasme final, et, pendant pas mal de temps après, il garda cette image, avec l'illusion qu'il avait eu des relations avec elle.

Mais il perdait son temps avec de telles chimères. Car, comme il ne tarda pas à l'apprendre, elle était amoureuse depuis des années d'un fainéant, un dénommé Gédéon, ami de Xentadine. Pendant que ce dernier se trouvait en Suisse, au plus mal, ils filaient le grand amour, sans que Xentadine se soit aperçu de ce qui se passait depuis bientôt des années. Jamais il ne cessa de le fréquenter, et l'invitait à la maison presque tous les jours; ce n'est que tout récemment qu'il s'était éloigné, et ne venait plus autant. Cela ne voulait pas dire que Stoppakius pouvait nourrir le moindre espoir, car les rapports entre les deux amants étaient plus intenses que jamais, ce que la femme de Xentadine lui fit comprendre par son attitude très franche. Toujours est-il que c'est à ce jour inoubliable que remonte l'amitié entre Xentadine et Stoppakius. En partie les larmes, par un après-midi pluvieux, en partie les excursions en calèche, le champagne, la musique de Chopin, la nuit à la maison close — tout cela les avait liés pour toujours. Langoureux par nature, ses yeux désormais creusés par la maladie (ainsi pensait Xentadine) fixant les siens d'une manière presque féminine, c'était comme s'il avait cherché à lui faire comprendre que, peu importe le nombre d'usines que possédait son père, peu importent les biens dont il disposait, sa petite vie fragile pendait toujours à un fil comme la toile de l'araignée. Quant à Stoppakius, ce n'était pas une, ni deux raisons qui le faisaient coller continuellement à lui. Non, il ne se passait pas de jour sans qu'ils se voient. Xentadine trouvait du plaisir dans la différence d'âge qui existait entre eux, et il aimait faire le gamin et lui jouer des tours. On pouvait les voir ensemble du matin au soir, se chuchoter des choses, d'une manière qui aurait amené un autre à donner des billets de mille pour savoir ce qu'ils se disaient ; tel était le scandale provoqué par leur attitude.

Pourtant, non. L'allusion que vous faites dans votre lettre, à savoir que Xentadine était, lui aussi, un complice de Stoppakius, et qu'il avait eu des contacts avec l'ennemi, ne peut être corroborée par les événements. Vous l'inculpez injustement. Je n'arrive pas à comprendre ce qui vous fait croire cela. À l'opposé de ce que vous sous-entendez, il a toujours conservé une attitude de patriote. Je dis cela sans préjugé aucun, car je n'ai jamais eu quelque relation que ce soit avec l'homme. S'il n'avait pas eu un comportement patriotique, lui aurait-on décerné autant de médailles, de distinctions ? Je suis d'avis que le conseil municipal de notre ville a très bien fait suggérant, peu après la mort tragique qu'il devait fatalement trouver, qu'il soit consacré poète national — initiative qu'on a finalement réussi à faire entériner une décennie entière après l'armistice. Une telle chose ne pouvait arriver sans qu'il y ait de raisons sérieuses ; vous en savez quelque chose, vous qui êtes un homme instruit. Et, après tout, quel avantage pour eux à le proposer pour une telle distinction, tous d'une seule voix, après sa mort ? Qu'avaient-ils à gagner ? La faveur de sa femme ? Mais elle était devenue, après sa mort, une véritable épave, ayant presque perdu la raison, avant de mourir misérablement, sans avoir idée du bruit qui s'était créé. Si le patriotisme de Xentadine n'avait pas dépassé la mesure commune, on aurait écrit tout au plus des articles enflammés, qu'on lui avait consacrés autrefois, à lui et à son œuvre poétique en tant que telle, et toute l'affaire se serait arrêtée là. Mais ici, nous constatons qu'il y a eu des efforts menés avec des mobiles sincères, auxquels ont participé les élus eux-mêmes ; les délais ne relevaient que de la bureaucratie.

Tout cela doit suffire, je pense, à vous convaincre. Veuillez excuser mon style quelque peu cavalier. Tant d'années se sont écoulées depuis ; toute cette époque lointaine est devenue poussière, et vous aurez raison de me dire qu'il faut faire face aux événements avec sang-froid. D'accord. Mais je proteste quand je vois des gens de votre calibre faire de telles erreurs, même par de simples insinuations.

Tout cela avant que la guerre n'éclate. C'était pendant cet âge d'or, qui n'allait jamais revenir pour personne, qu'il s'est épris d'une chanteuse du théâtre sérieux, une jeune fille à tous égards éthérée, qui connaissait alors son apogée sous le nom de scène de Béatrice. Un événement aussi étrange qu'incroyable les réunit, dont je vous entretiendrai une fois que je vous aurai expliqué que, durant des années, je me faisais une image confuse d'elle, mais pour ce qui est de son nom, je l'avais complètement oublié. J'ignore pourquoi j'ai tant peiné pour faire revivre ce nom dans ma mémoire. En vain, je me suis cassé la tête de temps à autre, pour finir par m'en souvenir un soir, il y a peu de temps de cela, quand, à la sortie de mon travail ennuyeux au tribunal, j'ai croisé un vieil ami dont j'avais perdu la trace depuis belle lurette, qui passait avec un bouquet de fleurs à la main, pour se rendre à une fête quelconque… Ce fut suffisant pour rappeler à mon imagination toute cette époque…

Cet épisode avec la chanteuse laissa pantois tous ceux qui, à l'époque, m'entendaient le relater ; mais à un moment donné, ils ont fini par me croire, car ils l'avaient entendu d'autres personnes aussi et, qui plus est, devant moi, sans que j'aie ouvert la discussion — même si tout cela me laisse totalement indifférent, de quelque côté que l'on examine la question.

Mais remontons au début de cette histoire.

Il paraît que Stoppakius, anéanti par l'affaire de la femme de Xentadine — auquel il n'aurait jamais pu confier sa peine —, s'était mis à s'amuser, la plupart du temps sous l'influence de l'autre, fréquentant avec lui les boîtes de nuit les plus malfamées. À cette époque, il connut toutes sortes de femmes de mauvaise vie, qui lui avaient laissé une amertume indescriptible. Tout ce qu'il avait pu récupérer côté santé, en appliquant à la lettre les prescriptions des médecins, il l'a gaspillé en l'espace de quelques mois, en menant une vie de débauche, au point de saisir clairement ce que cela lui avait coûté — pour ne pas dire que ce genre de vie le rebutait désormais. Il en arriva très tôt à comprendre, d'autre part, qu'il n'était pas dans sa nature d'exploiter des affaires de cœur pour atteindre les buts abominables auxquels il s'était voué, malgré le fait qu'une fois cette idée lui passa momentanément par la tête.

Il reconnut, il sentit profondément la nécessité, qu'il avait d'ailleurs comprise depuis qu'il avait acquis une certaine connaissance de lui-même, que son salut viendrait d'un amour ardent, un amour partagé cette fois-ci, qui l'absorberait à un degré tel qu'il finirait par abandonner ces nuits de débauche qui minaient sa santé si fragile, qui lui ferait oublier, une fois pour toutes, la femme de Xentadine, à laquelle il pensait toujours, celle qui le faisait encore se sentir tantôt diminué, tantôt coupable devant son ami Xentadine.

Avec ce programme, qui a failli lui coûter son amitié avec le poète (parce qu'il avait commencé à prendre ses distances, étant donné que Xentadine ne voulait pas abandonner la personne qu'il avait été), il se mit à fureter par-ci par-là, seul, aux endroits qui lui semblaient propices, espérant trouver une solution convenable. Jusqu'à ce que, pendant un certain temps, il ait tâché de se convaincre qu'il était amoureux d'une bonne, un beau brin de fille, mais sans ce je ne sais quoi qu'il cherchait, qui venait de temps en temps à la maison pour faire de la couture. Il faisait des voyages en train à la campagne, rêvant de vivre une aventure comme celle que je vous ai racontée précédemment, mais rien. Tout lui venait de travers ; il rentrait chez lui affligé de chagrin et exténué.

Enfin, par une soirée fraîche, en sortant parmi les derniers d'un spectacle au théâtre, alors qu'il traînait sur les marches extérieures, sans savoir où aller par la suite, il vit la comédienne-vedette, nulle autre que Béatrice, apparaître sans escorte à la porte latérale, celle des artistes, serrant autour d'elle avec élégance un beau manteau blanc de saison ; elle s'apprêtait à prendre l'une des calèches garées à quelque distance, de l'autre coté de la rue, en diagonale, pour se rendre chez elle — à ce qu'il a pu comprendre. Pendant qu'elle s'y dirigeait, soit par naïveté (car elle était noble de cœur), soit par enthousiasme du fait qu'elle avait triomphé encore ce soir-là, elle lui fit un clin d'œil mutin au moment de passer devant lui. Même si cela lui laissa un petit doute, il fut bien stupéfait, car elle lui avait toujours donné l'impression d'être inaccessible, de ne pas supporter les blagues, au point que, même s'il l'avait dévisagée intensément dès l'instant qu'il s'en était aperçu, l'idée qu'il aurait pu un jour où l'autre la conquérir ne lui avait même pas traversé l'esprit. Lui qui, s'il n'était pas assuré de réussir avant de se lancer dans une aventure amoureuse, ne bougeait pas.

C'était une nuit idéale pour de telles aventures, il le sentait dans l'air, et il se dit dans son for intérieur, avec désespoir, que, s'il perdait cette occasion unique par sa propre faute, il en crèverait, et il pensa combien il souffrirait plus tard en se remémorant cette soirée. Soudain, prenant l'œillade de Béatrice au pied de la lettre, il entreprit d'agir, avec l'espoir que cela pouvait aboutir. Mais même si cela n'aboutissait pas, même si elle l'envoyait promener, ça valait la peine d'essayer puisque, de toute façon, il n'avait rien d'autre à faire ce soir-là.

Il ne restait que deux ou trois rares flâneurs qui ne semblaient pas être sortis du théâtre ; quant aux calèches, il n'en restait qu'une seule. Ces deux constats lui donnèrent un sentiment de confiance. L'espace d'un éclair lui passa par la tête l'idée que quelqu'un l'attendait peut-être dans cette calèche vers laquelle Béatrice se dirigeait d'un pas lent, un amant (il fut horrifié à la pensée qu'un sale individu aurait pu tenir dans ses bras cette adorable créature). Mais, pour sa plus grande joie, il eut en cela aussi beaucoup de chance, car ayant fixé attentivement le siège de la calèche, sous la capote et dans la pénombre, il ne vit rien bouger. Et comme tout cela ne suffisait pas, il eut l'impression que Béatrice semblait hésiter, ralentir le pas ; il ne pouvait déterminer avec certitude si elle s'éloignait ou si elle s'approchait. Tout d'un coup, il eut un vague soupçon qu'elle pouvait se trouver là à dessein, dans le but de lui soutirer des aveux et de l'espionner, mais grâce à diverses combinaisons de pensées qu'il effectuait à la vitesse de l'éclair, il écarta cette éventualité. (Comment aurait-elle pu savoir qu'il attendrait là, dehors, sur les marches, etc. ?)

Ainsi décida-t-il de faire quelque chose pour que sa présence devienne perceptible, de manière à ne pas paraître devant elle comme un fantôme et lui faire peur, car dans un tel cas il risquait de perdre la partie pour des raisons opposées à celles qu'il craignait. Le désespoir s'empara de lui quand il se rendit compte que les semelles de ses souliers, d'un cuir souple et fin, ne faisaient pas le moindre bruit au contact de la chaussée. C'est pour cela qu'il toussa avec ostentation et, tout de suite après, siffla un air, le *Für Elise,* qu'il avait souvent fredonné au sanatorium, lors des moments les plus sombres, avant de reprendre ses relations avec Helmut, de façon à montrer en même temps qu'ils avaient quelque chose en commun au chapitre de la musique, et de la disposer favorablement à son égard.

Accélérant le pas, il joua le tout pour le tout, et se pressa afin de la rattraper au moment même où elle allait parler au cocher. Elle, qui avait probablement deviné que quelque chose allait lui arriver, l'attendait derrière son dos, d'un instant à l'autre, elle se retourna pour le fixer droit dans les yeux, sous la lueur scintillante du lampadaire, de la manière la plus engageante que l'on pût espérer, sa charmante tête auréolée d'une belle fourrure blanche qu'il n'avait pas remarquée jusque-là. Tout se passa de façon si spontanée entre les deux. Pour être bref, ils prirent place dans la même calèche et se dirigèrent, sur sa proposition, que Béatrice accepta sur-le-champ, vers une boîte de nuit où ils restèrent enfermés dans une loge jusqu'à des heures tardives, enivrés l'un de l'autre, tandis qu'elle lui enjoignait de bien vouloir siffler encore une fois cette belle mélodie, qui allait devenir le symbole de leur amour. Puis, il la ramena chez elle avec une parfaite courtoisie, et il la conduisit jusqu'à ses appartements, sans même tenter de la prier de le laisser entrer, ce qui fit une très bonne impression ; ils se quittèrent ainsi, enchantés l'un et l'autre. Quant à lui, à peine descendu, il donna congé au cocher, en lui glissant un généreux pourboire, et alors qu'il était déjà plus d'une heure du matin, il se lança comme un fou dans les rues, débordant de bonheur et de beaux projets dans l'anticipation des jours et des nuits qu'il allait passer avec elle.

* * *

Leur relation se poursuivit longtemps ; les proches de Stoppakius, ainsi que l'entourage de Xentadine, apprirent l'existence de l'idylle, sans toutefois savoir exactement ce qui se passait entre eux. Mais des raisons très sérieuses me font croire que, tôt ou tard, ils arrivèrent à ce qu'on appelle la limite ; d'ailleurs, qu'y a-t-il de plus naturel que deux jeunes corps qui s'unissent l'espace d'une nuit dans l'ardeur que l'un déclenche chez l'autre au moindre contact ?

Puisqu'il en est ainsi — et il n'y a aucun indice pour nous convaincre du contraire —, je ne peux pas, moi du moins, comprendre ce qui l'a fait se comporter à son égard avec une telle cruauté, avec une telle inhumanité, une certaine nuit. Comme d'habitude, ils se rencontrèrent devant la petite porte latérale du théâtre après la représentation. Étant donné qu'ils savaient que les siens s'absenteraient, invités à l'une des rares réceptions auxquelles ils seraient allés toute leur vie durant, ils avaient décidé, depuis la veille, qu'il l'amènerait cette nuit-là chez lui, dans sa chambre. Mais au lieu de la conduire directement chez lui — où Béatrice était impatiente d'aller — il l'amena, pendant une bonne heure, dans la même boîte où ils étaient allés la première fois, tout comme la plupart du temps d'ailleurs, sans dire au garçon de se presser ou autre chose. En tout cas, puisqu'il s'agissait d'un cas exceptionnel, il ne manifesta aucun empressement visant à accélérer les choses, même s'il savait que, vers une ou deux heures, les siens rentreraient, et qu'il faudrait, dès lors, qu'elle soit partie, ou qu'il la garde dans sa chambre sans faire de bruit, la lampe éteinte, jusqu'à ce que les siens se soient lavés et endormis — avant qu'il ne puisse la faire sortir, mais là encore, avec mille et une précautions.

La même chose lui était déjà arrivée une autre fois, avec une autre femme, avant qu'il ne parte pour la Suisse, et il avait eu bien du mal. De son côté, Béatrice, en proie aux mêmes pensées, s'impatientait grandement, sans parler de l'exaspération qui la rongeait. Mais, en bonne victime, rang auquel il l'avait déjà réduite, elle ne lui dit rien, pour ne pas qu'il croie qu'elle avait d'autres raisons de se presser, ce qui lui donna l'impression d'être une fille vénale ; elle commença à soupçonner qu'il avait cette idée dans sa tête malade.

Comme pour la torturer, il la conduisit de cette boîte dans un cirque, où ils restèrent près d'une demi-heure, et c'est seulement en quittant cet endroit qu'il daigna sortir sa montre et l'informer qu'ils devaient se dépêcher.

Jusqu'à ce qu'ils aient franchi le seuil de sa chambre, il se comporta avec elle à vrai dire avec galanterie et tendresse, au point de la surprendre — comparativement à l'apathie avec laquelle il s'était occupé de cette affaire. Toutefois, quand ils furent entrés et qu'il eut allumé la lampe, il devint subitement odieux, comme si quelque chose d'abominable lui était passé par la tête, lui faisant piquer une crise. Il se plaça près de la lampe sans ôter son haut-de-forme. Après lui avoir ordonné de se déshabiller complètement — ce qu'elle fit aussitôt, comme hypnotisée —, il lui dit, les dents serrées, de s'étendre sur le lit et de l'attendre un peu — sans que le corps nu sur le drap, et de surcroît son corps nu à elle, envers lequel il nourrissait un tel culte, l'excite le moins du monde ; d'ailleurs, il ne prit même pas la peine de lever les yeux sur elle, non seulement quand il sortit, mais encore quand il lui donnait des ordres. En quittant la pièce, il l'enferma à clef.

Elle attendait, attendait, le temps passait, mais il ne réapparaissait pas ; alors, elle décida de se rhabiller puis de partir. C'est alors qu'elle se rappela que la porte était verrouillée. Jetant un coup d'œil de là où elle était sur le lit, elle aperçut en dessous de la poignée un petit loquet en bronze. Nue comme elle était, elle se leva et le travailla doucement, en veillant à ne pas se faire entendre dans le couloir, et elle constata que le verrou cédait. Elle hésita, se demandant sans cesse : « Partir ? Rester ? Partir ? Rester ? » Elle serait partie, n'eût été une vague crainte que cette maison lui inspirait. Sans parler du scandale qu'elle redoutait de voir éclater, si jamais une femme de chambre la voyait rôder, seule, dans le couloir, surtout maintenant, en l'absence des maîtres et de Stoppakius. Telles étaient ses pensées quand, furieuse en raison de son propre comportement, elle se remit au lit et s'endormit, la lampe allumée. Il la réveilla, deux heures plus tard, avec une avalanche de gifles, tout en lui répétant, hors de lui, la même phrase incompréhensible : « Je t'ai dit d'attendre ! Je t'ai dit d'attendre ! » Il portait toujours son paletot et son haut-de-forme, dégoulinant de sueur. Une fois la première crise apaisée, il attrapa ses vêtements sur le dos de la chaise pour les lui lancer avec sadisme à la figure, comme s'il jouissait de la voir incapable d'opposer quelque résistance que ce soit, et il la somma, avec rudesse, de s'habiller immédiatement. Dans de telles conditions, il eut l'indélicatesse de se planter devant elle pendant qu'elle s'habillait, et de la fixer en affichant une grimace sarcastique sur son visage. Quand elle eut achevé de se vêtir, il sortit quelques billets de cent de son portefeuille et les jeta par terre, lui intimant l'ordre de les prendre et de les mettre dans son sac à main. Elle eut tellement peur de lui qu'elle se pencha en silence, les ramassa, les fourra dans son sac et partit, remerciant le ciel de n'avoir pas eu à affronter pire. Mentionnons que, pour les mêmes raisons, elle n'avait pas dit mot, même quand il avait commencé à se comporter ainsi envers elle. Enfin, comment caractériser le fait qu'il ne fit pas le moindre geste pour l'accompagner jusqu'à la porte principale, mais que, dès qu'elle eut quitté sa chambre, il referma de manière insultante le verrou, et se jeta comme une brute sur le lit qu'elle avait occupé précédemment. Quant à l'argent, une femme de chambre le trouva le lendemain matin, à l'heure où elle passait le plumeau, placé dans un interstice du mur, en bas, dans l'entrée, et le donna en entier à Solange, qui comprit à peu près la situation mais, aussi curieux que cela puisse paraître, ne lui souffla mot, et elle ne lui fit pas la moindre allusion à l'argent, le laissant (bien malgré elle) croire que Béatrice l'avait gardé.

$$* \quad * \quad *$$

Nous ne savons pas où il était allé ou ce qu'il avait fait pendant son absence, l'ayant laissée seule; il nous importe peu de savoir si, après tout, il y avait une raison à cette absence; l'on ne peut pas exclure que cela fût le cas. Mais, quoi qu'il en soit, son comportement inqualifiable, au cours des deux scènes qui se déroulèrent dans sa chambre, qui ne furent, les deux, que l'éclatement d'une profonde jalousie (très bizarre, vous en conviendrez), fit une impression si funeste sur Béatrice que jamais elle n'oublia cette nuit-là, et que, dégoûtée, elle le raya de sa vie pour toujours.

En vain tenta-t-il après, par des prières, des lettres, des bouquets de fleurs, par des cadeaux somptueux (qu'elle lui retournait par l'entremise de l'homme qui les avait apportés), de la ramener vers lui, promettant de se comporter envers elle comme envers une princesse, que c'était entièrement sa faute, qu'il oublierait tout (voulant dire par là l'argent, qu'il croyait qu'elle avait gardé) si seulement elle l'acceptait. Dans sa grande détresse, il en vint à la supplier de l'accueillir, même par pitié — tout simplement pour pouvoir la voir. Mais rien n'y fit. Nuit après nuit, elle le laissait poireauter devant l'entrée des artistes au théâtre, traînant délibérément dans sa loge jusqu'à ce que le bâtiment se vide complètement. Elle n'agissait ni par entêtement, ni par caprice, pour lui donner une bonne leçon et ensuite le revoir. Non. Mais tout simplement afin de l'éviter à tout prix, car il n'y avait plus rien entre eux. C'est cela qui le rendit fou de rage.

Quand, finalement, elle paraissait, c'était comme si elle ne s'attendait pas à ce qu'il soit là, mais le fait qu'il y était lui était bien égal. Elle ne semblait pas non plus redouter de le revoir devant elle le soir suivant. Mais, même si elle l'avait craint, avant d'arriver chez elle, elle l'aurait oublié — non parce qu'elle aurait fait quelque effort en ce sens, mais parce que, tout bonnement, c'était comme ça, comme s'il lui était arrivé de rencontrer un quidam. Tantôt elle changeait de direction, traversant la rue pour monter dans une calèche (*sans* donner l'impression qu'elle l'évitait), tantôt elle passait, selon toute apparence, fortuitement devant lui sans toutefois que son expression trahisse ni haine, ni répugnance, ni disposition de réconciliation, ni intérêt, ni qu'elle ait jamais désiré, depuis lors, disséquer son comportement à lui, à chercher à savoir en quoi il avait été fautif et en quoi il ne l'avait pas été — car à quoi bon tout cela du moment qu'il n'y avait pas la moindre raison valable. Le résultat fut qu'il restait pétrifié sur place, accablé par toutes ces observations — qui étaient ses observations à lui, car il voyait bien qu'elle ne pensait plus rien d'une situation qui avait pris fin —, sans qu'il ait le courage de lui dire même deux mots.

C'est vrai que finalement elle accepta, et qu'ils se rencontrèrent une ou deux fois, et ce, par pitié, comme de parfaits étrangers, dans une pâtisserie quelconque — et non pas dans celle qu'ils fréquentaient quand leur amour était à son apogée. Mais, par son comportement glacial, elle le garda à une telle distance qu'il sentit qu'il avait affaire à une inconnue inaccessible, qui, à part le fait qu'elle était extrêmement sélective dans ses choix, n'éprouvait à son endroit pas le moindre intérêt, même pas celui de faire passer le temps jusqu'à ce qu'elle pût s'esquiver au moyen d'un subterfuge. Mais le pire, ce fut que chacun de ses mouvements, chacune de ses paroles s'exprimait sans sous-entendus, sans plaisanteries.

L'attitude de Béatrice ne pouvait que l'amener à la conclusion que, *primo,* il avait perdu la partie, pour toujours, et que, *secundo,* tous les soupçons qui lui passaient par la tête à son sujet étaient sans fondement. Il était d'autant plus en colère avec lui-même que, par pure stupidité, il avait laissé une si belle femme lui échapper.

Une troisième rencontre eut lieu, cette fois-ci entre les deux et Xentadine, ainsi qu'une entre Xentadine et elle seule. Mais toutes ces tentatives furent vaines; elle était intransigeante; plus elle sentait des pressions, plus elle résistait. Avec force gentillesse, elle les pria de ne plus la déranger parce que, de toute manière, cela ne faisait que perpétuer une situation qui durait depuis des semaines (voulant dire par là *uniquement* le harcèlement qu'elle subissait), avec, comme résultat, la perte pour cette artiste si populaire de beaucoup de son prestige. Car elle passait des nuits blanches aux prises avec les tourments qu'on lui faisait endurer, ce qui avait une incidence sérieuse non seulement sur sa voix, mais, de façon plus générale, sur sa prestation tout entière sur scène, et elle n'était pas faite pour cela. Quand on pense avec quelle conscience professionnelle elle concevait son art, sa véritable passion, tout comme les ambitions qu'elle nourrissait pour sa carrière au théâtre de qualité, on peut comprendre, comme tous le comprirent, et particulièrement Xentadine, combien dérisoires étaient leurs efforts. Ainsi, avec le temps, cette histoire prit fin, et ils ne la harcelèrent plus, ni l'un ni l'autre.

* * *

Alors que nous devrions pleurer l'issue peu glorieuse d'une si belle idylle, il ne faut pas oublier qu'il était inévitable que les choses en viennent un jour à cela. Même s'ils avaient réussi à raisonner Solange — qui ne pouvait supporter Béatrice — et avaient choisi de se marier, rien n'aurait pu ressortir de cette histoire, car Stoppakius avait ses ambitions, et elle avait les siennes. La vie dont Stoppakius rêvait n'était pas celle que Béatrice souhaitait. Or, un beau jour leurs chemins se seraient séparés. Étant donné le caractère qui s'était développé en lui, et étant donné les crises de jalousie qui s'emparaient de lui, aurait-il pu supporter son va-et-vient au théâtre, qu'un tel ou un tel lui tripote les mains, les divers comédiens, régisseurs, etc.? Aurait-il pu être tout le temps pendu à ses basques et l'accompagner partout? Bien sûr que non. Mais, d'un autre côté, s'il l'avait obligée à abandonner le théâtre et s'ils avaient vécu ensemble une vie ordinaire dans cette maison, avec Solange dans leurs jambes, Béatrice, une femme émancipée, habituée à une vie indépendante, aurait-elle pu tolérer un tel état de choses — et, si oui, pour combien de temps? Ne lui aurait-elle pas rabâché sans cesse que, pour lui, elle avait sacrifié sa carrière, etc.? Mais cela ne pouvait pas venir à l'esprit de Stoppakius, et les conseils de Xentadine à ce chapitre furent dispensés en pure perte.

Son désespoir se prolongea des semaines entières; il recommença à aller avec Xentadine visiter les lieux qu'ils fréquentaient auparavant, à se réveiller tard, dévasté et découragé, et alors il traînait pendant une ou deux heures dans les rues, puis se dirigeait vers le journal où, de temps à autre, il soumettait un court texte de rien, pour ensuite rencontrer Xentadine dans un club de qualité douteuse, pour d'autres aventures minables. À l'occasion des rencontres régulières qu'il reprit chez Xentadine, il tenta une fois de plus, tacitement, d'attirer l'attention de sa femme, pendant que son hôte se trouvait à l'intérieur — sans le moindre succès —, et vit, avec écœurement, combien ridicule il était devenu en faisant ceci et cela. Il reconnut, toutefois, que si elle lui avait donné le moindre signe d'encouragement, son moral aurait déployé ses ailes et il se serait envolé vers les cieux, transporté de bonheur, tout comme ce premier soir, lors de cet épisode qu'il cherchait désespérément à oublier. Mais où trouver de telles occasions ? En guise de consolation, il se disait que le comportement de la femme de Xentadine envers lui devait être motivé par la peur que son mari ait voulu l'éprouver, ou bien par la peur qu'en manifestant quelque intérêt à son endroit elle n'éveille les soupçons de son mari — pourtant, il ne croyait pas trop que cela ait pu être la véritable raison de l'indifférence qu'elle affichait à son égard. Même les relations qu'elle entretenait secrètement avec Gédéon, il ne pouvait pas facilement les invoquer pour expliquer son attitude. S'il y avait eu quelque chose (ce quelque chose qu'il cherchait lui aussi et qu'il trouvait en elle), s'il y avait eu quelque chose qui aurait pu l'exciter, les craintes, quelles qu'elles soient, se seraient évanouies devant sa passion, car c'était une femme qui pouvait mettre son destin en jeu dans de telles circonstances. Donc, il n'y avait pas le moindre espoir. Il ne lui restait que ceci : se pouvait-il qu'elle n'eût même pas remarqué le drame qu'il vivait ; mais était-ce vraiment possible, du moment qu'elle avait sous les yeux tous les symptômes sur son visage, dans ses paroles, dans ses yeux, surtout quand Xentadine était absent ? Incontestablement, il était impossible de lui faire une déclaration. Il attendait qu'elle lui fasse signe, mais cela n'arriva pas. Ainsi prit fin cet épisode.

Il était parvenu à cette conclusion lorsqu'il prit la décision de se retirer dans sa maison de campagne. Là, quelques jours après son arrivée, il eut l'occasion d'héberger Helmut encore une fois, mais ouvertement cette fois-là, sans faux motifs — même s'il ne faut pas oublier que certaines choses se font ouvertement pour couvrir ce qui est caché. Là encore, nous ne savons pas grand-chose sur ce qui a dû se passer entre eux, ni si l'un a reçu de l'autre des instructions, ni de quelle nature elles étaient. Tout ce que nous pouvons établir, preuves à l'appui, c'est que, pendant ces deux semaines qu'ils vécurent ensemble, ils passèrent leurs nuits à lire des livres, bien installés au coin du feu. Le jour, il semble qu'ils firent plusieurs excursions dans la campagne environnante durant lesquelles on les aurait vus de loin en train de gesticuler de manière vive et intense, si l'on devait analyser leur comportement, alors qu'à tout bout de champ l'un et l'autre agitait la main droite en l'air d'une façon toute particulière, comme s'ils avaient voulu simuler le vol d'un oiseau en rase-mottes sur des champs fraîchement labourés par une journée de printemps. Impossible de savoir ce qu'ils avaient voulu dire, mais il n'en demeure pas moins que, dès son retour à Gand, qui survint beaucoup plus tôt que l'on ne s'y attendait, il s'empressa d'annoncer aux journaux qu'il préparait un voyage en aérostat, et qu'il invitait tout aéronaute professionnel de la ville à bien vouloir le contacter au plus tôt, se donnant le droit de choisir le plus habile d'entre eux ; il promettait, d'ailleurs, une généreuse récompense.

Sur ce, et à la lumière de ce qui précède, nous ne pouvons pas dire de façon catégorique si c'est Stoppakius qui, durant ces randonnées campagnardes, a exposé ses plans à Helmut, ou bien si c'est ce dernier qui lui a enflammé l'esprit, ou qui lui a donné des ordres à exécuter. On ne peut pas exclure, par ailleurs, qu'il s'agisse d'une initiative purement personnelle de sa part, qui se serait concrétisée dans son esprit à la lecture des vieux livres de la maison de campagne, initiative qu'il a voulu exploiter pour faire impression, à part le fait qu'il avait besoin de s'éclater d'une manière ou d'une autre. On doit noter que, selon ses propres allégations, il avait l'intention de laisser l'aérostat dériver au gré des vents, comme s'il n'avait pas eu de gouvernail, et qu'il s'installerait là où l'appareil se poserait pour y vivre en ermite, sans voir personne, et se nourrissant de racines sauvages et de plantes qu'il consommerait crues, et de tout ce qu'il pourrait dénicher pendant ses pérégrinations aux alentours. Allez donc essayer d'enlever une telle absurdité de la tête d'un Stoppakius. Mais, après tout, pourquoi pas un voyage en aérostat ? Le changement d'air, là-haut dans l'espace, lui ferait grand bien, arguait Solange, dont l'esprit songeait pourtant à autre chose : la gloire et la magnificence. Oui, mais, à Dieu ne plaise, s'il arrivait quelque chose au garçon, qui prendrait soin de lui ? disait, atterré, le vieux Papenguss, dont l'esprit s'arrêtait d'un coup quand il s'agissait d'affaires de la famille, au point de donner l'impression d'être insensible. Si quelque chose arrivait au garçon, nous aurions affaire aux médecins.

Tout indiquait que le voyage allait se faire. Les médecins de la famille donnèrent leur accord, mais à condition qu'il fût accompagné, outre l'aéronaute professionnel qu'on avait trouvé entre-temps, de Xentadine, et d'un jeune médecin. Ce dernier se révéla plus tard, au cours du siège, un homme de science de haut calibre, voué à son travail. Pas un seul hôpital dans les environs de notre ville où il ne se trouvait en cas de besoin, peu importe l'heure, et dans les circonstances les plus défavorables.

Après de longues semaines de préparation, et après que l'équipage eut donné son aval, Xentadine, soudain, se désista, prétextant la maladie, avec comme résultat que le départ fut retardé de quelques jours. Mais, finalement, ils réussirent à le convaincre, et par un beau matin de mars, les quatre prirent place dans la nacelle et partirent, cap sur l'inconnu…

[8]

La chance leur sourit tout au long du vol. Ils n'eurent à affronter ni averses ni vents contraires. Personne n'eut à souffrir du mal de l'air, qu'ils redoutaient avec raison à cause des éventuels ballottements et turbulences de l'aérostat. Le fait est qu'ils avaient choisi un moment propice. Emportés par un vent favorable qui les entraîna doucement presque tout de suite après le décollage, ils disparurent bientôt de l'horizon de notre ville, derrière les montagnes. Après quelques aventures mineures, qui firent la manchette de tous les quotidiens européens, ils jetèrent l'ancre un beau matin au fond d'une petite vallée, à l'abri du vent, de la Bohême occidentale, où la nature rayonnait dans toute sa gloire.

Sur le sujet, nous disposons, à titre de témoignage, des comptes rendus que Stoppakius fit publier dans *La Prospérité*, après leur retour. Je me dois de souligner ici que ses textes, substantiels, expressifs et bien équilibrés, se distinguent avant tout par leur style élégant, sobre et gracieux. Ils sont rédigés par un véritable artiste du verbe; sans blague. Je vous l'affirme avec toute l'autorité qui est mienne, en tant qu'écrivain d'un certain niveau moi-même. Rien, mais absolument rien de tout ce qu'il écrit de cette manière, pourrais-je dire, impersonnelle (qui est la plus convaincante), ne pourrait jamais provoquer chez le lecteur le moindre soupçon que l'auteur exagère les choses, qu'il se laisse emporter par son imagination. Bien qu'il s'agisse d'événements inouïs, on les voit bien en relief devant soi, comme si l'on était dans la nacelle de l'aérostat en train de filer… Voilà, vers l'est, on voit poindre la flèche d'un clocher surmonté d'une girouette. En s'approchant, on aperçoit, dans le préau de la petite église, un cimetière désert dans lequel les pierres tombales, droites, paraissent toutes drôles vues d'en haut, comme si elles étaient sur le point de chavirer. Plus loin, les habitants du village, regroupés sur la place publique juste pour la circonstance, la tête tournée vers le point où l'aérostat poursuit lentement son trajet, le suivent d'un même mouvement synchronisé, comme la limaille de fer attirée par l'aimant. Des enfants courent après, et lancent des cerfs-volants, dans l'espoir d'atteindre la nacelle. Plus loin, les remparts de châteaux du Moyen Âge, qui paraissent tout neufs sous les rayons du soleil matinal ; ceux qui y habitent semblent savoir ce qui se passe dans les airs, car ils ne prennent même pas la peine de venir aux fenêtres, ni de sortir sur les terrasses aux grandes dalles de pierre. Un petit train, telle une chenille, contourne le flanc d'une montagne, mais le ravin à sa gauche ne te fait pas peur, à toi, l'aéronaute, comme il doit terrifier les passagers du train. Par la vapeur qu'émet son sifflet, on comprend qu'il siffle ; mais le son ne parvient pas à tes oreilles. Partout, mais partout, un calme absolu. Et si on lève la tête de la terre pour regarder vers le ciel, c'est comme si l'aérostat ne bougeait pas du tout.

Des choses magnifiques, je vous dis. Une fois la lecture terminée, une fois que les yeux quittent le papier — jauni maintenant par le temps —, on contemple l'environnement autour de soi comme si l'on était perdu, comme s'il était, pour soi, une énigme, et l'on se dit : « Comment est-ce que je me suis trouvé là ? Que veulent toutes ces choses qui m'entourent ? » On est à ce point impressionné par le texte. Si nous comparons les chroniques de Stoppakius avec le commun des reportages de cette époque, nous nous rendons compte combien il est facile de se tromper. Ainsi, les impressions de ceux qui suivent le parcours de l'aérostat d'en bas sur terre diffèrent radicalement de celles des aéronautes, qui voient tout du haut des airs. Il y a toutefois ceci de certain : tout ce qu'écrit Stoppakius est de première main ; il porte le sceau de l'authenticité.

Voilà où réside la valeur de tels types pour les services du renseignement de l'ennemi. Je n'ai pas le moindre doute que, à la manière des chats, à la lecture de ses comptes rendus, de sombres personnages aient dû se lécher les griffes, dans quelque bureau d'un état-major avancé dans une petite ville de province au-delà de nos frontières. Ils ont dû se dire : « Voilà notre homme. Il est pour nous, celui-là. Nous avons bien fait d'amorcer les premiers contacts avec lui. Faites démarrer la machine, allez à fond dans son passé, bien avant l'époque du sanatorium, pour bien comprendre à qui nous avons affaire. Car quelque chose nous dit qu'il s'agit d'un homme ambitieux. »

J'ajouterai, pour la petite histoire, ceci : au dire de certains, Stoppakius était depuis lors, et de façon officielle, à la botte de l'ennemi ; il avait trouvé ce prétexte, c'est-à-dire son échec en amour, pour les uns, afin de donner des preuves de ses aptitudes, et pour les autres, afin de réaliser, à l'aveuglette, une mission qu'on lui avait confiée à l'étranger. Je ne peux pas dire, malheureusement, si tout cela est fondé, mais je sais une chose : comme il l'écrit lui-même, ouvertement dans l'un de ses articles, il était muni de cartes, de jumelles, d'appareils photo, de boussoles, de télescopes, de théodolites et d'autres instruments d'espionnage semblables. D'ailleurs, un événement curieux, au cours de notre récit, en est très révélateur.

Mais je me suis éloigné du sujet.

Ils ont fait un atterrissage tout à fait normal, se posant sur les pavots et d'autres fleurs sauvages du flanc de la colline, comme s'ils étaient tombés dans du duvet, et ce, grâce à la dextérité de l'aéronaute qu'ils avaient embauché. Sachant qu'ils étaient fatigués par leurs impressions, ainsi que par le voyage lui-même, ils ne prirent pas la peine de chercher refuge dans l'un des gîtes retirés — d'où personne ne semble avoir vu ni le passage ni l'atterrissage de l'aérostat — même si, d'un côté, on peut l'expliquer, attendu qu'ils se sont posés assez tôt le matin. Cela mis à part, je doute que, dans ces endroits éloignés, on ait eu vent de l'histoire. Là où ils sont descendus, ils sont allés se reposer sous un chêne et se sont endormis aussitôt, ayant au préalable mangé à leur faim des œufs durs et du poulet rôti qu'ils avaient apportés avec eux, levant le coude avec force vin rouge corsé de Madère millésimé.

Au milieu de l'après-midi, une bergère, qui menait là ses agneaux, en filant dans ce lieu désert, aperçut un instant le spectacle saisissant de l'aérostat multicolore qu'ils avaient abandonné, dégonflé, là où il était tombé. Éblouie comme elle l'était par le soleil, et étant donné qu'elle voyait une telle apparition pour la première fois, elle songea qu'elle avait perdu l'esprit. Mais, en s'approchant, elle reconnut d'un seul coup d'œil, sans se tromper, les beaux tissus de soie, la nacelle, l'ancre qui avait éraflé un peu l'herbe et la terre là où elle était couchée, ainsi que les outils, comme elle qualifia les instruments. Elle pensa d'abord ramasser la voile, en faire un ballot à cacher sous sa jupe, puis disparaître au plus vite. Constatant à quel point c'était peine perdue, elle se mit à la tirer dans l'espoir de la cacher derrière des buissons tout autour, et soudain, elle vit les aéronautes, le ventre replet, sous l'ombre épaisse du chêne. Elle abandonna aussitôt ses efforts et courut exaltée par les chemins où elle rencontra des gardes champêtres qui passaient, à tout hasard, par là. Heureusement, ces gens-là étaient au courant de l'histoire, ayant été prévenus par les autorités. Sinon, ils auraient pu prendre nos aéronautes pour de véritables espions, et qui sait quelles vaines tracasseries ils leur auraient fait subir, au fond de quelles oubliettes, avant d'établir leur identité — écrit Stoppakius.

Après un certain temps, nos héros se réveillèrent, sans être importunés, sous les yeux des gardes champêtres, qui s'amusaient à les regarder ronfler, dans la fraîcheur, bercés par le bruissement des feuilles, sans qu'ils aient pu décider s'ils devaient les réveiller ou non.

Ils leur firent comprendre par des gestes d'attendre, puis s'éloignèrent, emmenant la bergère avec eux. Une heure plus tard environ, ils revinrent et les conduisirent dans un endroit situé près de là, au château isolé du vieux baron M..., qui se montra sans hésiter disposé à leur accorder l'hospitalité aussi longtemps qu'il leur plairait. Leur impatience de savoir ce que les journaux écrivaient à leur sujet ne leur laissait aucun répit, dit-il. C'est pour cela qu'ils furent obligés de consacrer — malgré les prières et les protestations explicites du baron — seulement quelques jours et quelques nuits inoubliables à cet endroit baroque. Nous disposons d'une superbe description de la plume de Stoppakius, qui n'hésite pas à jeter, avec cynisme, sur ses propres épaules tout le poids de l'irréflexion qui le fit insister pour qu'ils partent si prématurément, tout en sachant — écrit-il — qu'il allait certainement le regretter immédiatement après leur départ.

Il continue ensuite, avec nostalgie, et donne une description d'une beauté unique de tout l'intérieur du château, de chambre en chambre, d'escalier en escalier, de salon en salon, de mansarde en mansarde, de perspective en perspective — et c'est alors que l'on admire la magie de sa plume. Là où il fait un vrai tabac, c'est quand il sort et parle de jardins suspendus, littéralement mythiques, et d'un pavillon de chasse à grande distance de la cour du château. C'est à ce moment-là qu'il prétend avoir vu, à une petite fenêtre, derrière des rideaux de tulle, la tête blonde d'une jeune fille, qui s'est empressée de lui faire signe d'entrer. Mais, fasciné, aussitôt après avoir passé le seuil couvert de mousse, il la chercha en vain dans les petites pièces et dans les couloirs étroits. Il insiste, d'ailleurs, sur le fait que, dès qu'il ouvrit la porte, il eut le sentiment qu'il ne la reverrait plus. Il finit par se retrouver, après avoir traversé un passage qu'il savait souterrain, sous l'escalier central du château lui-même.

Ce qui l'a grandement impressionné, écrit-il, c'est quand un laquais l'a vu surgir, couvert de poussière, de cette partie pas très fréquentée de l'escalier : il ne fut guère étonné par sa présence, comme si rien n'était plus normal, même s'il avait devant lui quelqu'un qui venait d'arriver au château, quelqu'un, d'ailleurs, qui n'avait rien à faire là, sous l'escalier. Il continue ensuite à élaborer diverses conjectures qui tendent à prouver que le laquais, ainsi que tout le personnel du château, était au courant d'une situation qui existait parmi eux depuis des années. Et il en arrive à la conclusion qu'il s'agissait ou bien d'un fantôme auquel tous croient de la manière que l'on croit en quelqu'un qui vit parmi nous, ou bien de la fille du baron, qui avait été enfermée par son père dans le pavillon, ou qui s'y était retirée pour des raisons qu'il n'a jamais pu élucider, malgré toutes les investigations discrètes qu'il a pu faire. Il penche pour la dernière version, attribuant sa soudaine disparition à l'isolement, à l'enfermement qui avait fini par la transformer en sauvageonne. C'est à ce même enfermement qu'il attribuait la pâleur de son visage, ainsi que cette indécision qu'il avait discernée dans son attitude pendant les quelques instants qu'il avait réussi à l'observer, avant qu'elle ne disparaisse.

Appliquant la même tactique, il enchaîne en nous expliquant que là où il s'empêtre, là où il ne sait plus quoi supposer, c'est que, de toute évidence, il ne s'agissait pas d'un fantôme mais, au contraire, d'une personne véritable — mais alors pour quelle raison a-t-elle pris la décision désespérée de monter par le passage secret jusqu'au château, d'où elle avait été si brutalement exclue soit par son père, soit par sa propre volonté ? En revanche, écrit-il, elle n'a pas pu disparaître dans une cachette du pavillon, car dans son impatience pour la trouver, il ne laissa pas le moindre recoin inexploré, ce jour-là comme les jours suivants. Comment a-t-elle fait pour s'esquiver d'une manière aussi efficace, comme un esprit, dans si peu de temps, entre le moment où il l'a aperçue et celui où il s'est retrouvé à l'intérieur du château ? Où exactement, dans quelle pièce au juste du château est-elle allée pour échapper à la colère de son père (qu'il nous décrit comme un Teuton impitoyable, aux yeux d'acier trempé en dépit de son âge avancé) ?

Il admet, avec une franchise toute papengussienne qui renforce nos soupçons, qu'il n'avait révélé aucune de ses conclusions à Xentadine, craignant peut-être que ce dernier ne se tourne dans la même direction, lui faisant perdre son parfum, une situation qu'il voulait garder pour lui-même pour des raisons esthétiques (ainsi fait-il tout ce qu'il peut pour nous en assurer). Il concède, toutefois, que s'il avait dévoilé le secret, Xentadine aurait peut-être pu l'aider dans ses recherches, et dans un tel cas, l'histoire aurait pris une tout autre tournure, et l'énigme aurait été résolue, autant pour lui que pour ses lecteurs.

Vous aurez déjà compris qu'il cherche, d'une certaine manière, à nous embrouiller. Mais allons de l'avant. Dans une lettre publiée dans le même journal, alors que tout ce qui précède avait déjà été publié, Xentadine soutient, d'un ton réservé, non seulement qu'il avait vu lui-même la jeune fille à la fenêtre du pavillon, mais qu'il était parfaitement informé de toute l'affaire en même temps que Stoppakius, et qu'il ne lui avait rien révélé pour les mêmes raisons. Il conclut sa lettre en faisant la remarque qu'il s'est amusé à espionner les faits et gestes de Stoppakius pendant ces quelques jours vécus ensemble au château et, dans une déclaration lourde de sous-entendus, il affirme que rien n'était plus naturel pour un Stoppakius que d'être perturbé par une histoire pareille.

Vous voyez, je pense, ce qu'ils essaient de faire. D'une part, Stoppakius cherche à détourner l'attention de certains vers des situations tout à fait insaisissables, qui soulèvent des questions à devenir fou, pour éviter que l'on n'examine d'autres sujets, qui ne sont pas à son avantage, comme nous allons voir. D'autre part, ce pauvre Xentadine, par affection, fait tout ce qu'il peut pour le couvrir, tout en sachant ses intentions ainsi que le rôle qu'il joue.

Dans les feuilles subséquentes, nous observons que Stoppakius ne prend même pas la peine de répondre à ses allégations, voulant par son attitude donner l'impression que tout ce que dit Xentadine possède une part de vérité, mais il dédaigne de répondre par simple suffisance, la suffisance de l'esthète. D'un autre côté, par le truchement d'une pointe qu'il lance ingénieusement dans un article ultérieur, il nous laisse entendre que toute cette histoire n'était attribuable qu'à l'imagination des deux, ce que Stoppakius a exploité par sensationnalisme. Mais, si l'on examine de près cette version, un épais brouillard recouvre toutes choses, ce qui conduit le lecteur à un chaos encore plus profond. Un autre indice des bonnes dispositions de Xentadine est le suivant : dans la lettre que j'ai mentionnée, il s'efforce de donner l'impression qu'il a été attaqué par rivalité professionnelle, et qu'il a dû recourir à la correspondance parce qu'il a été gêné de constater que Stoppakius triomphait grâce à des situations imaginaires auxquelles il n'avait participé qu'à moitié. Dans un tel cas, l'autre avait d'excellentes raisons de taire l'affaire (pour qu'il n'y ait pas de suites qui le compromettent en tant qu'écrivain), étant donné qu'entre-temps il s'était réconcilié avec Xentadine, en lui présentant toutes ses excuses.

Mais, malheureusement, pour les gens bien informés, ce n'est pas tout à fait ainsi que les choses se sont passées. Toutes les manœuvres de Stoppakius ne sont que de la poudre aux yeux, pas tant ceux des lecteurs ou de quelqu'un d'autre qui n'avait pas participé au voyage — comment pouvaient-ils savoir ce qu'il avait fait, ou ce qu'il n'avait pas fait, si loin de la mère patrie ? —, mais à ceux du médecin, de l'aéronaute, et même de Xentadine. Avec cette méfiance qui était devenue, pour lui, une seconde nature, il craignait qu'ils n'aient eu connaissance de ses deux rencontres secrètes qui, comme cela s'est avéré, eurent lieu au pavillon de chasse avec le baron et une autre personne.

Nous ne savons pas ce qui s'est dit à l'occasion de ces rencontres. Nous ne savons pas non plus pourquoi ils ont choisi le pavillon de chasse, et non pas l'une des nombreuses pièces de ce château, incontestablement immense. Peut-être parce que la troisième personne est arrivée à une heure indue, et ne voulait pas se faire remarquer. On ne peut pas exclure l'autre hypothèse, c'est-à-dire qu'ils y soient allés selon les exigences de Stoppakius, qui aimait de telles cachotteries (reliquats de son enfance).

En lisant les comptes rendus dont nous disposons, nous

voyons l'aéronaute nous expliquer, avec une simplicité qui se révèle très utile, que, ayant reçu des instructions des échelons supérieurs à l'époque des préparatifs du vol, il avait suivi, sans fermer l'œil, tous les mouvements de Stoppakius, tant qu'il se trouvait avec lui, jusqu'à leur retour dans le pays. Et, tout en avouant que, pendant tout le voyage, il ne l'avait pas vu faire un geste suspect, il affirme néanmoins que celui qui, la carte, la boussole et le théodolite en main, dirigeait en fait le trajet de l'aérostat, n'était nul autre que Stoppakius ; même si l'aéronaute l'avait compris, malgré les instructions qu'on lui avait prodiguées, comme un débordement de jeunesse et rien de plus. Et comme si cela n'était pas suffisant, Stoppakius se montra contrarié et fit un tas de caprices enfantins quand des courants contraires ne leur permirent pas d'atterrir à l'endroit que lui voulait, à une assez grande distance de là où finalement ils jetèrent l'ancre. Et il lui rappela que, n'eût été son argent, ce vol n'aurait jamais eu lieu.

Ensuite, l'aéronaute affirme catégoriquement que, du moment qu'ils mirent les pieds dans le château, il l'avait vu continuellement troublé, inquiet. Ses rapports avec le baron à table lui faisaient comprendre (à l'aéronaute) qu'il se passait quelque chose d'important entre les deux, quoique Stoppakius fût le seul auquel le baron n'adressa pas la parole. Alors qu'avec les autres au contraire, et notamment avec le jeune médecin et Xentadine, il fut particulièrement affable, discutant avec eux de tous les sujets imaginables. Stoppakius ne lui adressa pas la parole non plus, exception faite d'un « merci » ou d'un « bonjour ». Il alla jusqu'à refuser, lorsqu'un beau jour le baron offrit de leur faire visiter le château et de leur montrer les divers souvenirs de famille et les trésors artistiques ; il refusa avec répulsion, comme s'il avait détesté même sa présence, déclarant qu'il était fatigué et qu'il voulait monter à sa chambre pour se reposer, ce qu'il fit. L'attitude de Stoppakius irrita le baron, qui comprit que le jeune homme ne jouait pas bien son rôle. Comme nous assure l'aéronaute, un homme simplet, beaucoup de ces gestes semblaient être empruntés.

Pour ce qui est de leurs rencontres, l'aéronaute déclare sans ambages dans sa déposition qu'un matin, avant le petit-déjeuner, il avait flairé dans l'atmosphère que quelque chose d'important allait arriver. Après le petit-déjeuner — pour la première fois, il y prévalait un silence total —, quand les convives eurent quitté la salle à manger avec l'intention de retourner à leurs chambres respectives, le baron esquissa un mouvement circulaire dans le hall, feignant d'aller ailleurs qu'à sa véritable destination, afin de ne pas se faire remarquer, même pas par les domestiques. Les autres étant partis, il jeta avec une naïveté factice un coup d'œil autour de lui (sans se rendre compte de la présence de l'aéronaute derrière une colonne), puis, effectuant une petite course d'une rapidité étonnante pour un homme de son âge, il disparut sous l'escalier, par la porte du tunnel qui menait au pavillon. Au même moment, l'aéronaute regarda par la fenêtre, et vit Stoppakius se diriger rapidement le long de l'allée boisée qui menait, elle aussi, au pavillon. Caché derrière un rideau, l'aéronaute l'épia jusqu'à ce qu'il se perde parmi les arbres ; il sortit alors, au pas de course, et suivit ses traces en se dissimulant d'arbre en arbre, question de ne pas le laisser lui échapper. Stoppakius arriva devant la porte du pavillon, il y entra avec une grande familiarité, comme s'il pénétrait dans une propriété bien à lui. L'aéronaute courut comme un chevreuil, comme il dit, et il le vit par la petite fenêtre aux rideaux de tulle en train de donner une chaleureuse poignée de main à un homme pas mal plus grand que lui, dont il ne put voir le visage car il avait le dos tourné à la fenêtre. Tout de suite après la poignée de main, les deux prirent place dans des fauteuils, dans la même position toujours ; pendant deux, trois instants seulement, l'aéronaute discerna le profil de ce troisième homme, sans pouvoir toutefois se former une image nette dans son esprit, puisque, au petit matin, le soleil ne s'était pas encore montré, et il faisait sombre dans la pièce. Entretemps, Stoppakius, comme un pantin, posait un certain nombre de questions à l'autre — qui était inaudible, même si les deux semblaient parler à haute voix, certains que personne ne les suivait. L'autre, par contre, parfaitement calme, tendait la main vers lui, comme s'il avait voulu l'assurer que d'une minute à l'autre le baron arriverait, celui dont l'absence paraissait tant énerver Stoppakius — qui, faut-il le signaler, donnait constamment l'impression de vouloir qu'ils quittent le plus tôt possible cet endroit, assis comme sur des charbons ardents, tout au bord du fauteuil, contrairement à l'autre, qui était bien à son aise, sûr de tout. En effet, peu après, le baron arriva ; dès que Stoppakius le vit, il sauta de joie, courut à sa rencontre et le serra dans ses bras. Pendant que le baron lui donnait l'accolade, en tapotant affectueusement son dos rachitique, au bas de la nuque, il parlait au troisième homme sur un ton familier, comme s'il voulait s'excuser de son léger retard. Ensuite, le baron prit place dans le fauteuil de Stoppakius, qui le lui céda avec respect, pour s'asseoir sur une chaise qui se trouvait tout près. Puis, le baron dit encore quelque chose au troisième homme, comme s'il voulait savoir si le voyage s'était bien passé. Après que ce dernier lui eut donné une réponse d'usage, ils ont semblé baisser le ton pour entamer une conversation étrange, durant laquelle les deux se tournaient sans cesse vers Stoppakius, qui, pendant tout ce temps, ne faisait qu'écouter. Uniquement vers la fin, environ une heure plus tard, il dit certaines choses à son tour, accompagnant ses paroles de gestes amples, comme pour leur garantir qu'il avait bien assimilé tout ce qu'ils lui avaient dit, et qu'il allait le mettre en application. Pendant toute la discussion, l'aéronaute eut clairement l'impression que ce troisième homme avait toute autorité, et que même le baron, qui de toute évidence le connaissait depuis fort longtemps, se comportait certes à son égard avec familiarité, mais avec une certaine distance, que lui imposait le respect qu'il éprouvait pour son rang ou bien son grade, maintenant qu'on parlait de choses importantes. Malgré le fait que le visage du troisième homme restait caché, il n'y avait pas de doute qu'il était conscient de sa place et de sa mission, et qu'il ne s'attendait pas à ce que l'attitude du baron soit différente. L'aéronaute souligne dans sa déposition qu'il a fait tout ce qu'il pouvait pour les épier, mais qu'il fut impossible de dégager le moindre mot des propos échangés entre les trois. La même scène s'était répétée deux ou trois jours plus tard. Malheureusement, les autorités ne semblent pas avoir pris au sérieux tout ce qu'il a rapporté dès leur retour par rapport à cette histoire — pour la seule et unique raison qu'il n'avait rien à dire sur leurs échanges, comme si l'histoire des cachettes ne suffisait pas.

Comme de raison, Stoppakius n'épargna aucun effort pour donner, par le biais de ses chroniques, l'image du séjour en cet endroit qui convenait à son intérêt. Bien qu'il ne parût jamais avoir compris le rôle que jouait l'aéronaute, il n'était tout à fait certain ni de lui ni du jeune médecin. Pour ce qui est de Xentadine, il ne le craignait pas directement : la preuve, cette lettre avec laquelle il réussit si bien à le couvrir. Cela ne veut pas dire, cependant, que les choses en soient restées là pour Stoppakius. Dans ses efforts pour le protéger si ouvertement, que montra Xentadine si ce n'est qu'il était parfaitement au courant de tous ses mouvements pendant le séjour au château, ou, au moins, qu'il entretenait de très forts soupçons à l'égard de ses faits et gestes ? Cela, Stoppakius n'allait jamais l'oublier. Cette méfiance continuelle, à savoir que l'on avait des suspicions à son endroit, a fini par éliminer Xentadine.

Et puis ceci, avant que je ne finisse pour ce soir. Dans sa description des jardins du château, Stoppakius écrit, entre autres, que dans une partie qu'il était allé inspecter avec Xentadine le matin après leur arrivée, le feuillage de l'allée boisée était si dense, de tous côtés, qu'il formait une galerie, si bien qu'ils ne pouvaient voir autour d'eux, bien que la journée fût ensoleillée. Jusqu'ici, d'accord. Xentadine aussi se réfère en passant à cette allée boisée dans sa lettre. Mais, pendant que Stoppakius affirme sans ambages que c'est par ce sombre sentier qu'il arriva finalement (seul manifestement) au pavillon de chasse, Xentadine, comme s'il voulait se jouer de lui (alors que ce n'est que pour le couvrir), passe outre à ce point névralgique sans en dire un mot, et aborde, dans les moindres détails, quelques descriptions, certes magnifiques, relatives à une serre qui constituait un prolongement du château. À partir de là, il se tourne vers les parterres, qui, comme il le dit, s'étendaient à perte de vue si l'observateur se plaçait dans l'une des fenêtres d'en haut. Puis, il parle des variétés et des familles de fleurs rares dont regorgeait le jardin, et il donne les noms des plantes à la manière d'un véritable naturaliste. J'ai été impressionné par sa façon de décrire un mur de campagne peint de fleurs de la main de je ne sais quel grand artiste. Comme le baron le lui a expliqué, c'était pour que puisse s'y reposer, l'hiver, l'œil de l'observateur, qui avait tant besoin d'un peu de paysage fleuri. Comme s'il n'y avait pas de fleurs dans la serre ! Mais c'est ainsi que le pauvre type parvient à capter l'attention du lecteur, pour pouvoir peut-être sauver la situation, ce qui fut fait.

* * *

Survint alors le moment du départ de cet endroit paradisiaque, ce qui ne se fit pas sans qu'on eût la gorge serrée, car le paysage et le train de vie princier du château étaient devenus aussi familiers à tous les quatre que s'ils y avaient habité des années entières. Partis un matin à cheval, grâce aux bons offices du baron, ils restèrent plus d'une semaine dans une auberge sur les rives d'un lac sis non loin de là. Nous allons voir plus loin la raison de ce délai, qui allait avoir des conséquences graves pour la vie de Stoppakius (il s'agit de sa rencontre avec Elfrida, la fille de l'aubergiste). Pour ce soir, je me contenterai d'observer que, en arrivant à l'auberge ce même jour, Stoppakius manifesta une petite indisposition, des langueurs et un peu de fièvre, que le médecin attribua au fait que, traversant quelques torrents à cheval, dans l'eau jusqu'au ventre, notre héros s'était mouillé et avait attrapé un rhume, ce qui se révéla exact. Quoi qu'il en soit, il lui ordonna de rester au lit et de reporter le voyage pour le moment, jusqu'à ce que toute menace fût écartée. En ce lieu, dans son lit, au chevet duquel Elfrida veillait comme un ange gardien, il eut l'occasion de mettre de l'ordre dans ses notes purement journalistiques — afin d'avoir le matériel prêt pour ses chroniques — alors qu'en même temps il envoyait ses premières correspondances au journal, écrites dans un style comme toujours aussi dense qu'irréprochable.

Quand vint l'heure de quitter cet endroit, Stoppakius, à qui le médecin avait volontiers donné son autorisation, ne voulait plus s'en aller et se montrait récalcitrant, sachant que dans ce cas-ci — à l'opposé de celui du château — tout autres étaient les mobiles qui l'incitaient à ne pas vouloir partir. En tout cas, le voulant ou non, il finit par acquiescer quand

Xentadine lui déclara qu'un de ces jours il faudrait quitter ces lieux, et mieux valait donc le faire avant qu'il ne soit trop tard. Ils traversèrent en radeau sur l'autre rive d'un affluent du Danube, qui les séparait de la bourgade la plus proche, où ils passèrent la nuit. De là Stoppakius envoya une autre correspondance, l'ultime avant ses chroniques, où nous discernons clairement les traces d'un style terne — ce qui était d'ailleurs prévisible, étant donné l'état dans lequel l'affaire Elfrida l'avait laissé.

Le lendemain matin, vers onze heures, après avoir visité tous les lieux et monuments de la ville, ils mangèrent, achetèrent des cartes postales et des souvenirs, prirent des photographies devant une statue dans la cour de la gare, et montèrent dans le train.

Franchissant le cœur de l'Europe centrale (ils ne cessèrent pas un instant de regarder par la fenêtre, dans l'espoir de reconnaître des détails du paysage qu'ils avaient déjà vu du haut des airs), ils revinrent en grande pompe un après-midi dans notre ville, où les attendait à la gare un accueil enthousiaste composé du maire en personne, du commandant de place, des journalistes et d'une foule compacte, pendant que la philharmonie municipale entonnait joyeusement des marches et des airs militaires.

Solange, les yeux débordant de larmes jusqu'au moment de serrer Stoppakius dans ses bras, se trouvait au premier rang, avec les dignitaires, bras dessus, bras dessous avec le vieux Papenguss, qui avait l'air égaré. Pour ce qui est de l'aérostat, ils l'installèrent le soir même au musée au cours d'une cérémonie spéciale — je n'ai pas eu la présence d'esprit de demander s'il existe encore, mais j'en doute, après le massacre qui s'est produit entre-temps —, suivie du banquet de circonstance à la mairie, pendant lequel on décerna une médaille d'honneur aux quatre aéronautes. En soirée, on donna un feu d'artifice que les autorités contemplèrent du balcon de l'hôtel de ville. Ici, je ressens la tentation d'en dire plus, mais mes forces m'abandonnent. Laissons cela pour une autre fois — demain, peut-être, si je me sens bien… Encore une fois, bonne nuit.

[9]

Quelques jours après l'effervescence du retour, Stoppakius disparut pendant un bon bout de temps du firmament, bien que, curieusement, ses chroniques dans les journaux aient continué à un rythme soutenu. Exception faite des siens, qui paraissaient ne pas se soucier de lui, personne, même Xentadine, ne savait ce qui lui était arrivé. Solange, dont les yeux se couvraient d'une ombre énigmatique, quand on lui parlait de cette histoire, ne sembla pas disposée à collaborer pour élucider le mystère. Diverses hypothèses et conjectures commençaient à se propager autour de sa personne. Prenant prétexte de son malaise bien connu à l'auberge, certains présumèrent que sa maladie avait récidivé, lui faisant prendre le chemin de la Suisse une fois de plus. D'autres soutenaient que, apparemment désespéré de la malédiction qui le poursuivait et qui le privait de toute jouissance, il avait mis fin à ses jours; les siens auraient tu ce fait pour des raisons religieuses. Mais si une telle chose s'était vraiment produite, est-ce comme cela que les gens réagissent dans de telles circonstances — sans manifester de la peine, quelque émotion?

Ceux qui étaient au courant allaient révéler plus tard, au cours du procès, qu'ils avaient supposé qu'il avait traversé la frontière pour déposer un rapport détaillé sur tout ce qu'il avait observé depuis l'aérostat, obéissant ainsi, d'abord, à l'ordre qu'il avait reçu, à la première, à la seconde ou aux deux rencontres secrètes qu'il avait eues avec des agents de l'ennemi au pavillon de chasse, mais qu'ils furent contraints au silence, de peur que leurs soupçons ne soient infondés, inculpant de cette façon l'homme sans motif valable.

Enfin, d'autres encore n'exclurent pas la possibilité qu'il se soit retiré en tapinois dans leur maison de campagne, afin de se consacrer à la rédaction de ses articles, qu'il avait l'intention de faire publier plus tard sous forme de livre, et c'est pourquoi, semble-t-il (disait-on), les siens ne manifestèrent aucun signe d'inquiétude devant sa disparition.

Par suite d'une coïncidence diabolique, au cours de cette même période, Béatrice n'était pas montée sur scène pendant quelques soirs — chose sans précédent, si l'on considère combien elle s'occupait de sa santé, et combien elle était toujours resplendissante. La rumeur courut alors que, impressionnée par l'exploit de Stoppakius, elle s'était repentie de sa mauvaise conduite : qu'elle-même, sans initiative de sa part à lui, lui avait écrit qu'elle lui pardonnait tout ; et que, pour éviter le scandale, ils s'étaient rencontrés en catimini, puis qu'ils étaient partis par le train de nuit à destination d'une autre ville, dans la banlieue de laquelle ils avaient l'intention de vivre pour toujours, entourés de belles choses.

Des gens du théâtre étaient allés relancer Béatrice à son appartement, mais sans résultat. La gouvernante qui s'occupait d'elle depuis les débuts de son éclatante carrière avait disparu elle aussi, et personne n'avait pu la retrouver, obscure et inconnue qu'elle était. Dans le logement, où ils sont entrés avec l'aide du concierge et avec la permission de la police, ils trouvèrent tout en place, sans le moindre signe d'effraction, de vol ou de fuite intempestive. Le seul indice que quelque chose avait changé dans toutes les pièces fut, sans doute, le fait que, devant la perspective d'un long voyage, elle avait pris avec elle les vêtements essentiels, les souliers, les bijoux et les produits de beauté, qui brillaient par leur absence — mais sans désordre — dans ses tiroirs et ses placards. Par contre, elle avait verrouillé les fenêtres, et une porte qui donnait sur la ruelle privée en arrière de la maison était, elle aussi, bien verrouillée, de l'extérieur, évidemment. Par ailleurs, à d'autres petits indices, il semblait clair qu'elle n'était pas partie pour de bon, mais au contraire qu'elle désirait réintégrer son appartement — lequel était d'ailleurs décoré d'un tel goût féminin — pour poursuivre normalement sa carrière et de façon générale la vie qu'elle avait menée depuis quelques années. Aucune note n'a jamais été trouvée. Il n'y avait aucun signe de la présence de l'autre femme dans l'appartement.

Peu à peu se mirent à faire leur apparition certains détails qui jetèrent une lumière étrange sur cette affaire. Par hasard, certaines personnes sont venues témoigner, preuves concluantes à l'appui, qu'elles avaient vu de leurs propres yeux Béatrice et Stoppakius, portant des masques, se rencontrer dans la sombre ruelle privée derrière l'immeuble, monter, en hâte et sans mot dire, dans un fiacre qu'ils avaient convié de les attendre au coin de la rue (déserte à cette heure de la nuit), puis se diriger vers la gare par des rues secondaires peu fréquentées. Le fiacre les déposa puis repartit sans que Stoppakius ait payé. À la gare, d'après ces mêmes témoignages, ils ne sont pas allés au guichet pour acheter leurs billets comme on aurait pu s'y attendre, mais avec la même célérité ils sont montés dans le train, qui partit aussitôt, comme s'il faisait cet itinéraire spécialement pour ces deux-là. Ils n'avaient pas de bagages, et nous pouvons facilement conclure qu'ils les avaient fait charger d'avance, dans le cadre du plan général, qui paraissait très bien étudié.

Puisqu'il s'agissait là de choses presque incroyables, ces mêmes témoins déclarèrent qu'ils étaient disposés à prêter serment sur l'Évangile. Et comme si les informations recueillies jusqu'ici ne suffisaient pas, d'autres individus se sont présentés qui, eux aussi (dirent-ils), savaient quelque chose de cette histoire, mais n'y avaient pas prêté attention au début, et, n'eût été le bruit dans les journaux, les choses en seraient restées là. Oui, ils avaient fait le voyage avec eux cette nuit-là, par hasard, dans le même train. Ainsi, ils ont observé que, apparemment, sous le coup du mystère qu'ils voulaient donner à leurs gestes, les deux étaient restés masqués comme ils l'étaient avant de monter dans le train, et au lieu de s'asseoir l'un en face de l'autre, ils avaient pris place sur la même banquette, mais en laissant un petit espace entre eux, comme de parfaits inconnus. Ils n'échangèrent pas un mot, à l'exception de certains signes qu'ils cherchèrent à dissimuler, jusqu'à ce que, à minuit, les deux soient descendus à la même gare, mais par des portes différentes du wagon. Près de l'entrée principale de la gare qui donnait sur la rue, on les avait vus s'enfoncer dans la nuit.

À partir de là, on perd leur trace. Il ne s'est trouvé personne pour élucider de quelque manière que ce soit le mystère depuis l'entrée principale et au-delà. Il ne s'est trouvé personne, non plus, pour infirmer tout ce qui avait été dit jusqu'à maintenant, et l'affaire resta en suspens pendant longtemps.

Ce qui scandalisa alors tous ceux qui avaient suivi le développement de cette histoire incroyable mais vraisemblable, c'est qu'elle n'était pas compatible avec le fait que Stoppakius, dans les articles publiés pendant son absence, portait aux nues Elfrida ainsi que les moments qu'il a vécus avec elle sur un ton franchement lyrique. Même si l'on supposait qu'il avait tout écrit d'une traite, dans un moment de verve, puis tout remis à l'imprimeur avant son départ avec Béatrice, n'aurait-il pas dû être préoccupé par l'éventualité que la jeune comédienne lise ses articles un jour ? N'aurait-il pas dû craindre — cela aurait été la moindre des choses — qu'elle ne lui fasse des scènes, dans la mesure où elle conservait, frais à la mémoire, les souvenirs de leur dispute ?

Stoppakius écrit quelque part que, lors de sa première matinée à l'auberge, en ouvrant les yeux après un doux sommeil, il eut devant lui l'image d'une présence féminine éthérée, pendant que la lumière printanière qui baignait la pièce l'aveuglait. C'était Elfrida, qui, avec des gestes de simple paysanne, ouvrait la fenêtre afin d'aérer la chambre et lui apportait son petit-déjeuner au lit, selon les instructions du médecin. Sur le coup, enchaîne-t-il, il l'associa dans son imaginaire avec la Lumière en tant qu'idée, avec les branches fleuries des arbres fruitiers qui bruissaient dans le verger, et avec la rivière et les collines, aux couleurs de cyclamen, qu'il voyait, à sa grande joie, se profiler à l'horizon en s'asseyant sur son lit. Plus loin, il écrit qu'elle portait son costume national, et il l'imagina en train de revenir, preste, d'une promenade au bord de la rivière, le matin, à l'heure où frémissent les lys des champs, puis de se diriger vers un abri de bois, noirci par le temps, pour y traire les vaches.

Tout cela tend à démontrer la justesse de mon point de vue, c'est-à-dire qu'il était tombé amoureux du décor qui l'entourait plutôt que de la personne elle-même. Mais, de toute façon, c'étaient des mots qui ne pouvaient laisser indifférente une femme comme Béatrice, déjà blessée par l'autre incident. Plus loin, à coup de sous-entendus (destinés à ne pas scandaliser ses lecteurs, quoique moi, du moins, j'aie senti le sang cogner dans mes veines à la relecture de ce fragment dernièrement), il décrit les escarmouches qu'ils eurent ce matin-là dans son lit. Et tout de suite après, il se réfère à une autre scène, le même soir, dans des buissons près de la rivière, en observant sans pudeur qu'« après » la malheureuse pleurait et avait honte de se présenter devant les siens ; il avait donc dû l'emmener de force.

* * *

L'affaire de la disparition commença à prendre des proportions inquiétantes, quand soudain nous découvrîmes dans le journal l'annonce du mariage de Stoppakius et d'Elfrida. L'après-midi du même jour, on les vit arriver dans notre ville. À la gare, Solange les attendait seule. Tout indiquait, en effet, qu'elle était au courant de la situation, ce qui expliqua son attitude pendant tout ce temps. L'ombre énigmatique dans ses yeux trahissait le fait que Stoppakius, après de vains efforts pour la convaincre, avait fait le voyage afin de se marier sans son consentement. Elle avait rejeté Elfrida avant même de la voir, et dès le premier instant où elle monta dans le wagon et l'accueillit d'un baiser hypocrite, elle ne l'avait pas considérée d'un très bon œil. Elle était faite comme l'autre et rappelait de loin plusieurs de ses traits. Si on l'examinait de plus près, cependant, on voyait qu'il lui manquait cette finesse d'artiste qu'avait l'autre. Il y avait quelque chose de massif dans son apparence ; la soie et la mousseline n'amélioraient guère la chose. Pire encore, sans vouloir le montrer, elle avait pleine conscience de la situation dans laquelle elle se trouvait, et cela la démolissait.

En général, tout le temps que l'infortunée a vécu avec eux, il ne se passa pas d'instant sans qu'elle ait buté contre les sourires factices et la politesse glaciale de Solange, qui demeurait égale à elle-même à un degré troublant : sans vraiment la gronder (quoiqu'on pût voir qu'elle bouillait à l'intérieur), elle avait un regard qui faisait comprendre à Elfrida qu'il n'y aurait jamais la moindre possibilité, même après des années, que leurs cœurs se rejoignent, et que si elle la supportait, c'était pour ne pas mécontenter son fils puisqu'il s'agissait, après tout, d'un fait accompli. Mais elle ne pouvait pas se retenir, et de courtes observations caustiques lui échappaient à table sur la manière de tenir la fourchette, la bonne façon de s'asseoir sur sa chaise et tant d'autres détails imperceptibles qu'Elfrida ignorait, et qui lui rendaient la vie insupportable. Même si, sans doute, de tels détails incommodaient Solange, c'était on ne peut plus évident qu'ils n'étaient qu'un prétexte pour s'en prendre à elle, et la tailler en mille morceaux le cas échéant.

D'un autre côté, Elfrida, éblouie, semble-t-il, par la gloire subite et les splendeurs, sans parler de son orgueil national, caractéristique de sa race, ne faisait aucun effort pour s'approcher le moindrement d'elle. Cela incitait Solange à se montrer encore plus intraitable, à enrager encore plus ; elle disparaissait pendant le repas — elle se levait avant qu'il ne soit terminé, comme si elle avait laissé quelque chose en plan — pour s'enfermer dans sa chambre. Son silence et son absence finissaient par peser encore plus lourd que ce qu'en réalité elle avait sur le cœur. Cela dérangeait Elfrida mortellement, faisant naître en elle une foule de peurs qu'elle ne pouvait reconnaître, donc les pires dont elle ait eu jamais à souffrir dans sa petite vie simple d'autrefois. Puisque la chambre de Stoppakius, où elle couchait le soir avec lui, était située à côté de celle de Solange, et que cette proximité la remplissait de terreur, elle s'engouffrait dans l'une des autres chambres, inoccupée pendant des années, qu'elle avait peu à peu aimée, et elle s'abîmait dans des pensées noires sans nombre, ayant le visage de Solange constamment à l'esprit. Elle y passait des après-midi entiers, comme un fauve dans sa cage. Ni Stoppa-kius ni sa mère ne prenaient la peine de s'enquérir de ce qu'elle voulait là où elle s'était retirée.

Mais le termite de la nostalgie la rongeait. Elle ne suppor-tait pas notre climat humide et instable ; elle était tout le temps enrhumée, même si elle ne sortait que rarement, même dans le jardin — Stoppakius, pour sa part, ne faisait aucun effort pour l'emmener dehors, car il avait eu vent des rumeurs qui couraient à propos de ce mariage si peu harmo-nieux. Cela, elle le comprit elle-même, et se sentait toujours diminuée, au point qu'elle avait honte de garder son rang, même devant les domestiques, comme la dame qu'elle était. Ils eurent tôt fait de lui en imposer, et leur attitude la trou-blait terriblement, surtout parce qu'elle constatait que, dans cette direction, il n'y avait pas d'espoir de la moindre com-passion, avec pour seule exception la cuisinière à laquelle elle confiait toutes ses doléances. Mais se plaindre de la situation à quelqu'un n'était pas dans son caractère non plus.

Sa nostalgie des paysages de son pays, autour de sa petite chaumière, n'avait plus de bornes, car elle reconnaissait avec effroi que Dieu seul savait quand elle les reverrait. Bien entendu, il y avait toujours la possibilité d'y aller avec Stop-pakius. Mais sa mère autoritaire le laisserait-elle s'installer pour toujours à l'auberge, comme elle le désirait si ardem-ment ? Aucune chance que cela se produise. Il lui arrivait de douter qu'il accepte une telle solution lui-même, car elle avait constaté que, lorsqu'elle faisait allusion aux siens, il changeait habilement de sujet, mû par une aversion évidente à leur égard. Et si elle lui proposait un tel voyage, la réponse serait non, et il la blesserait dans son amour-propre de cette manière brutale bien à lui qu'il avait commencé à adopter à son endroit, totalement indifférent à ses réactions. D'un autre côté, même si elle parvenait à s'esquiver pour un court voyage seule dans la vallée (qui lui était restée dans la mémoire dans un éternel printemps), elle ne pourrait pas y rester au-delà d'un, deux ou trois mois. Plus que ça, il n'en serait pas question, pas parce qu'il ne le lui permettait pas — au contraire, avec précaution il avait fait allusion à un voyage bien à elle, une nuit au lit —, mais parce qu'elle ne savait pas ce qui pourrait arriver pendant son absence. Passons sur le chagrin qu'elle connaîtrait durant les derniers jours quand elle se préparerait à retourner dans un tel milieu hostile, et ce, pour toujours. Horrifiée, elle pensait qu'elle subirait ce qu'elle avait subi quand elle était rentrée des vacances d'été, à l'époque où elle allait à l'école dans la bourgade voisine…

Parfois, quand elle broyait du noir au cours de ces après-midi sans fin, pendant qu'elle voyait par la fenêtre la brume ennemie qui la guettait, qui voulait l'étouffer, une folle idée de les planter tous là s'emparait d'elle : de prendre son courage à deux mains et de partir séance tenante, sans vêtements, sans rien ; de laisser de côté les explications convenues, ce que le monde dirait, ici et chez elle. Mais son amour-propre intervenait pour plomber sa décision. Car si elle y avait bien réfléchi et avait mis cartes sur table une fois pour toutes, comme le lui avait conseillé la cuisinière, elle s'en serait tirée indemne.

Pour ce qui est de ce sans-cœur de Stoppakius, à part les relations bestiales où il se vautrait aveuglément avec elle, et quelquefois sans son consentement, la plupart du temps il l'ignorait ; il ne lui est jamais venu à l'esprit de lui demander pourquoi elle avait mauvaise mine. Toute la journée, il la laissait de côté, à dépérir et à se lamenter sur son sort dans le chaos ténébreux de leur maison, et il s'adonnait effrontément à des coquineries comme auparavant. Le seul à se comporter avec sympathie avec elle fut son père à lui. Mais celui-ci n'apparaissait que rarement. Tandis qu'à table, quand il lui arrivait de manger avec eux, il la regardait avec des yeux mielleux, incapable de se retenir (en dépit des regards empoisonnés de son épouse), et pendant ses absences — quand n'était-il pas absent? —, elle l'emmenait dans son imaginaire, le plus proche qu'elle pouvait dans le recueillement auquel son isolement l'avait condamnée, et elle ne voyait rien qui fût susceptible de la convaincre qu'elle pouvait s'attendre à quoi que ce soit de sa part. Jamais il ne pensait à elle s'il ne la voyait pas devant lui ; de cela, elle était plus que certaine. Comment pouvait-elle savoir qu'à sa mort à elle, ce qui ne tarda pas à venir, comme nous allons le voir bientôt, il serait le seul à la pleurer comme un enfant, à verser de vraies larmes ? Il va sans dire que cette mort inopinée plongea dans le deuil, pour longtemps, la maison tout entière, les parents et, par leur entremise, nous autres, le personnel.

✳ ✳ ✳

Le temps passait sans que Béatrice donne signe de vie ; le théâtre fut obligé de faire venir de France une autre soprano. Par ailleurs, sa gouvernante, dont une chape de profond mystère couvrait la disparition, ne se présenta pas pour témoigner de quoi que ce soit, même si personne n'avait exprimé quelque inquiétude à propos de son bien-être. Et pendant ce temps-là, Stoppakius n'avait parlé à personne, ni accepté de commenter les rumeurs qui étaient colportées, et tous ses mouvements indiquaient qu'il n'avait absolument aucun lien avec l'affaire. Il paraissait tout le temps fort préoccupé par la présence d'Elfrida, qui l'avait placé tout à coup, sans le savoir, dans une impasse terrible. C'est seulement quand les circonstances l'ont obligé, devant le juge d'instruction, qui l'avait convoqué à son bureau quand l'affaire risquait de s'oublier, qu'il est devenu prolixe ; mais là encore, il fit preuve d'un sang-froid total, tout en étant catégorique et explicite dans ses déclarations. Il donna l'image de l'homme qui parle avec une parfaite franchise, et il ne tomba pas dans des contradictions. S'il fit montre d'un peu d'irritation, c'est parce qu'il perdait son temps sur un sujet qui ne le concernait pas, et non par culpabilité. Ainsi fut-il exempté d'autres interrogatoires, après qu'ils lui eurent offert — aussi bien le juge d'instruction lui-même que les autorités — leurs excuses pour le dérangement.

Oui, avec certaines exceptions qu'il justifia pleinement comme étant des erreurs humaines, exactes étaient les affirmations de ces témoins qui se présentèrent afin de jeter un peu de lumière sur cette ténébreuse affaire. En effet, quelques jours après son retour de Bohême, il reçut inopinément une lettre d'elle (dit-il), écrite sur le ton de la réconciliation, et dans laquelle, l'ayant félicité de son exploit, elle le priait — le mot choisi tranchait avec la position qui avait été jusque-là la sienne — de bien vouloir oublier le passé tout comme elle l'avait oublié elle-même, et d'accepter de la rencontrer le vendredi suivant, en soirée après la représentation, à l'« endroit connu ». Non, par malheur, il n'avait pas conservé sa lettre. Peu avant l'heure convenue, il y alla, s'assit à une table et l'attendit. Elle arriva à l'heure précise et tomba dans ses bras avec une attitude de contrition. Elle lui parla avec une grande exubérance, comme si elle n'avait pas été trop blessée par l'incident bien connu, et ce fut l'actrice qui lui suggéra d'aller à son appartement à elle, où ils passèrent cette nuit-là dans un ravissement réciproque comme jamais auparavant.

Le matin, sur le coup de onze heures, elle était censée aller chez sa couturière pour une séance d'essayage, puis tout de suite après courir au théâtre pour répéter un nouveau spectacle qui prendrait l'affiche. Mais elle envoya des billets — qu'elle écrivit assise dans son lit avec un vulgaire crayon à mine, sur du papier qu'il sortit de ses poches — pour annuler les deux rendez-vous sans beaucoup d'explications. Après les avoir écrits, elle se plaignit d'en avoir assez de cette vie, pleine d'angoisse et d'amertume ; elle s'était brouillée avec le directeur du théâtre pour une certaine raison qu'elle ne révéla pas (ce que ce dernier confirma, sans donner d'explications lui non plus), et elle avait décidé, sinon d'abandonner le théâtre une fois pour toutes, du moins de tout laisser tomber pour cette saison, et de partir en voyage, n'importe où. Car, comme elle l'expliqua à Stoppakius, elle s'était retrouvée dans la même impasse que lui. S'il voulait, il pouvait l'accompagner ; sa présence lui ferait du bien, ce qu'il savait très bien (lui dit-elle). Ensuite, elle déclara qu'ils n'avaient jamais parlé de mariage, et décrivit les rumeurs voulant qu'ils aient eu l'intention de s'établir pour toujours dans la banlieue de l'autre ville comme étant farfelues, comme étant des élucubrations de certains (qu'elle n'a pas nommés).

Cependant, étant donné la conjoncture de diverses raisons d'ordre social (lui dit-elle), elle considérait comme impérieux qu'ils fassent preuve d'une discrétion absolue au sujet de ce voyage, ce à quoi il ne vit (ni ne voyait au moment de l'instruction) aucune raison de s'opposer. S'il s'était senti coupable de quelque chose, il n'aurait pas eu besoin d'étaler tous ces détails.

La gouvernante, dont la disparition l'attristait profondément, car elle aurait confirmé très largement ses affirmations (même si, de toute manière, la vérité allait triompher un jour), avait quitté l'appartement le soir de ce même jour où ils l'eurent invitée à partir et qu'il lui eut donné de sa poche un montant important en guise de dédommagement, tandis que Béatrice la priait, non sans émotion, de leur laisser son adresse (chose qui se fit), afin de pouvoir la rappeler quand elle aurait besoin d'elle. Elle n'avait aucune idée de ce que cette bonne dame était devenue, et il lui était impossible de se souvenir de son adresse (quelque chose de difficile, avec plusieurs consonnes) ; pendant qu'elle la déclinait, Béatrice l'avait copiée dans le calepin de son sac à main qu'elle prit avec elle en voyage — quelle malchance ! Non, il ne savait pas si la gouvernante avait été vue par quelqu'un pendant qu'elle sortait ses bagages de l'appartement, ni à la porte extérieure de l'immeuble — et ce, parce qu'il n'avait accordé aucune importance spéciale à son départ, tout comme, d'ailleurs, à tout autre aspect de l'affaire. Toutefois, monsieur le juge d'instruction aurait pu, s'il l'avait voulu, demander au concierge (que Stoppakius n'avait jamais rencontré de sa vie) s'il se rappelait quelque chose, ou bien aux locataires des autres appartements. Il était même disposé à faire publier, à ses frais, une annonce dans tous les journaux, lui enjoignant de se présenter aux autorités les plus proches, peu importe où elle se trouvait. Il aurait fait volontiers la même chose pour Béatrice — dont il évitait systématiquement de citer le nom.

Depuis le jour où il est rentré de Bohême, son intention initiale était d'y retourner, avec le même train s'il avait pu, pour demander Elfrida en mariage, entreprise à laquelle sa mère ne donnait en aucune manière son approbation — ainsi fut-il obligé d'obtempérer aux supplications de Béatrice. Sinon, il doutait fort qu'il aurait fait avec elle un tel voyage, qui n'aurait eu pour lui, en toute franchise, presque aucun sens désormais, puisqu'il n'avait plus de pensées que pour l'autre. Alors qu'en vérité il avait tout à fait oublié Béatrice, il ne gardait à son endroit aucune rancune — pourquoi d'ailleurs éprouver de la rancune envers elle? Au fond, il nourrissait toujours de tendres sentiments à son égard, ce qu'il aurait voulu lui dire, quel que soit l'endroit où elle se trouvait en ce moment.

Il était vrai aussi que, en sortant cette nuit-là par l'escalier arrière de l'immeuble, les deux s'étaient couvert le visage afin de cacher leurs traits — mais il n'avait certes pas proposé, lui-même, une telle démarche, car il n'en voyait pas la raison. Lui, oiseau encore libre, n'avait cure d'être vu ou non, même par quiconque, en train d'escorter une si belle dame. Quant aux billets, il les avait réservés l'après-midi de ce même jour, et il se rappelait très bien le visage de l'employé qui les lui avait vendus. Il était disposé à se retrouver face à face avec ce dernier, certain que l'employé le reconnaîtrait sur-le-champ; celui-ci se souviendrait de lui, parce que Stoppakius n'avait pas acheté les billets au guichet, mais — il ne savait pour quelle raison — il avait eu l'idée d'entrer dans le bureau, et ils y avaient même tenu une discussion dont le sujet lui échappait à ce moment-là; mais il était sûr que si on lui avait accordé un peu de temps, il s'en serait souvenu.

Son comportement dans le wagon fut vraiment curieux, parvenant, il faut l'admettre, à en scandaliser plusieurs. Cela n'avait aucun lien avec quelque sombre projet que ce soit, mais plutôt avec le fait que, au cours de leur déplacement en fiacre par les rues désertes, ils avaient eu une petite querelle, qu'il regrettait amèrement, puisqu'il avoua qu'il en avait été lui-même la cause, tout en s'étant comporté de cette façon par pure naïveté. Toutefois, à vrai dire, elle en était un tantinet responsable elle aussi — ainsi, quand elle s'entêtait, elle était capable de ne pas lui parler pendant des journées entières. Tandis que lui, il était prêt à lui demander pardon presque immédiatement, même sur des points où il avait parfaitement raison. (Ici, on lit dans les documents qu'il donna au juge d'instruction l'impression persistante qu'il parlait d'une personne morte depuis longtemps.) Tel fut le cas dans le wagon. Puisqu'il craignait, à la moindre tentative pour lui parler, de l'irriter davantage, avec pour résultat de se faire humilier devant tout le monde par un mot brusque qu'elle lui aurait jeté en pleine figure, il évitait de bouger, faisant tout ce qu'il pouvait — ce qu'il avouait — pour laisser croire que cette femme lui était totalement inconnue.

Quand ils arrivèrent à leur destination, elle l'avait amené, par son comportement, dans une telle impasse qu'il s'en était fallu de peu qu'il ne la laisse descendre seule, décidé désormais à continuer le voyage jusqu'en Bohême. Mais à la toute dernière minute, alors qu'elle s'apprêtait à ouvrir la portière du wagon pour descendre, il mit de côté sa colère — principalement parce que c'était quand elle se fâchait qu'il la désirait passionnément — et il lui demanda de l'excuser d'avoir soulevé pareils détails, qui peut-être n'intéresseraient pas monsieur le juge d'instruction. Il hésitait, sans savoir ce qu'il fallait faire. Mais, pour ne pas que l'angoisse peinte sur son visage attire l'attention des autres passagers, et puisque dans quelques instants le train allait repartir, il se précipita et descendit par la portière opposée, qui se trouvait plus près de lui. Voilà comment s'expliquait le fait qu'ils descendirent par des portières différentes ; et même si cela s'était fait exprès, pourquoi devait-il en prendre toute la responsabilité sur ses épaules ? De toute façon, il n'y avait pas d'autre raison, et il croyait que s'ils n'avaient été les seuls passagers à descendre à cette gare cette nuit-là, peut-être l'on n'aurait pas tant remarqué leur comportement. Tout cela, il le racontait tout simplement pour l'histoire, et non pas afin de prouver quoi que ce soit. À l'égard de ceux qui se trouvèrent là pour déposer des éléments de preuve dans cette affaire, il ne nourrissait pas la moindre antipathie — il ne se souvenait même pas d'eux —

car ils étaient bien obligés de parler comme ils parlèrent, tout comme il l'aurait fait s'il avait été placé dans de telles circonstances.

Oui, c'était vrai qu'ils s'étaient rencontrés à l'extérieur de l'entrée de la gare, et elle lui permit sans mot dire de la prendre par le bras, mais non sans lui avoir d'abord jeté un regard furieux ; cela, il le racontait dans le seul but de montrer jusqu'à quel point, à partir du moindre incident, leurs relations étaient devenues tendues. Elle continuait à ne pas lui parler — et, par son attitude, à ne pas lui permettre de prononcer un mot — jusqu'à ce qu'ils se soient installés dans la chambre de l'hôtel qu'ils avaient déjà réservée. Là, dans la douce chaleur de l'espace clos et dans le luxe, elle parut brièvement se trouver dans son élément. Alors il reprit courage et lui demanda de l'excuser, en des mots d'une grande tendresse, de tout ce qui s'était passé, à quoi elle répliqua tout net — chose qui l'irrita un tantinet — qu'il valait mieux oublier tout cela, et qu'à l'avenir il devrait faire attention. Elle le laissa alors étendu sur le lit et se mit, de bonne humeur, à faire devant le miroir sa toilette habituelle. Cela ne le dérangea pas, mais le fait qu'elle prenne tant de temps sans lui parler l'inquiéta au point de craindre qu'il ne l'attende en vain. Il essaya de lui tourner le dos, les yeux fixés au mur, afin de la sortir de son esprit, de se soustraire à cette tyrannie. Mais voilà qu'elle vint finalement se coucher près de lui, et alors qu'elle le fit se pâmer, sans bouger le moindrement, les yeux obstinément rivés au plafond, elle finit par lui permettre de la toucher — chose qu'il fit non sans hésitation en dépit du désir qu'elle faisait naître en lui, maquillée et parfumée comme elle était, presque irréelle.

Une ou deux heures plus tard, après un petit somme, il se réveilla comme par instinct et la vit, le corps dressé à ses côtés, la tête appuyée sur la main, en train de le dévisager de manière énigmatique, le regard enflammé, comme si rien n'était survenu entre eux peu de temps avant.

Alors qu'il allait lui demander des explications (dit-il), elle se mit à le traiter d'insensible, de bête, d'imbécile, d'enfant gâté, de vaurien, qui s'accommodait bien de sa présence ; tel qu'il était, le mieux qu'ils avaient à faire, c'était de rompre. En disant cela, elle commença à sangloter et à gémir, ce qui le mit dans une position difficile. En larmes à son tour, larmes qu'il ne put maîtriser, il la supplia de ne pas lui crier pareilles choses, et de lui expliquer ce qu'elle voulait dire par tout cela, et plus généralement, par son attitude. Elle se releva alors normalement sur le lit et lui déclara que la raison de son départ précipité n'était pas aussi simple qu'il le pensait, avec cette naïveté qui toujours le caractérisait : car, d'une minute à l'autre, attenterait à sa vie celui avec lequel elle venait de se brouiller (ici, Stoppakius laissa entendre qu'il s'agissait du directeur du théâtre), et s'il n'intervenait pas, s'il ne faisait pas quelque chose pour la protéger, elle trouverait une fin terrible. Cette personne l'avait menacée, dit-elle, d'engager des fiers-à-bras pour l'assassiner. Tout cela à cause de lui ; car elle lui révéla qu'ils avaient une longue relation et que leurs rapports étaient déjà très avancés avant même qu'elle ne fasse la connaissance de Stoppakius. Bien sûr, c'était vrai qu'elle voulait rompre par tous les moyens, pour plusieurs raisons, mais à quoi bon, puisqu'elle avait affaire à quelqu'un comme Stoppakius, qui était pire que l'autre ?

Il lui dit alors qu'elle n'avait pas le droit de s'exprimer ainsi, et qu'il n'y avait rien au monde qu'il ne fût disposé à faire pour ses beaux yeux. À ce moment-là, elle devint folle de rage, se mit à l'insulter bassement, dans le langage d'une prostituée, en lui disant que, de la manière qu'il lui parlait, il ne manifestait aucun intérêt pour sa personne et à plus forte raison pour sa vie — que tout ce qu'il avait fait, tout ce qu'il avait dit, pendant tout le temps qu'il l'avait connue, était faux… Cela se voyait à son attitude inqualifiable, là maintenant, et pendant qu'il la voyait dans le miroir se morfondre à propos de quelque chose dont dépendait toute sa vie, il n'a pas daigné lui adresser deux mots, avec une indifférence qui la rebutait, il restait là, étendu sur le lit, car c'était seulement pour cela qu'il la voulait et il ne s'intéressait pas du tout à elle-même. En outre, qu'est-ce qu'elle pouvait espérer d'un vaurien comme lui, incapable de faire du mal même à une mouche?

Il avait reconnu lui-même (s'était-il hâté d'expliquer au juge d'instruction) que, sur ce point, elle avait raison ; il était de nature, disait-il, un homme sans méchanceté au point de s'obliger parfois à faire un détour pour éviter de piétiner une fourmi sur son chemin. Il avouait aussi qu'il aurait été incapable de se mesurer à l'un des fiers-à-bras, mais que, en tout cas, pour la calmer, il était prêt à affronter n'importe quoi. Il essaya de la convaincre qu'elle faisait erreur en se rapportant à l'histoire du miroir, et sur les motifs pour lesquels il n'avait pas osé lui parler — autant à l'hôtel que dans le train — en dépit du fait qu'ainsi il marchait sur son égoïsme. Mais elle ne voulait rien savoir, et continuait à l'invectiver sans prêter la moindre attention à ce qu'il lui disait.

À un moment donné, elle lui ordonna de descendre du lit et d'aller dormir dans le fauteuil tout de suite. Quand il voulut s'opposer, elle se leva du lit sans dire un mot et, plutôt calme, s'habilla tant bien que mal et, ainsi, non coiffée, elle ouvrit la porte et disparut. Sans lui donner un baiser, sans explication. Plus tard, vers huit heures du matin, vint un homme qui cueillit une grande et lourde malle dans laquelle elle avait mis toutes ses toilettes, ses manteaux ainsi que deux fourrures.

Depuis, il ne l'avait jamais revue (dit-il). Entre-temps,

ce même matin, incapable de supporter l'atmosphère qui régnait dans cette chambre, il prit le train de 9 h 10 à destination de la Bohême. Dès lors, soit le voyage, soit l'anticipation de sa rencontre avec Elfrida, soit le mariage, ceci et cela, les diverses émotions, le firent oublier cette affaire, qu'il reconnaissait maintenant comme étant sérieuse. Il s'excusait d'avoir — bien malgré lui — incriminé, d'une certaine manière, un membre de l'élite de notre société, à l'endroit duquel il nourrissait la plus haute estime (bien qu'il ne le connût pas personnellement), mais sa conscience ne lui permettait pas de passer sous silence, pour des raisons purement formelles, un aspect de l'affaire qui pouvait revêtir une grande importance. Il était toujours à la disposition du juge d'instruction pour toute autre précision dont il aurait besoin — même s'il lui fallait souligner qu'il avait dit tout ce qu'il avait à dire —, et la justice, avec tous les moyens dont elle disposait, pouvait agir comme bon lui semblait afin d'élucider ce mystère. Car il était très curieux, lui aussi, de savoir ce qu'était devenue une si grande amie. Il n'avait plus rien à ajouter, si ce n'est qu'il ne connaissait pas l'homme qui était venu chercher la malle.

* * *

Aussi incroyable que cela puisse paraître, le dossier resta en suspens à partir de cette nuit-là où Stoppakius sortit du bureau du juge d'instruction, et personne n'a jamais su ce qui était advenu de cette affaire ténébreuse. Je suis certain que notre héros a emporté le secret avec lui dans la tombe, dans ce cimetière lointain d'Afrique, avec tant d'autres mystères. Longtemps après la guerre, alors que sa disparition et son procès appartenaient désormais à l'histoire, le dossier fut rouvert à la suite de l'acharnement d'un journaliste, mais encore une fois sans résultat ; le même cul-de-sac qu'auparavant. Les mêmes conjectures, les mêmes soupçons, qui étaient pourtant sans fondement, car autant Stoppakius que le directeur du théâtre, sur lesquels se concentra l'attention de la justice, avaient un alibi, qui n'aurait pas été convaincant du tout s'il avait existé contre eux la moindre preuve concrète. Mais malheureusement, il n'en existait pas. Quant à elle et à sa femme de chambre, c'était comme si la terre les avait avalées. D'aucuns étaient d'avis qu'elles s'étaient évadées — qui sait pour quelles raisons obscures — en Amérique, où Béatrice, sous un autre nom d'artiste, menait une vie dissolue dans de vils salons de l'Ouest, et s'offrait au premier aventurier venu pour un verre d'alcool ou une robe. Mais d'autres soutinrent — avec des descriptions fort détaillées — que, dans un moment de désespoir, elle s'était enlevé la vie, en sautant dans l'un de nos canaux.

[10]

Après l'instruction qui lui avait coûté cher, Stoppakius laissa passer quelques jours (afin de ne pas créer une mauvaise impression), puis il prit Elfrida et la conduisit à leur villa, chose qu'il n'avait pas daigné faire jusque-là en dépit de toutes ses promesses. Puisque c'était l'automne, la saison à laquelle les siens étaient rentrés en ville, ils vécurent quelques beaux jours, seuls. Elfrida semblait enfin avoir retrouvé son élément naturel — non pas parce qu'elle était dans le bel environnement de la villa dont il lui avait tant parlé, mais parce qu'enfin elle allait rester seule avec lui. D'un autre côté, son contact avec la nature, même si elle était si différente de celle à laquelle elle était habituée, la faisait bondir de joie, et la nuit, après les caresses dans le lit, elle s'endormait la tête sur l'épaule de Stoppakius avec la douce anticipation du matin à venir. Quand il faisait mauvais temps, ils restaient au lit, y prenant le petit-déjeuner et faisant la grasse matinée, ou bien ils passaient au salon de la bibliothèque, où il montait par une échelle mobile jusqu'aux rayons supérieurs pour y palper les livres — sans pouvoir pourtant en choisir un — pendant qu'Elfrida, assise avec sa broderie près de la fenêtre au rideau de dentelle retiré, contemplait la mer vraiment de toute beauté, qui, dans ses diverses manifestations, la réjouissait tout le temps qu'elle y passait. C'était peut-être l'un des peu nombreux éléments de la nature auxquels elle voua une si grande passion dans notre pays. S'il faisait beau — chose rare, car je connais très bien ces endroits —, ils sortaient chaudement habillés pour faire une promenade à travers les paysages gris et jaunâtres des alentours, et une randonnée à pied le long de la plage jusqu'au point où le cap le plus proche, qui finissait par une falaise abrupte, se perdait à l'horizon. Elle aimait sentir le vent lui emmêler les cheveux — alors que lui détestait cela, et se tenait les cheveux à deux mains comme s'il avait souffert d'un mal de tête — et entendre les croassements des mouettes et d'autres oiseaux de mer venant du large.

Cela même quand ils étaient enfermés dans la bibliothèque. En général, ils passèrent plusieurs jours inoubliables. Une seule chose commença à la troubler, au point qu'elle ne pouvait plus se consacrer à lui avec tout son être, à part les nuits : quand il lui parlait, son regard se perdait quelque part, très loin de là où il se trouvait, et avec son regard disparaissait aussi totalement son attention pour elle. Son comportement la bouleversait, à l'idée qu'elle était incapable d'exciter son intérêt. Elle ne savait pas à quoi attribuer son attitude, comme ça d'un coup, mais pour ce qui est de l'« autre », elle n'avait pas le moindre soupçon. L'explication qu'il lui avait donnée un soir au lit, la lumière éteinte, l'avait convaincue très largement (même si elle n'en avait jamais douté) que non seulement il ne pensait plus à l'autre, mais qu'il n'avait vraiment rien à voir avec sa disparition. Mais alors, pourquoi se comportait-il ainsi ?

Elle observa aussi qu'à peine sortis du lit — je le dis ainsi, car ils y passaient la plus grande partie du temps — rien ne pouvait le contraindre à rester en place ; au contraire, il circulait constamment d'une pièce à l'autre. Du grenier il pouvait se retrouver au sous-sol en un clin d'œil, comme si on l'avait pris en chasse, alors que, d'autres fois, ses mouvements étaient désespérément lents. En fin de compte, il était capable de passer des heures entières affalé dans un fauteuil, fixant un point de la pièce sans bouger. Soudain, il se levait, saisissait un objet, avant de le laisser pour en attraper un autre, et un autre, et un autre, au point d'agacer sérieusement Elfrida, et c'est avec peine qu'elle se retenait de lui dire de bien vouloir cesser son petit manège.

Mais il avait aussi des moments de joie et d'optimisme, sans qu'absolument rien lui tourmente l'esprit. Et alors il lui faisait des compliments en abondance, lui disant qu'elle était son dernier espoir au monde, qu'au retour à Gand il allait l'amener dans les meilleures boutiques et lui acheter tout ce qu'elle désirerait, que ce soient des bijoux ou des robes — sans tenir compte des prix. Ou encore, si elle voulait simplement commander qu'on lui apporte immédiatement tout ce qui lui plaisait, et si elle en avait envie, ils pouvaient partir immédiatement en fiacre — et elle déciderait si elle préférait qu'ils restent là-bas, ou bien qu'ils reviennent pour y résider aussi longtemps qu'elle le souhaiterait.

Mais, pendant qu'il lui disait tout cela, tout d'un coup quelque chose le tourmentait, et il retombait dans la même mélancolie, la même détresse. La caractéristique dominante lors de tels moments était qu'il devenait terriblement distrait. Il débitait des absurdités qui l'exténuaient. Par exemple, sans raison apparente, il exigeait, avec une politesse qui irritait Elfrida, qu'elle monte se changer et revêtir ses plus belles robes, se parfumer, se maquiller comme s'ils allaient se rendre à une quelconque réception. Et quand enfin elle redescendait, elle voyait (comme elle savait que cela aller se passer) que tout cela n'avait d'autre but que de s'asseoir au salon l'un en face de l'autre, pendant qu'il se mettait à s'extasier et à lancer diverses expressions salaces devant lesquelles elle ne savait plus que faire. Mais aussitôt qu'il comprenait qu'il ne réussissait pas à obtenir ce qu'il voulait, il retombait dans la même mélancolie, qui n'avait cependant aucun rapport avec elle.

* * *

Un soir, ils venaient de rentrer d'une petite promenade à la brunante parmi les treilles autour de la villa et attendaient avec un silencieux délice devant le feu de foyer que la cuisinière les appelle à table, quand ils entendirent quelqu'un frapper à la porte. Qui cela pouvait-il être? Ils n'attendaient personne, et Stoppakius n'avait pas dit à Elfrida qu'il avait écrit à quelqu'un de venir. C'était Helmut, qui fit tout de suite une très agréable impression à Elfrida, qui allait dire plus tard qu'il s'agissait d'« un homme blond, du même âge de Stoppakius, qui ressemblait beaucoup aux gens de sa race ». On modifia sans tarder la disposition des couverts, puis ils firent bombance tous les trois pendant un bon moment. À tout bout de champ, Stoppakius, l'air très content de cette visite imprévue, cessait de mastiquer et, la bouche pleine, se tournait vers Elfrida pour lui raconter, exalté, des aventures de leurs années de jeunesse, puis se levait de sa place pour aller près de Helmut, et avec ses deux mains lui serrait les épaules dans un geste d'éternelle amitié. Helmut répondait à tout cela par des sourires figés, et avec une grande prudence : il avait beaucoup de choses à lui dire, et il en attendait le moment avec impatience. Au beau milieu de la discussion qui prit de l'ampleur après le repas, qui sait quelle mouche avait piqué Stoppakius pour qu'il annonce à

Helmut — à la grande surprise d'Elfrida — qu'il projetait un voyage dans l'Atlantique dans une embarcation de sa propre conception, ce qui irrita Helmut. Ce dernier faisait tout pour ne pas réagir, jusqu'à ce qu'Elfrida se sente obligée d'intervenir pour changer de sujet. Mais, là encore, Helmut ne paraissait pas content, et, finalement, Stoppakius comprit, après qu'il lui eut fait signe sous les yeux d'Elfrida, qu'il avait à lui parler en privé.

Alors Stoppakius prit Elfrida à part (toujours dans la même pièce) et, à travers les cheveux qui cachaient son oreille, il lui chuchota de monter et d'aller se reposer, qu'il viendrait un peu plus tard — mais de ne pas s'endormir. Elle se retourna et lui demanda à l'oreille : « Qu'est-ce que se passe ? Est-il vrai que vous allez faire ce voyage ? » Il lui répondit, à travers les cheveux, qu'il ne fallait pas se presser — il lui en parlerait au lit. C'est alors qu'elle se leva, dit bonne nuit à Helmut, qui s'était levé entre-temps tout impatient, elle se retira de la pièce, scandalisée, puis monta l'escalier. Elle remarqua qu'ils attendaient en silence qu'elle ait atteint la dernière marche avant d'entamer leur discussion. Elle jeta un rapide coup d'œil du palier et vit Helmut fermer discrètement la porte, plongeant ainsi l'entrée tout entière dans l'obscurité. L'espace d'une seconde, elle éprouva la tentation d'aller écouter en cachette, mais quelque crainte la retint, et elle se retira dans la chambre. Au moment de fermer la porte derrière elle, elle entendit la cuisinière entrer dans la salle à manger — pour leur demander, à ce qu'il semble, s'ils voulaient quelque chose avant qu'elle n'aille se coucher — puis sortir tout de suite après, pendant que Stoppakius lui disait quelque chose d'un ton sévère, et ensuite d'éteindre les lumières et de gagner sa chambre car ils ne voulaient plus rien, et à l'avenir de ne jamais entrer sans frapper. Puis il s'arrêta d'un coup sec, comme si l'autre lui avait fait signe de l'intérieur, et il ferma doucement la porte. Peu après cet incident, elle entendit l'un des deux tousser jusqu'à s'étouffer, mais avant de se lever du lit, elle comprit que c'était Helmut et retrouva son calme. Mais le temps filait sans que Stoppakius semble vouloir monter, et ainsi elle se tourna sur le côté et s'endormit très légèrement, ayant l'esprit toujours là-bas, au salon. À un moment donné, des voix la réveillèrent, elle sauta du lit, mit sa robe de chambre et se dirigea vers le palier en tâchant d'entendre ce qu'ils disaient au juste, qui les faisait crier ainsi. Mais impossible d'en distinguer les mots; tout ce qu'elle pouvait comprendre de façon nette, c'était que Helmut le réprimandait vertement à cause de ce qu'il avait fait, tandis que Stoppakius, lui aussi très agacé, tentait de se justifier. À bout de nerfs alors, elle dévala l'escalier en moins de deux, indifférente quant au fait qu'ils l'entendent d'en bas, puis elle ouvrit brusquement la porte. Ni l'un ni l'autre ne parurent intimidés par sa présence — qu'ils ignoraient dans la fureur de leur dispute. Sauf qu'ils ne s'exprimèrent que par sous-entendus, dont elle ne pouvait tirer quelque conclusion que ce soit, mais elle réussit finalement à deviner que Helmut lui donnait un délai X pour réfléchir, sinon… laissant supposer que, si Stoppakius ne faisait pas ce qu'il lui demandait, ou s'il faisait ce qu'il lui disait de ne pas faire, un grand malheur lui arriverait, ou quelque chose du genre. Puis ils se tournèrent vers elle, et la discussion se calma; peu après, ils se dirigèrent vers leur lit.

Au lit, Elfrida se mit en quatre pour lui tirer un mot de la bouche, mais peine perdue, et il revenait constamment sur le voyage qu'il projetait de faire avec elle, avec une profusion de détails qui n'avaient pour elle aucun sens en ce moment précis. Par la suite, il lui avoua qu'il mentait en disant que le voyage se ferait dans une embarcation de sa fabrication, qu'il l'avait dit à la blague, qu'ils partiraient normalement, sur un bateau de ligne, car elle avait — prétendait-il — besoin de se reposer et de changer d'air.

Le lendemain matin, ils se réveillèrent par mauvais temps, et ils trouvèrent un feu de foyer ainsi que les lumières allumées. À la table où ils prirent le petit-déjeuner, Helmut déclara qu'il devait partir d'urgence pour Gand, où il avait — disait-il — à expédier certaines affaires commerciales que la maison pour laquelle il travaillait lui avait confiées, et de là, sans tarder, pour l'Allemagne, car il était déjà en retard. Là, il avança le prétexte qu'il avait profité de l'occasion pour venir voir son vieil ami bien-aimé, avec lequel il était lié par tant de souvenirs, et s'il n'était pas venu à ce voyage-ci, qui sait s'il l'aurait jamais revu. Il avait appris par hasard qu'il se trouvait à la villa, dit-il ; il aurait pu aller chez lui afin de s'informer, mais il n'en avait pas le temps. Stoppakius fit tout ce qu'il put pour que tout cela semble normal. Il n'insista pas du tout pour le garder, en dépit de la tempête qui faisait rage. Le petit-déjeuner terminé, ils fumèrent une cigarette, Helmut monta, accompagné par Stoppakius (en apparence pour l'aider à ramasser ses affaires), et puis les deux redescendirent, en murmurant quelque chose entre eux. En vitesse, il serra la main d'Elfrida, serra aussi la main de Stoppakius, en lui lançant un dernier regard lourd de sens, et il sortit dans la cour. Par la fenêtre, ils le virent mouillé comme un canard tandis qu'il montait dans le fiacre, même s'il s'était couvert la tête d'un morceau de canevas kaki, aux allures militaires, qu'il avait sorti de sa valise à la dernière minute, en maugréant contre son sempiternel désordre.

* * *

Le reste de la matinée, ils le passèrent, sans histoire, dans la bibliothèque. Vers la fin de l'après-midi, la tempête s'étant calmée, ils allèrent dans la campagne environnante faire une promenade privée, à la suite de la requête d'Elfrida, quoiqu'il eût préféré, vu son état, rester calé dans son fauteuil. De façon générale, tous ses mouvements étaient plus mécaniques que jamais, et il lui répondait par une attitude outrancièrement obligeante, disant à tout propos « oui, certainement, bien entendu », etc., avant de replonger dans ses pensées. Son comportement dénotait, d'une part, un soulagement — comme s'il s'était senti fort aise, maintenant qu'il s'était dégagé de Helmut — et, d'autre part, de l'angoisse, que l'autre lui avait laissée en partant. Mais quel manque de courage de la part d'Elfrida qui n'osa pas exiger de lui des explications. Le soir, à table, il lui demanda tout à coup, sortant de son silence, quelle était son idée au sujet du voyage dont il lui avait parlé la veille. Il sembla relativement satisfait quand elle lui répondit avec un certain enthousiasme ; mais il retomba aussitôt dans le même abattement — comme si ce voyage n'était qu'une demi-mesure par rapport à tout ce qu'il avait encore à affronter. Il lui dit alors, encore une fois soudainement, après un certain laps de temps, qu'ils devraient entreprendre d'abord un petit voyage jusqu'à L…, où il pensait aller voir un vieil ami dont il avait perdu la trace depuis les années du collège, puis après ils reviendraient à Gand ou bien à la campagne, et alors ils décideraient de ce qu'ils allaient faire de façon définitive. Là-dessus, Elfrida répliqua qu'elle était tout à fait d'accord, il suffisait que lui, il y trouve son bonheur.

C'était pourtant écrit dans le ciel que ce voyage n'allait pas seulement lui déplaire, mais qu'il allait y vivre des instants parmi les plus angoissants de sa vie. Ce soir-là, dès leur arrivée à l'hôtel, Elfrida constata certaines choses qui ne manquèrent pas de créer chez elle une vive impression. Tout d'abord, elle fut scandalisée par ce détail : le commis de la réception chargé d'inscrire les noms sur le registre, lorsqu'il les vit entrer par la porte tournante, parut fort étonné surtout par la présence d'Elfrida. Tout de suite après, alors qu'ils s'approchaient, il se ressaisit et fit semblant de ne pas les avoir vus, tournant la tête dans une autre direction et feignant d'être distrait. Alors Stoppakius, qui avait fait les mêmes observations, dit calmement à Elfrida de s'asseoir dans un canapé attenant pendant qu'il paierait le chasseur qui avait apporté leurs bagages, puis il signa à côté de son nom, que le réceptionniste avait déjà inscrit. Sur ces entrefaites, le commis de la réception se penchait vers lui au-dessus du comptoir, la tête cachée par une fougère décorative installée là, et lui chuchota quelque chose à l'oreille, l'air inquiet, comme s'il lui avait dit : « Qu'est-ce qui t'est arrivé ? Où es-tu disparu pendant si longtemps ? Tu sais que … veut te voir ? » lui indiquant des yeux une certaine porte close. Stoppakius, alors, parut très confus. Il leva la tête du comptoir, fit signe à Elfrida de l'attendre un peu sans même la regarder, puis se dirigea vers la porte close qui, sur une plaque en laiton, portait l'inscription DIRECTEUR, et il l'ouvrit doucement sans frapper. Il resta dans la pièce un bon bout de temps. Finalement, il ressortit, encore plus confus, et alors il se rendit compte qu'Elfrida l'attendait. Grimaçant, il s'approcha d'elle avec un sourire forcé, la prit délicatement par la taille et, la clef de la chambre en main, ils se dirigèrent vers l'ascenseur accompagnés du chasseur en livrée.

Pendant qu'ils montaient, le regard de Stoppakius tomba sur la clef, dont la breloque en bois portait gravé le numéro de la chambre. Alors, la hantise du paranoïaque dans les yeux, il se tourna vers le chasseur, comme s'il voulait l'injurier, mais changea immédiatement d'avis, et lui ordonna de faire redescendre l'ascenseur à la réception. Le chasseur, pris de panique mais avec déférence, lui répondit que cela n'était pas possible ; il fallait d'abord qu'ils arrivent à destination, avant de pouvoir redescendre. Stoppakius fit signe qu'il était d'accord. Enfin, ils redescendirent, il y déposa Elfrida en lui enjoignant de rester près de la porte de l'ascenseur (sans lui donner d'explications) et, courroucé, se dirigea vers le commis de la réception, devant lequel il brandit la clef comme s'il voulait le poignarder avec pendant qu'il lui chuchota, le visage livide de colère, deux ou trois mots brefs. Le commis lui répondit quelque chose avec dédain, décrocha du tableau une autre clef et la lui remit.

L'autre détail qui provoqua l'étonnement d'Elfrida fut que, le lendemain matin, à la table du restaurant où ils prirent le petit-déjeuner, il écrivit puis envoya à Xentadine un télégramme où il était spécifié URGENT. Il lui demandait de lui faire parvenir par mandat télégraphique une somme colossale pour le lendemain coûte que coûte « pour dépenses diverses ». Le même soir arriva un télégramme de Xentadine qui disait ceci : « IMPOSSIBLE. EXPLICATIONS DÈS VOTRE RETOUR. SALUTATIONS. » Excédé encore une fois, il écrivit un autre télégramme, cette fois-ci à Solange, et, finalement, le mandat télégraphique lui parvint à cinq heures de l'après-midi le lendemain, après une nuit cauchemardesque passée dans le lit aux côtés d'Elfrida. Il arracha sur-le-champ l'avis de la main du portier, lui donna, à la grande surprise de ce dernier, un généreux pourboire, et partit en courant, affolé, afin d'atteindre la banque avant la fermeture, ayant crié à Elfrida qu'il ne tarderait pas et de l'attendre — comme s'il existait la moindre possibilité qu'elle ne l'attendît pas.

Environ une heure plus tard, il revint à la chambre, soulagé, et, la trouvant allongée sur le lit, lui fit signe de ne pas se lever, et se jeta sur elle comme il était, avec ses vêtements et ses chaussures. Incapable de se retenir, il se mit à la couvrir de baisers — sur tout le visage, le cou, les cheveux, et son décolleté, pleurant à gros sanglots et lui disant des paroles incompréhensibles, plein de tendresse et de gratitude. Quand il retrouva ses esprits, il lui dit qu'il l'amènerait là où elle aimerait aller — mais il la pria de faire vite, car il était d'humeur à s'éclater.

Elle fut alors saisie d'une peur étrange que quelque chose lui arrive ce soir-là, mais, docile, elle se leva du lit, se maquilla simplement comme toujours, et, le temps pour lui de se changer, elle était prête. Il l'amena chez un orfèvre-bijoutier près de l'hôtel et lui choisit un beau bijou avec des pierres précieuses enchâssées dans un chaton en or, puis il le pendit de ses mains sur sa poitrine, tandis qu'il la contemplait avec fierté de la tête aux pieds. Après, il la conduisit en fiacre à un restaurant huppé où ils burent et mangèrent jusqu'à une heure tardive de la nuit. Tout cela, il le fit comme s'il avait appliqué un programme qu'il aurait arrêté pendant l'heure passée loin d'elle, alors qu'il s'obstinait à lui donner l'impression en même temps qu'elle était et n'était pas l'objet de ses gestes.

Tôt le lendemain matin, il la réveilla avec des baisers, en lui chuchotant d'une voix décidée de se lever, car ils devaient aller quelque part. Une fois à l'extérieur, il marchait comme si on lui avait mis des ressorts aux pieds, et il refusait de lui révéler où ils se rendaient, lui disant qu'elle le verrait elle-même sous peu. Mais ce « sous peu » se transforma en une heure entière, parce qu'il avait eu la lubie de ne pas prendre un fiacre, et leur parcours, par d'étroites ruelles médiévales, semblait sans fin. Puis, ils arrivèrent à une rue dont un côté était rempli d'agences de navigation, situées dans des édifices noircis par le temps et par la fumée des usines et des bateaux à vapeur. Au fur et à mesure qu'ils avançaient, il se retournait, en faisant l'innocent, pour regarder derrière — surtout lorsqu'ils tournaient les coins. Avant qu'elle ne se soit remise de cette atmosphère inquiétante, il la fit monter dans l'un de ces bureaux par un escalier extérieur croulant. Ayant arpenté un couloir sans charme dont les seuls éléments décoratifs étaient des crachoirs malpropres, il frappa à une porte à leur droite puis entrèrent dans un bureau, de la grande fenêtre duquel elle distingua les cheminées d'un bateau à vapeur, le premier qu'elle voyait de sa vie. Une peur indescriptible s'empara d'elle, elle prit Stoppakius par le coude et le pria de l'emmener ailleurs immédiatement — elle ne pouvait plus supporter cet endroit. Il s'efforça de la calmer, mais peine perdue, et, ayant demandé des renseignements sur les itiné-raires pour l'Afrique du Sud, il la prit et ils sortirent, en disant au commis qu'il reviendrait l'après-midi même. Dehors, il était furieux contre elle, mais ne dit pas un mot ; il héla un fiacre, et ils partirent en direction du même restaurant où il l'avait conduite le soir précédent, et là il prit un ton plus doux, faisant preuve de beaucoup de tendresse à son égard, ce qui, je vous l'assure, était plus que nécessaire. De là, il alla lui acheter quelques robes, puis ils retournèrent à l'hôtel, où ils firent la sieste. Avant de s'allonger, Stoppakius glissa un mot au commis par le téléphone intérieur, lui disant qu'ils partiraient le lendemain matin pour Gand et libéreraient donc la chambre. Quand il raccrocha, elle lui demanda s'ils n'allaient pas finalement entreprendre le voyage qu'ils avaient projeté. Il lui répondit : comment pourraient-ils y aller étant donné qu'elle ne le voulait pas ? Alors, répondit-elle, ce serait mieux d'aller à la campagne. Que préférait-elle, lui demanda-t-il : la campagne, Gand, ou bien faire le grand voyage ?

Il ajouta immédiatement après, à la blague, avant qu'elle n'ait pu ouvrir la bouche, qu'elle-même ne savait pas ce qu'elle voulait — mais qu'il avait senti qu'elle voulait faire le grand voyage. Alors elle s'appuya sur son coude et lui répliqua que, bien sûr, elle voulait faire le grand voyage ; si elle s'était comportée ainsi, c'était parce qu'elle n'en pouvait plus de l'atmosphère de ce bureau, qu'elle aurait pu la supporter si le parcours par les ruelles étroites, et surtout celle des agences de navigation, n'avait pas eu lieu. Quoi qu'il en soit, s'il avait changé ses plans de voyage, du moins pourraient-ils aller à la villa — de laquelle ils ne devraient jamais repartir. Non, non — répondit-il —, nous avons pris la décision d'aller quelque part, point à la ligne ; ce sera une autre fois, la villa — nous avons des années devant nous.

Ce même après-midi, il la laissa au lit et alla seul à l'agence, où il paya les billets. Selon toute apparence, il revint tout de suite après, sans s'arrêter en chemin, et, après s'être reposés au lit quelque temps, ils sortirent, puis s'en revinrent relativement tôt sous prétexte du départ matinal pour Gand, où, comme il le lui expliqua, il lui fallait aller sans faute pour régler quelques affaires en suspens. Là, Elfrida confia à la cuisinière tout ce qui était arrivé. Ils y restèrent pendant quelques jours, achetèrent une quantité substantielle de choses en vue du voyage, et retournèrent en train dans cette même ville, où ils passèrent une nuit — mais dans un autre hôtel. Le lendemain midi, ils montèrent à bord d'un bateau qui n'était pas comme celui qu'Elfrida avait vu par la fenêtre de l'agence de navigation.

[11]

Ils firent le périple du cap de Bonne-Espérance et revinrent, après une absence de plusieurs mois, par le canal de Suez, ce que l'on considérait à l'époque encore comme une nouveauté. Leur dernier arrêt fut la Grèce, dont ils visitèrent tous les sites archéologiques de Mycènes et d'Olympie, en passant par une petite station balnéaire du nom de Kyllini.

Au cours du voyage, ils mirent pied à terre dans plusieurs havres et petits ports de l'Afrique de cette époque-là, qui grouillaient d'une activité marchande. À l'opposé de Stoppakius, qui était continuellement engourdi et hors de son élément pendant tout le voyage — nous le voyons même sur les photos conservées —, Elfrida, à sa grande surprise, était tout le temps de bonne humeur, et ne manifestait aucune réticence, aucune hésitation, chaque fois qu'il s'agissait de faire escale sur la terre ferme, à sa demande ; ils étaient montés dans des canoës et même des pirogues. Elle ne semblait pas être troublée par les fortes vagues de l'océan, ni par la perspective de la terre tropicale si inhospitalière, telle qu'elle le paraissait de loin, comme si c'était une scène des premiers jours de la création. Mais même son contact avec des Noirs ne l'intimidait pas du tout, en dépit du fait que ces races vivaient alors dans un état de demi-sauvagerie, regardant l'homme blanc avec méfiance et une agressivité meurtrière, les souvenirs de l'esclavage encore frais à leur mémoire.

De bon cœur ou non, Stoppakius, qui détestait souverainement la verdure tropicale en tant que substance — comme cela apparaît d'ailleurs dans ses papiers d'Afrique —, était obligé de se plier sans grogne aux invites d'Elfrida, et ils pénétraient profondément dans la jungle, accompagnés d'autres passagers du navire. Et si, parfois, elle s'échappait de son orbite, cachée derrière le feuillage dense, et badinait avec les autres, il en était piqué au vif. Il dissimulait sa jalousie et son irritation derrière un intérêt factice qu'il prétendait avoir pour sa sécurité, comme s'il était certain que, devant affronter un danger et se trouvant à ses côtés, elle serait sauvée. Il essayait constamment de lui coller après comme une huître, de peur qu'elle ne parvienne à entrer en communication sous son nez ou bien à échanger le moindre geste d'entente secrète avec quelqu'un d'autre. Car la suspicion, dans chaque aspect de sa vie, le conduisait aux limites de la folie. Tant que personne ne la remarquait — non seulement dans la jungle, mais aussi à bord du navire —, chose rare, il la négligeait, rouspétait, et maudissait l'heure et le moment où il avait entrepris pareil voyage avec elle. Mais dès qu'il avait la moindre suspicion, dès que son œil captait le moindre indice qu'elle prêtait attention à quelqu'un d'autre — ou bien l'inverse —, la jalousie l'emportait. Il lui en voulait avec une fureur d'enragé, et son sang bouillonnait à l'idée de faire avec elle les actions les plus bestiales, comme s'il voyait pour la première fois de sa vie un corps qu'autrefois il avait désespérément serré dans ses bras.

Quelquefois, dans ses efforts pour chasser de son esprit les soupçons qui l'oppressaient, il calculait ainsi : peut-être agissait-elle de cette manière dans le but précis de l'exciter ? Le résultat est qu'il la haïssait encore plus, car il y voyait, dans son imagination maladive, la psychologie de la prostituée, comme celles qu'il fréquentait, même en étant marié. Aussitôt, les récits de certains amis s'étaient mis à le tyranniser, car leur contenu lui rappelait étonnamment son attitude à elle, et c'est alors qu'il sortait de ses gonds et se lamentait, désespéré, de ce qu'il avait été réduit à se marier avec une femme de la rue. Après tous ces calculs, cependant, et après être passé par le stade pénible que je viens de vous décrire, il arrivait toujours à la même conclusion : que tous les sourires qu'elle distribuait à gauche et à droite ne recelaient rien de coupable. C'était, tout simplement, le résultat de l'excitation et de l'ivresse qui s'étaient emparées d'elle lorsqu'elle rencontrait tant de nouvelles situations. Ce à quoi j'ajoute — chose qui n'aurait pas pu passer par la tête de Stoppakius — que ce n'était pas peu de chose d'avoir échappé au milieu suffocant de leur maison, auquel elle savait qu'elle devrait retourner un jour. Même s'il n'était pas tout à fait certain, pourtant l'indice le plus substantiel et le plus encourageant était le fait qu'il ne s'était pas passé de nuit sans qu'ils se soient retrouvés ensemble, et avec toujours la même passion de la part d'Elfrida. Elle ne s'était pas éloignée de lui de tout le voyage — s'était-il dit — non pas, faut-il le préciser, parce qu'il l'exigeait d'elle, mais parce que c'est elle qui le voulait.

Je ne dis pas qu'il se libéra définitivement de ce tourment avant leur retour à Gand — ce serait déraisonnable de ma part de soutenir une chose semblable à propos de quelqu'un du tempérament d'un Papenguss —, mais il arriva rapidement à comprendre qu'Elfrida avait aimé ces lieux exotiques dans la même mesure qu'elle n'avait pas aimé notre pays à nous. Mais qu'est-ce qui la passionnait le plus — les paysages et l'océan, ou bien l'indépendance ? Son visage changea littéralement de couleur dès les premiers moments passés en pleine mer. Elle perdit cette pâleur de cendre (comme si le brouillard lui était entré dans le sang) qu'avait prise son visage dès l'instant de ses noces, elle perdit l'ombre qui voilait ses beaux yeux bleus depuis qu'elle résidait dans cette maison maudite, et elle redevenait la fille aux joues vermeilles qu'il avait entraperçue ce matin-là dans la chambre ensoleillée de l'auberge près de l'affluent du Danube, dans la petite vallée où tous les arbres fruitiers étaient en fleurs (et tout le paysage surgissait devant ses yeux). L'uniforme kaki d'explorateur qu'elle portait de même que le casque s'accordaient avec ses traits de blonde, observa Stoppakius, comme si cette mode avait été inventée spécialement pour elle. C'est avec de telles pensées et observations, et d'autres semblables, qu'il vécut des jours sublimes avec elle, et les deux s'adonnaient à l'amour avec la même passion, et pourtant nous pouvons supposer que le climat humide et chaud, une chaleur à s'évanouir, a dû les gêner dans leurs mouvements sous la moustiquaire.

De temps à autre, il l'imaginait en train de circuler dans la maison, et même dans les rues de Gand, dans pareil habillement, mais grande était sa déception quand il revenait à lui pour conclure à l'impossibilité que cela se produise. Toujours est-il que la nuit venue, pendant que, détendu, il la caressait des yeux dans la pénombre, avec un sourire de gratitude pour les moments si inoubliables qu'elle lui avait donnés, il se rendait de plus en plus compte que la raison pour laquelle il ne lui prêtait pas attention dans son propre pays était les autres, les conventions, et sa propre vie rebelle. Et qu'au fond il sentait envers elle la même attirance qu'il avait sentie le premier instant où il l'avait vue, en ouvrant les yeux à la suite d'un profond sommeil, entre des draps de lin qui, quoique lavés dans la rivière, exhalaient invariablement des effluves du sommeil d'autres personnes. (Et il rêvassait de nouveau, ce paysage plein la tête.)

C'est ce qu'il lui chuchotait à l'oreille, esquissant un sourire énigmatique, sous les voiles de la moustiquaire, appuyé sur un coude, pendant qu'elle se reposait, son corps nu complètement immobile. Mais il prenait garde de ne pas dévoiler, bien sûr, les replis sombres de son âme ; il ne lui disait rien non plus de la jalousie impitoyable que son attitude lui inspirait, sans le vouloir, il le voyait bien alors. Nous pouvons être certain que, si le destin les avait laissés continuer leurs relations à un rythme pareil, son comportement dans la vie aurait pris une autre tournure. Mais laissons…

*   *   *

Quand ils mouillèrent dans le port du cap de Bonne-Espérance, le navire, qui allait effectuer le voyage de retour en Angleterre, les laissa à terre, où ils restèrent pendant un certain temps. Là-bas, à part les beaux endroits qu'ils avaient vus, ils eurent l'occasion d'acheter, à des prix dérisoires, ou en échange de fausses perles multicolores qu'ils avaient pris soin d'emporter avec eux, un tas de souvenirs à forte coloration africaine, principalement de petites statues et des objets d'art en ébène ou en ivoire. Sans compter les inévitables peaux de tigre, dont nous retrouverons plus tard l'une étendue, la bouche grande ouverte et menaçante, devant la table de Papenguss, dans l'arrière-boutique du commerce d'antiquités qu'il allait ouvrir, comme nous allons voir. Cette dépouille m'a toujours donné l'impression, avec l'imagination un peu débridée que j'avais alors, qu'un rouleau compresseur était passé sur le corps de la bête, jusqu'à la gorge, l'aplatissant, et c'était pour cela que ses yeux étaient si exorbités. Ils se procurèrent aussi des plantes médicinales, pour lesquelles Stoppakius, à cause manifestement de son hypochondrie, développa un penchant tout particulier ; des amulettes contre le mauvais œil et la magie auxquelles Elfrida croyait aveuglément ; des défenses de morse (entières), des objets faits de peau de serpent ou bien de crocodile, des ustensiles en bronze brut, etc. Ils apportèrent avec eux d'innombrables objets de toute l'Afrique et de l'Asie. Tout cela allait finir dans une vente aux enchères quelques années plus tard.

Ils se heurtèrent à des difficultés presque insurmontables avant de trouver un bateau afin de continuer leur voyage vers l'Asie. L'angoisse de Stoppakius, cet éternel impatient, fut indescriptible, même s'il avait été bien informé de cette éventualité au préalable, de la bouche de l'agent maritime, alors qu'il en était à la préparation du voyage. Il s'en fallut de peu qu'ils n'entreprennent le voyage de retour en Europe avec le même bateau qui les avait amenés, sans procéder à la partie restante de l'itinéraire qu'ils avaient prévu. Mais l'insistance ainsi que les prières d'Elfrida, comblée de joie comme elle l'était par toutes ces aventures, et qui voulait retarder autant que possible son retour à Gand, obligèrent Stoppakius à endurer cet autre supplice — comme il l'appelait — même s'il y avait une autre raison : l'idée d'interrompre si abruptement ses correspondances au quotidien *La Prospérité* ne lui plaisait pas du tout.

Quand je dis qu'ils ne trouvaient pas de bateau, je n'entends pas par là qu'il n'y en avait pas — car il y en avait —, mais les capitaines, dans la perspective d'un si long voyage, ne voulaient pas les accepter à titre de passagers à cause de la présence de la femme ; ils craignaient que l'équipage ne se mutine une fois le navire en haute mer. Après l'insistance réitérée, pour laquelle les doux yeux d'Elfrida jouèrent un rôle décisif, ce à quoi Stoppakius consentit dans ces conditions, ils réussirent finalement à s'embarquer sur un bateau qui était sur le point d'appareiller, une espèce de cargo postal. Exception faite des courants adverses que rencontra le navire au début de son périple, en doublant le cap, ils voguèrent jusqu'à Madagascar sans incidents. Contre toute attente, les marins se comportaient comme des filles devant Elfrida, lui cédant le passage, les yeux rivés sur le pont, comme ils l'auraient fait si le capitaine était passé devant eux.

De Madagascar, une île pour laquelle Elfrida manifesta une répulsion bizarre — même si, de toute manière, ils n'auraient pas pu y rester longtemps, comme ils y avaient accosté uniquement pour s'approvisionner en charbon —, ce navire qui tenait si bien la mer les amena jusqu'en Indochine, où il livra le courrier et chargea, à part le courrier, une cargaison de thé, d'épices, etc., pour les marchés d'Europe. Ils restèrent très longtemps sur ce continent, y visitant plusieurs colonies — avec lesquelles le vieux Papenguss avait des relations commerciales —, puis ils repartirent pour le pays sur un bateau de ligne. C'était surtout dans ces colonies que Stoppakius trouva un matériel abondant pour alimenter son écriture — tant pour le journal que pour son usage personnel, dans l'intention de publier un livre plus tard, chose qu'il ne fit jamais, habitué qu'il était à gaspiller son temps à des futilités. En outre, les événements tragiques survenus par la suite, en plus de le clouer à son fauteuil, lui imposant l'isolement, le conduisirent désormais à s'occuper d'autres situations. À cet égard, sa seule rédemption fut le journal intime, auquel il se consacrait presque chaque soir, peu importent les circonstances, même pendant le siège.

J'ai oublié de dire que l'un de ses projets était de faire escale sur la côte africaine en face de Madagascar, là où l'ennemi avait toujours des colonies. Il n'y a pas de doute qu'ils auraient été reçus de manière princière par les autorités locales, mais il abandonna le projet de peur de faire naître des soupçons sans raison valable. Or, Stoppakius fut bien aise d'entendre le capitaine affirmer, avant qu'il ne lui en fasse mention, que l'itinéraire était déterminé d'avance. D'ailleurs, l'accueil princier dont ils furent privés leur fut restitué en Indochine, de la part de ceux avec qui son père avait des relations commerciales, et, ainsi, il eut l'occasion d'établir certains contacts qui se révélèrent très utiles plus tard.

Il existe aussi des photos qui ont trait à tout le voyage, surtout d'Asie, éparpillées malheureusement dans des albums de parents des Papenguss ici. Je dis « malheureusement » car il est très difficile, voire impossible, de les rassembler dans un seul dépôt d'archives. Les uns évitent d'en parler, les autres ne répondent pas à nos lettres, certains ont des exigences en matière de reproduction qui dépassent tout entendement et me demandent des montants astronomiques. C'est dommage, car tout cela se consume avec le temps, et quand il se trouvera une personne capable de les convaincre, il sera trop tard. Qu'il me soit permis, ici, de faire l'éloge de la technique de la photographie, qui, même depuis cette époque-là, a rendu des services inestimables à l'humanité. Quelque détaillées qu'aient été les correspondances de Stoppakius (et elles le sont), même si notre imagination vient à notre secours — surtout quand il s'agit de pareils lieux exotiques —, il n'en demeure pas moins vrai que, sans les photographies, nous n'aurions pas eu une image aussi complète de ce voyage sans contredit inoubliable.

*   *   *

Nous savons que Papenguss fit un autre voyage dans ces régions d'Indochine, mais beaucoup plus tard, et dans des conditions totalement différentes. Dans ce cas, c'était pour approvisionner la boutique d'antiquités qu'il ouvrit sous la pression de l'inéluctable nécessité ; ce n'était pas un voyage d'agrément. Cette fois-ci, l'infortunée ne s'y trouvait pas. Les médecins avaient exprimé leurs inquiétudes au sujet d'une certaine personne, mais une autre fut, hélas ! la victime. En Extrême-Orient, et plus précisément au Siam — comme je vous l'ai dit, ils parcoururent, à la demande d'Elfrida, tous ces mystérieux pays —, au cours d'une expédition dangereuse dans la jungle à quelques kilomètres de P…, Elfrida, en dépit de sa forte constitution, contracta, lors d'un séjour d'une nuit dans la nature, une maladie tropicale rare dont elle n'allait jamais se rétablir. Malgré les efforts des médecins les plus renommés d'Europe, elle y succomba l'automne de l'année suivante, après des mois de lutte contre la mort. Ils savaient, depuis le début, qu'elle n'avait aucune chance ; ils attendaient sa mort d'un jour à l'autre, mais l'affaire en vint à traîner à un point tel que les siens, qui étaient accourus depuis la Bohême, n'avaient d'autre souhait que de voir sa souffrance se terminer pour tous au plus tôt. Ils disaient que s'ils avaient pu prévenir à temps, elle aurait pu être sauvée ; mais le long voyage sur les bateaux de l'époque permit au microbe de se développer en elle ; passons sur le fait qu'on n'avait pas soupçonné le sérieux de sa maladie avant que le bateau ne se trouve au large de l'Espagne. Pendant tout ce temps, elle dépérissait, avec des fièvres et des langueurs fréquentes, sans qu'ils sachent quoi en penser.

Je me rappelle les funérailles comme dans un rêve, dès le matin, quand débutèrent les tristes préparatifs, puis arrivèrent à la maison, habillés en noir, les amis et les parents, jusqu'au moment où je me suis retrouvé sur le siège avant de la calèche avec mon père, comme son assistant. Vêtu du même uniforme noir brodé d'argent, avec sur la tête un haut-de-forme un peu trop grand pour moi, je tenais les rênes de l'un des chevaux. Avec une tristesse toute particulière dans l'âme, je me rappelle les panaches noirs en plumes d'autruche (de ceux qu'arborent les danseuses du cancan) que portaient les chevaux sur la tête, pleinement conscients (j'en suis sûr) de tout ce qui se passait autour d'eux. C'était comme s'ils pleuraient à fendre l'âme, inconsolables, derrière leurs œillères. Les chevaux m'inspiraient plus de chagrin que les funérailles elles-mêmes. Mais il y avait aussi ceci : la brume de cette journée-là donnait à tout une teinte particulièrement endeuillée, plus endeuillée qu'à tout autre moment dans ma vie.

On entendait dire ouvertement, alors, que la cause de la mort d'Elfrida n'était pas cette maladie tropicale mystérieuse dont parlaient haut et fort (sans jamais la nommer) les journaux dans les notices nécrologiques qu'ils lui consacrèrent, mais le dépérissement attribuable à son mariage, le retour dans le même environnement hostile, les tourments que Solange lui infligeait — on allait jusqu'à supposer de noirs desseins, des empoisonnements, et d'autres choses encore. Sur ce, qu'il me soit permis de ne pas être d'accord. Je suis celui qui tâche de trouver un motif de blâmer, mais je dois avouer, sans ambages, que de telles allégations ne sont pas fondées si l'on considère les éléments à notre disposition. Si la mort l'avait trouvée avant le voyage, j'aurais été le premier à accepter de tels soupçons. J'aime parler avec impartialité. Et, par ailleurs, en plus des témoignages on ne peut plus clairs des médecins, qui avaient identifié la maladie, il existe tellement d'autres indices qui nous convainquent amplement qu'il n'y a pas eu malveillance. Le temps qu'elle a vécu dans cette maison a été relativement court pour la conduire à la mort par dépérissement. Et, du reste, les fondements d'une vie meilleure pour les deux après le retour au pays existaient déjà. En fait, Stoppakius projetait de plier bagage et d'aller vivre avec Elfrida dans une autre maison, seuls, sans les sempiternelles interventions de Solange…

* * *

Ce décès inopiné plongea Stoppakius dans une longue mélancolie, dont il n'allait jamais se remettre. Il ne fit aucune tentative pour se remarier, quelque nombreuses que fussent les occasions, que fussent les propositions qui se présentèrent à lui. Il se limitait à des amours de passage, sans importance. Exception faite, peut-être, d'un seul épisode, celui de la jeune fille qui vendait des fleurs, avec laquelle, tout le temps qu'il la garda chez lui, il avait maintenu des relations strictement platoniques, aucun autre amour sérieux ne vint le préoccuper, et m'est avis que même les fantasmes à ce sujet cessèrent de l'habiter. Là-dessus, nous avons beaucoup plus d'éléments dans ses papiers d'Afrique. Toujours est-il que, même pendant la dernière période de sa vie, tout en évitant d'évoquer le nom d'Elfrida (comme s'il recelait quelque implacable secret), on pouvait voir dans son expression, même dans ses moments les plus gais, quelque chose d'indéfinissable, pour moi du moins, qui faisait comprendre qu'il y avait un rapport immédiat avec elle.

Pour ce qui est de sa mère, Solange, vêtue de soie noire, pour porter ce deuil en même temps que celui d'un autre membre de sa famille, garda pendant de longues années, alors que la plupart des gens avaient oublié l'affaire d'Elfrida, quelque chose de sévère dans son expression, comme si elle avait voulu laisser entendre que la rumeur selon laquelle

elle avait empoisonné sa bru était véridique ; mais qu'elle était certaine d'avoir agi pour le mieux, et que, si d'autres avaient été à sa place, ils auraient fait de même, pour des raisons que nous ferons mieux de ne pas scruter de trop près — semblait-elle dire.

Et en ce qui a trait au vieux Papenguss, c'était comme s'il se disait dans son for intérieur : « Hélas, tout est vanité, tout est poussière », et il englobait non seulement la pauvre Elfrida, mais aussi lui-même, son fils, sa femme, ses entreprises et toute sa vie. Cette idée fixe l'envoya dans la tombe, lui aussi.

Encore un peu pour ce soir. Pour quiconque ne maîtrise pas bien les choses, ce qui scandalise chez Stoppakius, c'est que, dans ses papiers d'Afrique, tout en évitant de faire la moindre mention de son mariage avec Elfrida, il se donne un mal fou pour évoquer des situations d'ordre bien secondaire, sur lesquelles quelqu'un d'autre n'aurait pu rien écrire du tout. Il ne faut pas interpréter cela avec froideur. N'oublions pas que Stoppakius était excessivement sensible, et que, par conséquent, il évitait systématiquement les choses qui le rongeaient. Mais, d'un autre côté, nous devons considérer comme une pure et simple hypocrisie l'insistance avec laquelle il cherche à nous convaincre que, prétendument, « il a tout dit », que rien d'autre ne lui incombe que ce qu'il a choisi lui-même, conformément à son intérêt, de nous révéler. Ses aveux auraient eu alors une valeur, et nous l'aurions jugé avec indulgence, s'il avait tout craché… littéralement.

[12]

Je ne suis pas du tout superstitieux ; au contraire, je peux affirmer que je suis plutôt libéral en ce qui concerne mes idées, et je vous recommande de ne jamais prendre en compte l'âge dans de telles circonstances. Je me dois toutefois de témoigner, tout simplement pour l'histoire, que peu après la mort d'Elfrida commence une période de malheurs pour cette famille. Survinrent des événements qui m'ont profondément scandalisé. On me dira peut-être — comme d'ailleurs il a été dit — qu'il s'agissait d'une coïncidence fatale, de conséquences inéluctables qui plongeaient leurs racines loin dans le passé. Il n'est pas exclu que ce qui est arrivé se serait produit de toute manière, même s'il n'y avait pas eu de décès dans la famille. Cela ne se discute même pas. Je voudrais, toutefois, insister sur une chose. Que les coups répétés de l'infortune, à commencer par la maladie et la mort d'Elfrida, les ont emportés à la fin et, avec eux, notre famille aussi. J'y attache de l'importance, car s'ils ne s'étaient retrouvés dans la dèche à la suite de leur déclaration de faillite, et si cet homme aux allures d'aristocrate n'avait pas eu la fin tragique que je vais tenter de vous décrire, les choses auraient pu — qui sait ? — prendre un autre tournant pour nous tous. En ce qui me concerne, avec les modestes économies de mon père, et avec une petite subvention que le vieux Papenguss m'aurait consentie (car les choses évoluaient en ce sens), j'aurais pu très bien entreprendre des études, par exemple, et être aujourd'hui avocat, peut-être même juge, ce qui me plaisait tant depuis mon enfance — au lieu de gaspiller ma vie dans la poussière du sous-sol des archives. Mais, avouons-le, cela aurait pu être pire.

De tous les membres de la famille, le vieux Papenguss a été le premier à voir le sol se dérober sous ses pieds (s'il l'a vraiment vu). Ici, il faut insérer une parenthèse. Il a pleuré la disparition d'Elfrida comme un enfant, ainsi que je vous l'ai dit, et peut-être adorait-il sa petite bru dans son for intérieur plus qu'il ne le montrait, mais rien ne nous convainc qu'il ait été touché à un tel point pour ses beaux yeux, ou pour ceux de Stoppakius, qui était plus déprimé, plus perdu que jamais. La cause la plus profonde aurait été plutôt les pensées et les fantasmes que l'image de la mort suscitait en lui, comme il l'avait constaté sur le visage livide de la morte, quand il se pencha sur elle pour lui donner le dernier baiser, ce matin funeste à la maison, peu avant les funérailles.

À partir de ce moment, il sombrait psychologiquement de jour en jour. Nul ne sait quelles scènes abyssales se jouaient dans sa tête pour qu'il soit à un tel point broyé, car, malheureusement, personne n'a réussi à lui soutirer un mot. Il n'avait jamais parlé de sa situation, même pas à Solange, et pourtant nous savons à quel point il l'adorait. Ce qui est certain, c'est qu'il commença à parler différemment, à se comporter différemment, et ce, dans toutes ses activités sans exception — avec une espèce d'indifférence généralisée envers tout ce qui l'intéressait jusqu'à avant-hier. Oui, bien sûr, il riait comme avant, de ce rire généreux qui le caractérisait, bien sûr, on voyait dans ses mouvements la personne qu'il avait toujours été, mais au fond, une idée fixe le travaillait. Qu'est-ce que c'était, Dieu seul peut le savoir ; car je doute fort qu'il ait eu lui-même conscience de sa propre situation. D'ailleurs, si l'on devait se fier aux apparences, il ne prenait pas du tout soin de sa famille — alors que, au fond, il faisait tout pour ces deux-là ; l'observateur qui connaissait la famille le voyait très clairement. Mais maintenant, même s'il semblait se soucier d'eux, et s'arrangeait pour être la plupart du temps à la maison, près d'eux, il n'avait cure ni de sa femme, ni de Stoppakius, ni de rien — sans que cela veuille dire qu'il ne les aimait pas. Celui qui dirait une telle chose ne l'aurait pas bien connu. Si donc nous examinons tout cela de près, il a subi cette métamorphose précisément parce qu'il les aimait tant. Cela, même Stoppakius le reconnaissait (et le disait).

* * *

Solange, cette grande psychologue, qui de ses yeux vifs captait tout, effrayée dès les premiers indices, cessa de lui casser les pieds et de le houspiller, et désormais le dorlotait comme un bébé au point de paraître ridicule ; car la différence d'âge et de stature qui les séparait, ainsi que l'habitude qu'ils avaient chez eux de s'entourer tous les trois de femmes de chambre, rendait son attitude peu naturelle. Toutes ses tentatives pour lui montrer qu'elle regrettait amèrement les supplices qu'elle lui avait si injustement infligés n'avaient aucun effet, car à son grand désespoir, il se trouvait déjà irrémédiablement dans un autre monde. Rien n'avait plus de sens. Celui qui était toujours debout à l'aube, en train de faire obligatoirement le tour de ses entreprises pour que rien ne lui échappe — d'une manière générale, sa vie était réglée montre en main —, se mit à se réveiller tard et à ne pas sortir de la maison pendant des jours ; non pas par paresse, s'entend, mais par une implacable inertie qui lui paralysait le corps et l'esprit. Maintes fois il restait au lit jusqu'à deux heures de l'après-midi, puis il prenait un goûter avec sa famille dans la salle à manger alors que régnait parmi les trois un mutisme total et, avec quelque chose d'ahuri dans son expression, il allait se promener dans les rues sans être accompagné. En vain mon père attendait dans la calèche, devant la porte, depuis le matin, de sentir le poids du vieux Papenguss derrière lui faire osciller le carrosse, avec pour résultat de presser un tant soit peu les ressorts des roues, afin de mettre tout le système en marche avec une grâce tout autre. Après l'avoir salué d'un sourire muet comme avant, et lui avoir donné de sa poche la petite monnaie qui était de rigueur, il lui faisait signe qu'il ne prendrait pas la calèche, et disparaissait de devant lui à grandes enjambées avant même que mon père n'arrive à lui dire merci. Celui-ci descendait alors de son siège, très chagriné, et les yeux baissés il revenait à la maison, et se mettait à murmurer quelque chose à ma mère, elle-même attristée à cause d'une affaire dont on voyait qu'elle continuait depuis un certain temps déjà, et qui, malheureusement, allait continuer, et mal se terminer certainement. Il ne pouvait pas trouver de repos, cependant, et avait l'oreille tendue vers la cour, au cas où on l'appellerait. Mais on ne l'avait jamais appelé, car tous dans la maison, après la sortie du vieux Papenguss, restaient pétrifiés, sans mots. Toute activité dans la maison avait cessé, et le mutisme de Solange se faisait particulièrement sentir. Pendant tout ce temps, et avec nostalgie pour être tout à fait franc avec vous, je m'attendais à entendre sa voix gronder, d'un hurlement hystérique, telle ou telle femme de chambre, comme l'habitude avait été prise ; j'avais l'impression qu'un seul cri de la porte aurait été un signe de quelque changement dans la situation — chose qui ne s'est jamais produite, hélas! Combien de fois la scène suivante ne lui a-t-elle pas coupé bras et jambes? Écoutez bien.

C'est le matin, et Sterilda (la femme de chambre du vieux Papenguss), dont l'expression dénote, même quand elle est toute seule, qu'elle est en train de vivre la tragédie que les circonstances ont imposée, prend le plateau des mains de la cuisinière, elle-même atterrée (sans échanger un mot), et traverse le sombre couloir qui passe derrière les chambres à coucher, pour apporter au vieux Papenguss son petit-déjeuner au lit, avec le journal fraîchement imprimé, qui le passionne. Elle est arrivée maintenant à la porte arrière de sa chambre, elle frappe discrètement, et attend, l'oreille collée à la paroi. Mais elle n'entend aucune réponse. De la part de qui? De la part de celui qui, autrefois, comme si on l'avait remonté, tonnait comme un ténor, toujours de bonne humeur: « Entreeeez! » Quelquefois il lui criait d'entrer au son des pas, avant qu'elle n'ait frappé. Les occasions qu'il trouvait de blaguer avec elle — mais avec des taquineries innocentes — n'étaient pas peu nombreuses, et, mis sur son séant, il lui donnait une petite tape, de façon plus condescendante que maligne, sur les bajoues.

Ayant tout cela en tête, elle attend, et frappe de nouveau; toujours rien. Elle cogne encore; toujours pas de réponse. Inquiète, elle décide de revenir sur ses pas par le petit corridor, et d'essayer l'autre porte. Elle passe donc par le couloir principal, arrive à la porte principale et frappe encore avec un soudain coup au cœur, comme si on lui avait chuchoté à l'oreille qu'elle devait être certaine qu'elle n'allait pas recevoir de réponse. En vérité: aucune manifestation de l'intérieur, même pas de craquements du lit, rien du tout. Un silence de mort règne dans la chambre, tout comme dans les corridors.

Elle ne sait que faire. Finalement, elle fait une autre tentative, différente cette fois-ci : elle dépose le plateau et le journal sur la tablette de marbre qui se trouve en face de la fenêtre du couloir, se penche et regarde par le trou de la serrure.

Soudain, elle pousse un cri lancinant, comme si quelqu'un l'avait embrochée par cette partie du corps protubérante dans la position où elle se trouvait, et, hors d'elle, elle court à la chambre voisine, là où dort sa maîtresse.

Elle l'interrompt dans son sommeil avec le bruit qu'elle fait en entrant si brusquement sans même frapper, et elle lui raconte tout ce qu'elle a vu. Bouleversée à son tour, et avec des yeux enflammés comme si elle allait égorger quelqu'un, elle jette sa robe de chambre sur ses épaules sans mot dire, et s'élance vers la poignée en cristal de la porte intérieure qui communique avec sa chambre à lui, qu'elle ouvre, excédée.

Elle se rue à l'intérieur, en faisant attention à ne pas laisser échapper un cri et à ne pas réveiller Stoppakius, qui dort dans la chambre d'à côté, et elle se plante devant le lit : où elle aperçoit le spectacle de son mari réveillé, couché sur le dos, les deux mains derrière la nuque, et les yeux fixés sur les représentations allégoriques du plafond. Il ne manifeste pas la moindre réaction, comme s'il n'avait pas remarqué tout ce qui se passe autour de lui, et ne tourne même pas la tête pour la regarder. Visiblement, pendant tout ce temps, il était réveillé — il se peut fort bien qu'il n'ait pas fermé l'œil de toute la nuit —, et ainsi il avait tout simplement ignoré les coups frappés par Sterilda, Dieu seul sait pour quelle raison. Mais ce n'est pas le moment de lui demander des explications, de le gronder, ou bien de le brusquer comme s'il s'agissait de l'un de ses domestiques, comme elle faisait autrefois à la moindre occasion. Le vieux Papenguss, avec une impassibilité qui l'anéantit, incline la tête vers elle comme s'il avait peur que quelque chose se renverse là-dedans, et lui dit :

« Que veux-tu, mon ange, en agissant comme ça? Que cherches-tu, à en perdre le sommeil? Laisse-moi crever… » et il éclate en sanglots irrépressibles, qui le font frémir de tout son corps sur le lit.

Au lieu que ce soit Solange qui lui parle ainsi, c'est lui. De telles scènes, sans nombre. Avec comme résultat qu'elle se penche sur lui, pose sa tête sur les poils gris de sa poitrine, et, ne pouvant retenir ses larmes, elle cherche ainsi à se racheter comme jamais auparavant des supplices qu'elle lui a infligés, et elle se lamente exactement comme s'il était mort. Peu après arrive Stoppakius, en pyjama, sans savoir ce qui se passe, et, parce que quelque chose l'empêche de toucher son père, et de lui montrer ses émotions, il se jette sur sa mère, en sanglotant lui aussi, et tous les trois sont pelotonnés les uns contre les autres.

Puis ceci: comme nous l'avons dit, il cessa d'aller visiter ses entreprises, laissant à la merci de Dieu et des hommes de son milieu des questions d'une extrême importance qui exigeaient une solution immédiate. L'idée d'initier Stoppakius au travail, même maintenant, pour le préparer à en prendre les rênes quand viendrait l'heure malheureuse, ne lui passait pas par la tête. Ni par la tête de Solange une telle idée n'était jamais passée; une seule chose la préoccupait: comment son pauvre mari pouvait recouvrer la santé, puisqu'il insistait sur le fait qu'il ne voulait pas voir de médecin, pas même de loin, répétant qu'il se sentait très bien. Ainsi, elle le laissait brandir son gourdin de manière menaçante, et entreprendre de longues randonnées sans programme, là où le chemin le conduisait — le plus souvent dans les environs ou dans un parc abandonné.

Au grand étonnement et au désespoir de ceux qui le connaissaient intimement, il était parfaitement capable de s'attarder sur une touffe d'herbe commune, comme s'il s'agissait d'un phénomène jamais vu auparavant. Ou bien il s'arrêtait devant un monticule de terre amoncelée afin de suivre attentivement les fourmis qui y peinaient à transporter dans leur trou des miettes d'aliments ou bien des brindilles. L'attention qu'il prêtait à cette scène était si incongrue qu'on finissait par croire que d'elle dépendait le sort de l'univers tout entier. Ou encore, on le voyait en train de traînasser dans les sentiers du parc, près de chez eux, comme une épave de la vie, où il nourrissait, avec une grande tendresse dans l'expression qui le rendait plus humain, les cygnes et les canards de mie de pain et de graines dont il s'était rempli les poches avec d'innombrables autres objets hétéroclites, lui qui était autrefois si élégamment habillé. Maintes fois il s'arrêtait devant certaines statues avec une curiosité et une fascination manifestes, comme s'il les voyait pour la première fois de sa vie — ce que je n'exclus pas —, pour y lire les inscriptions, les yeux écarquillés. Il marmonnait les mots de la même manière qu'un autre aurait récité sa prière — mais, encore, il ne semblait pas trop comprendre où ni à quoi ce qu'il lisait aboutissait, comme s'il ne croyait pas ce qu'il lisait, comme si cela était écrit dans une langue étrangère.

Il faisait tous ces mouvements tout simplement parce qu'il ne lui passait pas par la tête de faire autre chose, et non pas pour une raison précise. Par exemple, on le voyait sortir de chez lui avec une expression de colère et avec un empressement surprenant, alors qu'il ne s'était pas chamaillé, ni n'avait l'intention de se disputer avec qui que ce soit. Il n'était pas en retard à quelque entrevue qu'il aurait prétendument prévue, ce qui permettrait au moins d'expliquer un tant soit peu son attitude. Comme résultat, il finissait par arriver à une place, ou à un coin de rue, et y distribuait des pièces de monnaie aux enfants et aux pauvres. Tout cela, non par pitié envers eux, ni par volonté de se montrer. Je rejette particulièrement la seconde raison, car ce n'était pas son genre. Mais si ce l'avait été, dans la situation où il se trouvait, il aurait été impossible que de tels plans passent par son cerveau embrouillé...

[13]

C'était un début de soirée d'automne triste, d'un froid cinglant qui rendait agréable le fait de rester à l'intérieur. Tout était calme, rien ne bougeait, après une brève tempête folle qui avait dépouillé les arbres de leurs dernières feuilles jaunes. Le nez collé à la fenêtre de la cuisine, je voyais mon père, sa cape jetée par-dessus les épaules, qui attendait en vain sur le siège de la calèche, dans la cour, qu'on l'appelle — d'habitude pour faire une course, rarement pour une charge —, roulant cigarette sur cigarette, avec du tabac qu'il gardait dans une petite tabatière en fer-blanc.

Pour justifier sa présence ainsi que la nôtre, il descendait de temps en temps pour astiquer, avec un torchon, de ses gestes lents et décidés, les accessoires en bronze de la calèche, pour tuer le temps, apportant une petite touche à tous les autres endroits ; il soufflait sur le cristal des phares pour ensuite le polir avec son mouchoir.

Les chevaux suivaient tous ses mouvements (et il le savait) ; alors qu'ils étaient, comme toujours, en bonne santé et bien nourris, ils semblaient déprimés, la tête basse, ce qui faisait penser qu'ils restaient muets parce que les circonstances l'exigeaient, et non pas parce qu'ils ne pouvaient pas parler.

Nous, les enfants, nous étions assis autour de cette table ronde au milieu de la cuisine ; et, pendant que, embarrassés, nous jouions avec des cuillères, nous entendions le couvercle de la marmite de céramique monter et descendre, laissant échapper des vapeurs qui réchauffaient la pièce et la parfumaient de l'odeur appétissante de la soupe aux légumes.

Ma mère, qui attendait installée sur un banc près du feu, lequel cuisait son visage aux traits tirés, ne paraissait guère s'intéresser au repas, ni à nous, ses enfants ; son esprit errait quelque part là-bas, dans la chambre du vieux Papenguss. À tout bout de champ, elle croyait entendre un bruit, et dressait l'oreille dans cette direction. Mais nous étions tous habitués à cette situation, qui stagnait depuis des mois et des mois, depuis l'époque de la maladie d'Elfrida, et quelque chose nous disait qu'il en serait ainsi pour toujours. Certaines émotions vives, injustifiées comme il s'est avéré plus tard, que nous avons connues par rapport à la santé du vieux Papenguss, nous avaient renforcés dans cette conviction.

Alors que tout cela me préoccupait, mon esprit courait, malgré moi, vers une cloison en bois aux bureaux du journal, où se trouvait l'enveloppe des articles à imprimer. Là, parmi eux, il y avait un petit poème de mon cru — inspiré par les feuilles mortes, qui se fondraient bientôt avec la terre — que je suis allé soumettre ce même après-midi, quand la tempête s'est calmée. Et je me rappelle que, au retour, à travers les rues désertes, dont les caniveaux exhalaient un soupçon de brume, je ne percevais pas — quoique néophyte — ce battement d'ailes dans mon âme que j'avais senti à d'autres moments. Jadis, l'homme avec lequel j'avais un contact me disait qu'il retiendrait mon poème afin de le publier dans un coin, s'il restait de l'espace ; cette fois-ci, cependant, il m'a dit sans ambages que mon texte serait remis entre les mains du typographe dès mon départ ; je le verrais le lendemain matin dans une des colonnes à l'intérieur du journal fraîchement imprimé que j'allais acheter chez le marchand de journaux avec mon argent de poche. Mais rien ne pouvait m'extraire de ma mélancolie.

Mes frères et sœurs, tous plus jeunes que moi, semblaient affectés eux aussi par la situation, mais par instinct, sans connaître exactement ce qui arrivait, ou allait arriver — ils n'étaient pas concernés par les conséquences d'une catastrophe appréhendée. Pour cette raison, ils étaient plutôt gais, pour autant que cela puisse se faire, avec pour résultat qu'ils cassaient la tête de maman, qui, démoralisée par l'éternel sujet, se tournait continuellement vers eux pour leur crier après, leur disant de se la fermer une fois pour toutes. Et ils s'arrêtaient un peu pour mieux recommencer…

Maintenant, la nuit allait tomber. Mon esprit errait dans les petites rues étroites et obscures qui conduisaient dans une banlieue lointaine, à une maison banale aux volets verts, bâtie à l'écart derrière les cours de quelques usines, près du canal, d'où me venait aux narines, chaque fois que je passais par là, l'odeur âcre du bitume. C'était par là que je souhaitais me diriger après le souper, me glissant par la porte arrière du jardin. Mais les circonstances, l'atmosphère endeuillée, me faisaient sentir coupable — alors que tout le monde souffrait, moi, je voulais me tirer, sans-cœur que j'étais. Mais comment faire autrement ? Dans cette maison banale, j'avais à cette époque-là une petite amie, et je voulais aller lui parler du poème qui serait publié et dont j'allais lui apporter la coupure le soir suivant, pour qu'elle puisse le voir… Non pas qu'elle comprenait quelque chose à la poésie, mais quand elle voyait mon nom imprimé en dessous des mots de l'entête, elle se plantait là sans rien dire et m'admirait, ce qui me soulageait et me faisait oublier toutes mes peines de cette période de ma vie…

Ayant tout cela en tête, j'avais distraitement concentré mon attention sur l'extérieur, dans la direction de la calèche, là où je pouvais tout voir avec une grande clarté : l'imposante Grande Porte, la poignée et le marteau bien astiqués ; deux des fenêtres, les persiennes fermées, qui scandalisaient si l'on apprenait ce qui se passait derrière elles ; des branches nues de l'arbre à droite, en dehors de mon champ visuel, en train de bouger sans arrêt dans le vent. À gauche de la porte, tout près de l'escalier en marbre, il y avait un buisson presque rond, qui restait toujours vert, et immobile, malgré la puissance du vent qui soufflait à ce moment-là.

Soudain je vis, venant de la gauche, là où se trouvait la sortie vers l'extérieur, un haut-de-forme rouler sur la terre battue, entraîné par le vent, puis un homme vêtu de noir courant pour l'attraper. Et à sa suite, un groupe compact d'hommes, vêtus de noir eux aussi, qui luttaient comme lui pour opposer une résistance au vent, qui les poussait violemment par-derrière, de sorte que le bas de leurs paletots prenait une forte inclinaison en direction de la calèche, à droite.

Tous avaient en main des serviettes de service. Que pouvaient-ils bien vouloir à une heure pareille ? À ma grande stupéfaction, pendant un instant j'ai pensé qu'ils étaient des employés des pompes funèbres. Je les ai vus s'approcher du carrosse et, agacés par le temps qu'il faisait, crier après mon père, tout en lui indiquant la Grande Porte. Je n'ai pas pu comprendre exactement ce qu'ils lui disaient. Ce dernier, qui jusque-là avait le dos tourné, toujours bien emmitouflé, sembla ressusciter d'un seul coup en entendant ce qu'ils lui disaient et descendit de son siège, pendant que sa main exécutait un mouvement énigmatique pour moi, comme pour les empêcher de faire un geste terrible, ou du moins pour lui permettre de leur expliquer d'abord. Mais ceux-là paraissaient bien déterminés, comme s'ils ne se rendaient même pas compte de sa présence. En même temps, l'un d'entre eux leur montra notre maison avec intérêt, et en particulier (me sembla-t-il) la fenêtre maintenant illuminée de la cuisine d'où je les observais. Mais il me tourna le dos aussitôt que les autres lui eurent fourni une brève explication.

Les scènes se succèdent maintenant à un rythme accéléré. Mon père tâche de nouveau de leur expliquer, et peu après, de les empêcher de faire quelque chose. Ceux-là ne lui prêtent aucune attention et se dirigent vers la Grande Porte ; déjà, ils sont en train de gravir les marches, deux par deux. Mon père ressent avec dépit son incapacité de les convaincre ou de les empêcher par la parole, et reste debout dans la cour, stupéfait. De ma place, toujours à la table, j'entends l'un d'entre eux frapper le heurtoir de la Grande Porte sans vergogne, même si, à ce qu'il semble, mon père les avait avertis qu'il y avait un malade à l'intérieur. En même temps, je m'aperçois que ma mère aussi suivait tout cela, et nous nous rapprochons tous les deux de la fenêtre. Puisque la réponse tarde à venir de l'intérieur et que les messieurs montrent de l'impatience, ils frappent de nouveau le marteau. La porte s'ouvre immédiatement, laissant échapper une lumière orange, et Sterilda apparaît, engourdie, cachant avec ses mains sa gorge exposée. Elle fait comme si elle leur disait : « Que se passe-t-il ? Pourquoi vous comportez-vous ainsi ? Vous ne savez pas que nous avons un homme malade en dedans ? » Alors l'un d'eux, celui qui avait parlé à mon père et paraissait être le chef, avance de deux pas et retire de sa serviette en cuir une liasse de documents, et il lui en fait lecture. Elle lève les épaules, pour leur dire qu'elle n'y comprend rien, qu'elle ne sait rien de tout cela, alors il retourne un des documents vers elle et lui montre du doigt un paragraphe bien précis pour qu'elle le lise elle-même. Au même moment un autre intervient, dit qu'ils n'ont pas de temps à perdre, et, en peu de mots, il explique qu'en vertu du document, qui n'est autre chose qu'un mandat, ils sont autorisés par le tribunal à entrer, par la force si nécessaire, afin de faire une enquête — quelle sorte d'enquête, je n'ai pas pu comprendre. Sterilda se retire alors, hésitante, et tous s'engouffrent dans la maison.

Dès que la porte s'est refermée derrière eux, je vois mon père se diriger, interloqué, à la hâte vers notre maison. Ma mère, en émoi, va à sa rencontre à la porte, où ils échangent quelques phrases à voix basse. À un moment donné, j'entends ma mère élever la voix pour une raison quelconque, je ne me souviens pas si j'ai saisi exactement de quoi il s'agissait, puis après, il lui répond : « T'as pas mieux que ça à me dire ? Mets-toi quelque chose sur le dos et amène-toi tout de suite ! » puis il ressort.

Elle revient à l'intérieur, ébranlée. Elle enlève la marmite du poêle et la dépose au coin du feu ; elle me charge de la vider, pour que nous, les enfants, puissions manger. (Je ne me rappelle pas si je l'ai vraiment vidée.)

Elle se tourne immédiatement vers l'unique placard du mur et se met à chercher désespérément son manteau parmi un tas de haillons de la famille, qu'elle jette à terre avec dégoût et indignation. Finalement, elle l'extirpe des autres guenilles, tout en accompagnant ses mouvements de malédictions, les dents serrées.

Maintenant elle a fourré un bras dans la manche, et, dans son agitation, elle cherche l'autre, le poing fermé, mais ne trouve pas l'ouverture. Au même moment, je vois, par la vitre de la porte extérieure, le spectre de mon père lui faire signe : « T'es pas encore prête ? Qu'est-ce qu'elle fait depuis le temps ? » Ma mère, qui dans l'angoisse de sa précipitation ne lui a pas répondu même si elle le voyait, sort peu après dans la nuit noire à cette heure, après m'avoir dit de m'occuper des enfants.

* * *

Là, je ne sais pas pourquoi il y a un vide, et ma mémoire doit sûrement me trahir. Car c'est l'image de ma petite amie qui me vient à l'esprit. Je serais donc allé chez elle, ce même soir-là (chose impossible), après la scène que je viens de vous décrire. Le long du canal, je passe par les usines, toutes illuminées, me dirige vers une enceinte sombre dans laquelle j'aperçois les squelettes de machineries rouillées abandonnées depuis des années, et j'emprunte le sentier embroussaillé, notre venelle bien connue — là où nous nous rencontrons toujours. Je siffle un air de l'époque — qui était notre mot de passe — et je vais me cacher derrière un hangar attenant qui abritait des rouleaux compresseurs ou des machines similaires. Je suis charmé par la solitude des alentours. Je ne vais rencontrer personne dans cet endroit isolé, sauf elle…

Peu de temps après, j'entends un bruissement dans l'herbe; en d'autres circonstances, j'aurais pris peur, car j'assimile cela au bruissement que font les serpents. Peu après, je discerne sa silhouette en train de se frayer un chemin, le pied léger, dans l'obscurité. Je cours à sa rencontre, son manteau serré autour de son joli petit corps. Elle tombe, frissonnante, dans mes bras et je l'étreins très fort, jusqu'à la broyer si je le pouvais, et lui murmure : « As-tu froid, ma petite ? Es-tu gelée ? » Mais mon esprit continue à s'avouer incapable d'échapper à l'atmosphère déprimante d'où je viens juste de sortir, et je fais tout ce que je peux pour éviter de me trahir, de me retrouver dans l'obligation de lui fournir des explications, ce que je n'ai aucune envie de faire. J'ouvre ma cape, que j'ai héritée du vieux Papenguss et de mon père, et je l'en emmitoufle entièrement, je lui en couvre la tête aussi — et, collés l'une contre l'autre, mes mains autour de sa taille, je l'amène dans un coin que forment le hangar et un haut mur de pierres, et nous nous asseyons sur des poteaux de télégraphe. Nous ne nous disons presque rien, et après un certain temps, je lui dis : « Allez, va retrouver ta mère, avant qu'elle ne te gronde », alors que je commence à compter les minutes, et je suis excédé à l'idée qu'il va se passer un certain temps avant que je ne puisse la conduire au tournant du sentier. Je sais que, chaque fois que nous nous rencontrons, nous nous séparons à peu près une heure après le moment où nous en avons pris la décision. Reste encore un peu à l'un, reste encore un peu à l'autre…

* * *

Mais, comme je vous l'ai dit, il est exclu que cette scène se soit produite ce soir-là, car il se peut que je ne me souvienne pas de ce qui est arrivé quand ma mère est sortie, il se peut que je ne me souvienne pas de ce que j'ai fait des enfants et du souper, mais une chose est certaine : c'est que je me retrouve soudain dans la maison du vieux Papenguss — même si je ne me rappelle pas comment je m'y suis retrouvé, ni si j'ai frappé pour qu'on m'ouvre, etc. Quelque chose me dit que j'y serais entré par la porte de côté, la porte de service, qui restait toujours déverrouillée, même la nuit. Mais je ne crois pas que cela ait quelque importance.

Mais il y a une chose que je dois vous signaler tout d'abord. Ce qui m'a étonné, c'est que je n'ai pas trouvé à l'intérieur de la maison la situation que j'appréhendais d'y trouver. Je vais vous expliquer ce que je veux dire. Pendant toute cette période, de la maladie d'Elfrida et de celle du vieux, j'avais l'impression que tout là-dedans sentirait le phénol, le renfermé et la maladie, au point que la puanteur me piquerait le nez — mais en réalité rien de tel n'était arrivé. Chose certaine, quand Elfrida vivait ses derniers jours, on m'a souvent demandé de faire des courses, je suis même entré dans sa chambre deux ou trois fois, et j'avais ressenti alors la même surprise. Mais ceci est aussi certain : après les funérailles, quand la santé du vieux commença à nous inquiéter, cette impression s'est mise à m'obséder, que la maison tout entière sentait les médicaments. Mais voilà que non seulement ça ne puait pas ce soir-là, mais au contraire, une odeur à peine perceptible qui venait du cirage des planchers embaumait toute l'atmosphère, comme si je m'étais retrouvé dans une église, un jour de fête. Certes, l'ambiance ne faisait que souligner l'impression.

Autre chose : influencé, semble-t-il, par l'attitude de mon père, je m'attendais à entendre de l'extérieur de vives disputes et altercations — qu'une violente discussion allait faire rage entre ces hommes-là, qui avaient pénétré si brutalement à l'intérieur, et le vieux Papenguss, pour ne pas mentionner Solange elle-même et Stoppakius ; quoique, à propos de ce dernier, je n'étais pas tout à fait sûr s'il se trouvait dans la maison à une heure pareille (il l'était, en fin de compte) ; et, puisque tout ce monde continuait à se trouver à l'intérieur, la souque à la corde allait se poursuivre — les uns insisteraient pour faire quelque chose, les autres s'y opposeraient, et y mettraient des empêchements accompagnés d'insultes et d'imprécations, etc. Mais il s'est avéré qu'un silence absolu régnait dans les couloirs et, exception faite de Sterilda et d'une autre, qui en me doublant parurent être préoccupées par quelque chose en relation directe avec les événements, il n'y avait aucun indice de leur présence nulle part — ni même de la présence de Solange, de Stoppakius ou du vieux Papenguss. D'après ce que j'ai appris plus tard, ces gens-là étaient venus faire un travail que les autorités les avaient mandatés de faire ; ils avaient donc été reçus comme tels. Toute résistance était vaine, je suis le premier à le reconnaître. En plus, ce soir-là ils n'avaient rien annoncé de ce qu'ils ont fait au vieux Papenguss, qu'ils ont réussi à garder enfermé dans sa chambre tant et aussi longtemps qu'ils sont restés dans la maison ; d'ailleurs, il n'était pas sorti du tout cette journée-là, à cause du temps incertain. J'ai oublié de dire que, au préalable, pendant que je traversais la cour, j'ai observé l'absence de la calèche et de mon père, qui, comme je l'ai appris plus tard, avait été envoyé par Solange en toute hâte à l'avocat du vieux Papenguss. Je l'ai vu arriver, inquiet, avec mon père et se diriger vers une certaine porte, par où ils sont entrés sans frapper, et par laquelle j'ai aperçu la tête de Stoppakius dans un état de grande déprime, et, un instant, le dos de l'un des hommes en noir, qui, penché sur une grande table, notait ce qu'un autre collègue lui criait, pendant qu'il palpait et examinait un à un les tableaux accrochés au mur.

Et puis, j'ai oublié aussi de dire que, quand je suis entré dans la maison, pendant que je me tenais près d'une colonne sans pouvoir décider à quelle porte je frapperais (toutes étaient fermées, on n'entendait rien), je me suis demandé si les policiers étaient venus chercher Stoppakius : ce que disaient les mauvaises langues au sujet de la mort d'Elfrida aurait donc un fondement ? Ou c'est que l'hypothèse de la disparition de Béatrice à l'occasion de cette mort-ci s'était mise à circuler de nouveau ? Je n'en sais rien, et je doute même de l'avoir su à ce moment-là. C'était la première fois de ma vie que je commençais à avoir, confusément, le sentiment que le regard de Stoppakius cachait un profond mystère. Et alors que, jusque-là, j'avais grandi avec une tristesse dans l'âme pour cette créature victime d'injustice, maladive, maintenant je le détestais de m'inspirer une vague crainte. À partir de ce moment-là, je voulus coûte que coûte l'éviter quand il se trouvait devant moi. Peut-être que la scène dont j'avais été témoin dans l'embrasure de la porte m'a rassuré par rapport à cela, mais le soupçon s'est enraciné en moi, pour ne plus jamais me laisser.

Il devait être environ neuf heures quand, de la place que j'avais prise sur un banc de pierre près de l'entrée, me livrant à diverses pensées noires et confuses, je vis s'ouvrir la porte par laquelle mon père était entré avec l'avocat et sortir en silence tout le cortège : une Solange défaite en tête, entre Stoppakius et l'avocat, sur les bras desquels elle s'appuyait par un besoin évident, et suivaient : mon père (ma mère n'y était pas), celui qui enregistrait les tableaux, les livres de comptabilité ouverts entre les mains, et les cinq ou six hommes en noir avec leurs serviettes.

Au moment où ils se préparaient à franchir une autre porte, qui conduisait (je le savais) à la salle principale, là où se trouvaient tous leurs objets précieux et les joyaux de la famille, je vis Sterilda s'approcher de Solange par-derrière et, inquiète, lui chuchoter quelque chose à l'oreille, en indiquant l'étage supérieur. C'est alors que Solange, une expression tragique au visage qui laissait entendre qu'elle s'attendait désormais au pire, se tourna vers les hommes en noir et leur dit : « Excusez-moi, messieurs… » Au même moment, elle serrait le coude de l'avocat avec l'expression de quelqu'un qui implorait mais qui exprimait une véritable chaleur, en le fixant droit dans les yeux, comme pour lui rappeler que tout dépendait de lui, et qu'elle était persuadée qu'il saurait les tirer de cette terrible impasse, au moins par amour pour elle. Ce dont l'avocat essaya de la convaincre en esquissant une grimace pas trop encourageante, ce qui signifiait qu'il ne s'était pas complètement départi de l'inquiétude, évidente chez lui, quand il était arrivé plus tôt avec mon père. C'est très bien (semblait-il se dire) de faire face à la situation avec réalisme et sang-froid, car elle n'est pas aussi rose que cela. C'est quelque chose que tu dois comprendre (lui avait-il dit du seul regard qu'il lui avait lancé), car la situation est un peu complexe, et pour en sortir, il va falloir lutter. Quoi qu'il en soit, je ferai tout ce que je peux. Il parut clairement qu'il lui avait transmis ses pensées, qu'elle avala comme du poison.

Les observations énumérées plus haut en tête, Solange se tourna vers Stoppakius et déposa un baiser sur son front, en lui caressant les cheveux autour de la nuque d'une main tremblante, puis elle se retira, appuyée sur le bras de Sterilda, tout en jetant un dernier regard sur l'avocat, cette fois-ci cependant avec cette pure féminité qui la caractérisait, et en y mettant autant de coquetterie que les circonstances le permettaient, sans paraître ridicule. Lors de la précédente scène instantanée avec lui, je décelai dans son attitude un imperceptible « je ne sais quoi », qui, bien distinct de l'aspect tragique de la situation, fournissait un indice infaillible que, par le passé — peut-être même alors qu'elle était mariée —, une idylle était intervenue entre ces deux-là, ou bien plus encore, mais qui était désormais très éloigné, au point d'éviter ou d'être embarrassés de se le rappeler l'un à l'autre, même d'un regard furtif — même s'il leur arrivait de se retrouver seuls dans une pièce fermée, loin de tout œil indiscret. Et, lors de la deuxième scène instantanée, pendant qu'elle s'éloignait de lui appuyée sur le bras de Sterilda, ce « je ne sais quoi » était devenu réalité dans mon esprit, et mille et une scènes du passé défilaient devant mes yeux. À leur manière de se mouvoir devant moi pour monter l'escalier vers les chambres à coucher, je reconnus avec admiration quelque part autour de sa tête le fameux diadème dans ses cheveux, et grâce à sa prestance générale, la beauté qu'elle avait dû être. À ma grande honte, je dois vous avouer que j'ai conçu envers elle les pensées les plus perverses, même dans l'état où elle se trouvait. En plus de la terreur que j'avais l'habitude d'éprouver quand je la voyais, j'avais maintenant un sentiment de culpabilité, dans l'âge tendre qui était alors le mien, de la déshabiller par mon imagination, et de me livrer aux actes les plus illicites avec elle — dans la certitude que je n'avais pas acquis son assentiment.

À l'instant où elle montait l'escalier, je vis ma mère descendre les accueillir, et c'est alors que j'ai compris que, pendant tout le temps que je l'avais perdue de vue, elle tenait compagnie au vieux Papenguss. Tout cela s'est déroulé en quelques secondes. Solange, Sterilda et ma mère (qui s'est retournée quand elle les a vues) accéléraient leur ascension pour disparaître à l'étage, pendant que je courais pour entrer avec les autres dans le salon, là où je pénétrais pour la première fois de ma vie.

C'est là que j'ai compris qu'il s'agissait d'une saisie en bonne et due forme, jusqu'à la dernière épingle. Le caractère méthodique avec lequel les hommes en noir notaient chaque objet, chaque meuble, l'étiquetant d'un numéro croissant, lui assignaient un prix complètement arbitraire et sans respecter aucun protocole, et l'inscrivaient sur le grand registre — totalement indifférents à la présence de l'avocat et de Stoppakius —, provoqua chez moi un frisson d'horreur. Notre héros poussait à tout bout de champ des cris hystériques, au point que tout son corps vibrait comme au diapason, leur disait de faire attention, de ne pas laisser tomber et se briser tel ou tel vase en cristal, ou telle horloge précieuse au boîtier en ivoire, pendant que l'avocat lui répliquait de ne pas s'en faire, ces messieurs connaissaient bien leur travail — observation qui manifestait son effort pour l'apaiser, mais en vain. Stoppakius devint également hystérique quand les hommes en noir attribuèrent à un certain objet une valeur ridicule, qu'on ne trouverait jamais même chez un prêteur sur gages, leur précisa-t-il.

À un moment donné, celui qui inscrivait les numéros sur le registre s'élança du fauteuil Louis XV où il avait pris place pour dire qu'ils avaient oublié de sceller la porte précédente avec de la cire à sceller — proposition à laquelle l'avocat opposa une forte objection, insistant sur le fait qu'en vertu de tel article, tel alinéa, ils n'étaient pas obligés de le faire. L'autre lui répondit alors, impassible, qu'il ne se souvenait pas de cette clause, mais que, de toute manière, ils avaient des directives très claires en ce qui concerne cette affaire, et que, d'ailleurs, ils suivaient toujours la même procédure. Je ne sais pas comment il trouva l'occasion de laisser tomber la phrase selon laquelle ils étaient tout de même chanceux qu'il y ait eu quelqu'un dans la maison, autrement ils avaient le droit, en vertu de la loi, de briser toutes les serrures ; et il assura l'avocat qu'il savait que lui le savait. Stoppakius recommença alors ses cris hystériques, disant que les avocats connaissaient mieux les lois, et, en plus, qu'ils devraient faire preuve d'un plus grand respect envers la personne de l'avocat, qui était l'avocat le plus réputé de Gand, etc., avec pour résultat de faire pouffer de rire les hommes en noir (à ses dépens, bien sûr), pendant que l'avocat, perdant momentanément son sang-froid, lui ordonna de se la fermer et de ne plus intervenir ; il s'y conforma immédiatement, et l'avocat se radoucit. Sous le regard obstiné de Stoppakius, planté là, blanc comme un linge à cause de la surexcitation, l'avocat leur proposa de faire une petite pause pour prendre une boisson chaude, ce à quoi les hommes en noir, après s'être regardés, ne firent pas d'objection — mais à la condition qu'on ne les importune pas, qu'il n'y ait pas de préparatifs : tout simplement, une tasse de thé, et à l'extérieur de la porte, car le Service interdisait d'accepter les collations qui leur étaient offertes.

Jusqu'à ce que le thé soit prêt (dit celui qui tenait le registre), ce serait bien de profiter de cette pause — étant donné que l'heure était déjà passée — pour sceller la porte. Et il fit signe à deux hommes du groupe de procéder. Ils se mirent alors à fouiller dans leurs serviettes pour trouver la cire à sceller. L'avocat se leva de son fauteuil, du même style, et dit, tout à fait incidemment, que, pour des raisons d'ordre éthique, il considérait comme opportun, voire indispensable, de les accompagner, avec Stoppakius, en tant que représentant de la famille. Ce à quoi l'autre ne s'opposa nullement, se comportant au contraire de manière obligeante. À ce moment précis, l'un des deux hommes qui avaient reçu l'ordre annonça qu'il ne trouvait pas la bougie en stéarine — au grand dam du chef, qui se mit à jurer —, et c'est alors que l'avocat proposa de m'envoyer dans la cuisine, d'où je rapportais une lampe à huile, propre à faire le même travail. Entre-temps, on apporta le thé, sur lequel tous se précipitèrent, à l'exception des deux hommes en noir, de moi et de mon père ; nous attendions le moment où ils auraient terminé pour que l'avocat revienne avec Stoppakius.

Tant que je restai en contact direct avec ces types sinistres, c'est-à-dire à partir du moment où j'apportai la lampe à huile dans le salon jusqu'à ce que les autres finissent leur thé et que nous réglions enfin la question d'une importance absolument capitale pour l'histoire de l'humanité, je veux dire le scellage de la porte, je sentais dans mon cœur un froid intolérable et je me disais que j'avais raison de les voir comme autant de croque-morts. Ce qui me fit une si lamentable impression, ce qui me révolta, n'était pas tant leurs visages blafards et misérables — qui ne m'inspiraient aucune pitié —, mais leurs manières abruptes, chez tous sans exception, ainsi que l'insensibilité et l'impassibilité agressives avec lesquelles ils accomplissaient le moindre geste. C'était la première fois de ma vie — littéralement — que je rencontrais des types aussi odieux. À côté de ceux-là, l'attitude de Stoppakius — qui à la fin de sa vie ne m'a jamais fait de mal — me paraissait angélique. Leur comportement — que dis-je ? tout simplement leur présence —, même si je n'en faisais pas l'objet (car ils me considéraient comme un meuble, et quand je leur obstruais le passage, soit par désœuvrement, soit par inattention, ils me poussaient, sans même me regarder, et je doute qu'ils se soient rendu compte de mon existence), me blessait jusqu'au tréfonds de l'âme, et je me sentais non seulement rabaissé et ridiculisé, mais aussi coupable. Et cela, je ne le leur pardonnerai jamais. Ils me faisaient avoir honte de tout mon corps du fait que j'avais une petite amie, et en même temps de me sentir obligé d'en avouer ouvertement ma culpabilité comme seule manière de me racheter d'avoir osé, peu avant, penser cela à propos de Solange dans l'état tragique où elle se trouvait. Réfléchissez-y un peu, et vous comprendrez si ce sont des choses qu'on peut un jour oublier. Il suffira de vous dire que je pris alors la décision de ne jamais retourner à la petite maison près du canal — peu importe si je l'ai refait ou non. Et pour ce qui est de l'affaire de Solange, je me persuadai au même moment qu'il s'agissait d'une pensée passagère et que, finalement — me suis-je dit —, ces brutes devaient avoir fait les mêmes observations, à en juger par les œillades qu'ils lui lançaient.

Mais je me suis éloigné du sujet.

Je suis homme à admettre qu'à partir de ce moment-là, et jusqu'à ce que nos chemins se séparent, j'ai éprouvé, par réaction contre ces gens-là, une sympathie envers Stoppakius — mais en vérité, tout hypersensible et bien élevé qu'il était, et non préparé à affronter les tempêtes de la vie, il en vint à être ridicule dans ses faits et gestes lors de cette soirée inoubliable. Je ne pense pas dire cela parce que je n'étais pas dans le coup.

Je reconnais — je le reconnus amplement tout le long de cette soirée — le côté tragique de la situation, et surtout en ce qui nous concernait. Mais vous ne pouvez nier que toutes les protestations hystériques de Stoppakius n'étaient que des enfantillages — qu'ils allaient abîmer la porte et le plancher avec la cire — puisqu'il savait très bien qu'ils l'avaient entre les mains, et que, plus il se comportait de la sorte, plus ces misérables essaieraient de trouver un motif de le faire enrager. L'avocat, en vieux routier, était obligé lui donner adroitement du coude pour qu'il se la ferme. Je me dois de vous révéler que j'ai un sentiment très développé du ridicule : je ne trouve pas cela forcément mauvais, car si maintes fois ce fut à mon désavantage, il y a eu autant sinon plus de fois que ce sentiment m'a sauvé d'un véritable désastre lors des moments les plus funestes de ma vie. Par exemple, quand ils eurent finalement barricadé la porte avec de la corde et des sceaux, et qu'avec de la cire ils s'apprêtaient à entamer la cérémonie du scellage sous les yeux de l'avocat et de Stoppakius, voilà que l'un d'entre eux, qui avait pris la lampe à huile de mes mains, s'exclama : « Cela ne se peut pas. Il nous faut faire des trous. » « Où ? » rétorqua Stoppakius, en s'égosillant comme un coq, à l'un d'entre eux. « Dans la porte et dans le châssis ; comment pouvons-nous passer les cordes et appliquer la cire sur l'émail ? » dit-il. Et là, il fallait voir comme nous nous sommes tous esclaffés, y compris l'avocat, quand nous avons vu Stoppakius gober cette réponse dépourvue de sens, transporté de colère, comme s'il avait affaire à un employé d'un magasin quelconque, dans le bon vieux temps… Quand nous nous sommes remis de la rigolade, celui qui lui avait raconté la blague se tourna vers Stoppakius pendant que la cire dégoulinait sur le plancher — à l'indescriptible désespoir de ce dernier — et lui colla l'oreille du côté du cœur, faisant semblant de l'ausculter… Les rires fusèrent de nouveau.

À leur manière de rire, sur un ton personnel, qui se tournait contre lui, je n'ai pas pu m'empêcher de penser à la possible culpabilité de Stoppakius : cette fois-ci, ils devaient connaître, par suite de leurs contacts avec les autorités, les volets secrets de ses relations avec les deux femmes disparues. D'autre part, il n'était pas de leur ressort de lui mettre le grappin dessus, mais ils n'étaient pas sans savoir qu'ils avaient le droit, en tant qu'organes de l'État, d'éprouver de l'hostilité à son endroit. J'ignore si le même soupçon est venu à l'esprit de Stoppakius, mais il n'a pas pu faire autrement — si je dois en juger par l'attitude indulgente qu'il a finalement adoptée à leur égard, au lieu de protester par d'autres crises d'hystérie.

* * *

À ce moment-là, un orage satanique éclata, ce que notre ville a rarement connu — du moins, autant que je me souvienne. Je l'ai appelé satanique car ce n'était pas simplement une bourrasque comme celles que nous avions eues ces jours-là — c'était une vraie manifestation de la colère divine. Le mot « divine » n'est pas approprié, car il y avait là quelque chose de diabolique, comme si cela avait été une entité en soi, dans cette puissance invisible qui, d'un grondement retentissant, ébranlait cette maison inébranlable jusque dans ses fondements, tout comme un tremblement de terre. Dans le jardin, des arbres furent déracinés, et croulèrent les uns sur les autres, avec des craquements qui résonnaient comme des coups de tonnerre. Des lampadaires se recourbaient, et le verre se cassait, heureusement sans provoquer, à ce que je sache, d'incendies causés par le gaz. Les fenêtres de la maison grinçaient comme les dents d'un homme qui rend l'âme ; ou bien on entendait des coups persistants, comme s'il y avait eu à l'extérieur des gens qui voulaient, avec haine et colère, pénétrer à l'intérieur pour des raisons obscures. Quelques carreaux aux étages supérieurs furent brisés avec un bruit qui retentit jusqu'en bas, et les effets qui s'y trouvaient furent mis sens dessus dessous de la manière la plus folle, comme si des voleurs étaient passés par là. Mais ce qui nous a vraiment troublés, ce fut que tout ce bruit sourd semblait arriver systématiquement quelque part dans la maison même — alors qu'en réalité, sauf deux ou trois carreaux brisés, tout fonctionna régulièrement tant que dura l'orage : chauffage, éclairage, bref, tout. Toujours est-il que dans de telles conditions, il ne fut pas possible de continuer l'enregistrement, et tous se mirent d'accord pour y mettre un terme pour ce soir-là. Ces grossiers personnages, après s'être consultés entre eux, décidèrent de passer la nuit sur les canapés, sous les couvertures que Stoppakius s'empressa de leur procurer, puis ils envoyèrent un des leurs en informer le Service. L'avocat, après avoir échangé quelques mots tout bas avec Stoppakius (les deux paraissaient satisfaits d'avoir gagné du temps vu la tournure des événements), se prépara à partir avec la calèche de mon père, en se frottant les mains comme s'il avait eu froid, mais c'était de satisfaction ; pour sa part, Stoppakius souhaita bonne nuit aux hommes en noir, puis accompagna l'avocat jusqu'à la Grande Porte, pour ensuite, avec une certaine hésitation, se diriger vers la chambre de son père.

En marchant d'un pas de plus en plus accéléré, ils sont maintenant rendus dans le hall d'entrée, près du banc sur lequel j'étais assis auparavant. Le mauvais temps qui continue à faire rage semble les laisser indifférents ; ils ont des choses à se dire, choses qu'ils ont gardées pour eux un bon laps de temps. L'avocat, certain qu'il se trouve loin des yeux de ces sinistres individus — dire combien il attendait ce moment —, se penche vers Stoppakius et lui dit quelque chose à la manière d'un conspirateur. Ce dernier esquisse un sourire retenu, avec une satisfaction évidente toutefois, même s'il continue à avoir les idées confuses. Les deux se mettent dans un coin, et l'avocat, en attendant que mon père lui rapporte son paletot et ses autres effets personnels, pointe le doigt vers l'estomac de Stoppakius, en y piquant son ongle, tout en lui confiant à voix basse quelque chose comme : « Tu vois ? J'ai réussi encore une fois. Laisse-moi donc faire comme bon me semble, et n'interviens pas. Demain, tu verras… » Stoppakius cherche à en savoir davantage, mais l'avocat l'interrompt brusquement, gesticulant, comme s'il lui disait : « Prends ton mal en patience. Laisse-moi me débrouiller dans cette affaire comme je l'entends » — mais sur un ton à la fois amical et relativement de bonne humeur. Il laisse échapper un éclat de rire tonitruant, qu'il étouffe immédiatement de la main. Par ce dernier geste, je ne sais pas comment, mais tout ce que j'avais pensé au sujet de ses relations avec Solange m'est revenu à l'esprit. Oui, c'est clair que c'est elle en fin de compte qu'il a devant lui, c'est avec elle qu'il communique, et c'est à son sujet qu'il est tellement satisfait, tellement de bonne humeur. Non pas parce qu'il s'attende à quoi que ce soit d'elle en ce qui concerne l'heureux résultat qu'il va donner à toute l'affaire, mais pour se faire pardonner de l'avoir irrémédiablement blessée par son attitude, ou quelque chose du genre.

Mon père est maintenant arrivé à l'intérieur, et il lui tient le paletot qui, avec son col de fourrure, lui donne des airs de diplomate. Il a mis ses gants, il a pris sa canne et va mettre son haut-de-forme — ayant à l'esprit divers plans pour le lendemain —, et il dit à Stoppakius, sur un ton convention-nel : « Au revoir, au revoir, mon cher. À bientôt, et il ne faut pas que ta maman s'inquiète… » pendant que mon père, rempli de satisfaction d'avoir l'honneur de servir une personne de ce rang, s'avance pour ouvrir la Grande Porte. C'est à ce moment précis que la voix déchirante de Sterilda se fait entendre d'en haut : « Le médecin… le médecin… » Alors mon père laisse la poignée de porte sans donner d'explications à l'avocat ni à Stoppakius — restés figés sur place — et il grimpe l'escalier en courant.

J'entends des bruits venant de là-haut, et je vois ma mère et Sterilda, qui, en apercevant mon père, lui disent, hors d'elles, des paroles incompréhensibles à propos du « patron », lui enjoignant de courir chez le médecin. Mon père part aussitôt chercher le médecin, qui se trouve à l'autre bout de la ville. Pâles et muets, Stoppakius et l'avocat montent à l'étage. Peu après, je vois l'avocat descendre tout seul ; je comprends, à son visage, que la situation est critique, mais qu'il n'y a pas de danger immédiat. Entre-temps, ces brutes sortent des chambres, et tentent de savoir ce qui se passe. L'avocat leur donne une brève explication, puis demande au chef de le faire conduire chez lui avec la calèche du Service. L'autre se met alors à jurer, vu que l'homme en noir qu'il a dépêché pour avertir le Service n'est pas encore revenu. Heureusement, peu après on frappe à la porte. Je vais ouvrir ; c'est lui. Le chef lui ordonne d'accompagner l'avocat chez lui, et les deux sortent en courant. Je sors avec eux, et je m'en vais chez nous, où, à l'odeur de sommeil qui me chatouille le nez, je comprends que mes frères et sœurs dorment déjà. Je suis allé me coucher dans le lit de mes parents, sans pouvoir fermer l'œil…

Deuxième partie

[14]

Il devait être tôt le lendemain matin quand les voix de mes frères et sœurs, jouant dans la cuisine avec les casseroles, m'ont tiré d'un sommeil profond. J'ai constaté que j'avais dormi seul dans le lit. Toute la nuit, je n'ai pas senti qu'on me poussait doucement vers le mur, ou bien qu'on relevait la couverture pour mieux me couvrir, comme cela arrivait autrefois quand je m'étais endormi dans le lit avec mes parents. Plusieurs indices me portent à croire que ni mon père ni ma mère ne sont revenus à la maison ce soir-là pour voir si nous dormions. Les hardes étaient restées là, près de la porte entrouverte du placard, là où ma mère les avait jetées. Aucun des objets qu'utilisait mon père n'avait bougé de sa place. Les articles de rasage de mon père, dans un coin de la fenêtre de la cuisine, n'avaient pas été touchés.

Je me souviens de tout cela comme si c'était là, maintenant. Le soleil brillait dans un ciel de pur azur. À peine quelques petits nuages venaient, de temps en temps, voiler le ciel, faisant planer, ici et là, une ombre fugace dans la cour, en direction du jardin. La scène me rappelle, alors que je suis en train d'écrire, un matin d'été à la villa des Papenguss après un déluge soudain qui avait éclaté l'après-midi précédent. Telle était l'atmosphère ce matin-là. Je me rappelle la joie que je sentais quand je suis allé sur la plage pour arriver, après une longue promenade sur les roches et les cailloux, à une taverne au bord de la mer qui, à mon grand étonnement, était remplie de gais matelots en chandail rayé et casquette de marin sans insigne, qui buvaient du vin en mangeant des moules.

Mais, encore une fois, je me trouve sur une mauvaise pente, à parler de moi-même. Veuillez m'en excuser.

La calèche de mon père n'était pas à sa place dans la cour ; le buisson rond près de la Grande Porte était, lui, toujours debout, en dépit de l'orage qui s'était abattu. Mais, tandis que d'habitude, à pareille heure, on n'entendait pas le moindre bruit venant de la maison des Papenguss, ni de nulle part ailleurs, l'atmosphère elle-même — qui n'était point différente de celle de beaucoup d'autres matins — me disait avec insistance que des choses terribles étaient arrivées dans quelque pièce de cette maison durant la nuit, pendant que je dormais, et que nous devions nous attendre à ce que d'autres événements plus pénibles encore surviennent. Toutefois, je me rassurai quelque peu quand je vis l'un des domestiques, portant un tablier de cuisine, passer nonchalamment devant ma fenêtre, et aller derrière les écuries pour vider la poubelle, comme il le faisait tous les matins à la même heure. J'attendis un peu et je le vis revenir, le même air insouciant et un tant soit peu hébété, donnant des coups de pied, d'une humeur enjouée, à une boîte de conserve qui se trouvait devant les godasses crasseuses qu'il portait toujours. Lorsqu'il me découvrit à la fenêtre, il ne s'arrêta pas pour me saluer, mais continua son petit bonhomme de chemin vers la porte de la cuisine, sur le côté de la maison qui donnait sur un coin isolé du jardin, là où était située la citerne, abandonnée depuis des années… S'il y avait eu quelque chose de grave — ai-je pensé —, certes il se serait arrêté, tout stupide qu'il était. Mais si, par contre, je me trompais, si je formulais toutes ces hypothèses parce que c'était dans mon intérêt à moi? Et, d'ailleurs, comment pouvais-je savoir que le domestique en question avait l'obligation de ne pas vider la poubelle, ni de donner des coups de pied à une boîte de conserve quand quelqu'un est mort? Même si une telle éventualité me terrorisait, l'angoisse et la curiosité ne me permettaient pas de rester une seule minute à l'intérieur.

En sortant dans la cour, entièrement éclairée maintenant par une vive lumière automnale, je vis entrer par la porte cochère une calèche conduite par l'un des hommes en noir. À mon grand étonnement, il ne m'ignora pas cette fois-ci, se rappela qui j'étais, allant jusqu'à m'appeler par mon sobriquet. Descendant de son siège, il s'approcha de moi et me donna une petite tape amicale sur la nuque. Après m'avoir demandé par politesse comment allait mon père, il monta rapidement les marches, deux par deux, sans prêter attention à ma réponse, et il frappa un seul coup, discrètement cette fois, avec le heurtoir de la porte. Quand enfin Sterilda vint lui ouvrir, il l'appela « mademoiselle », avec une certaine amabilité, et lui demanda, à voix basse et avec gentillesse (ce qui n'était pas sans lien avec l'apparence de la femme de chambre), si les autres étaient prêts. Sterilda, qui semblait profondément préoccupée par la situation du vieillard, dans les pièces supérieures, lui répondit, d'une voix basse elle aussi, qu'elle ne savait pas; alors il lui répliqua : « Ce n'est pas grave, ce n'est pas grave; je vais les trouver, moi… » Et, lui ayant demandé la permission, il passa à l'intérieur, avec l'intention d'aller vers les chambres où tout ce que je vous ai raconté s'était déroulé la soirée précédente et où, comme j'allais voir plus tard, régnait un état de fait qui ne rappelait absolument pas les tristes scènes en question. Entre-temps, par le coude du couloir, voilà qu'arrivaient les autres, serviettes en main. Tous partirent comme si on les avait chassés, après nous avoir salués, Sterilda et moi. Une fois la porte fermée, Sterilda s'éloigna sans avoir ni le temps ni l'envie de me dire un mot ; et je l'ai vue monter l'escalier, illuminé d'une lumière magnifique par les fenêtres intérieures et une lucarne.

* * *

Ce que je vais vous raconter maintenant, je l'ai appris plus tard, bien après les funérailles du vieillard. Tout ce qui est survenu depuis, nous l'avions tous avalé, bon gré mal gré, et nous avions commencé à nous habituer au nouveau rythme de vie que les circonstances nous imposaient.

Et j'en viens à ce soir maudit. Vers le moment où les hommes en noir arrivaient à l'extérieur, dans la cour, et parlaient avec une telle impudence à mon père, la famille, selon une habitude inaugurée tout récemment, était rassemblée dans la chambre du vieux Papenguss, qui semblait être d'assez bonne humeur, étendu sur son lit. Le médecin leur avait affirmé qu'il prenait du mieux. Stoppakius, éternellement inquiet, se tenait là debout et s'impatientait ; il était évident qu'il ne se serait retrouvé là en aucun cas s'il n'avait obtempéré aux prières de sa mère — il se comportait en parfait étranger. Solange, assise depuis un certain temps sur le bord du lit, près de l'oreiller du malade, caressait, sans parler, ses cheveux gris, avec une douceur dans l'expression, qui semblait vouloir dire : « Mon Dieu, je Te remercie. Que cette grande tempête se calme, et je ne Te demanderai plus rien. Aie pitié de nous, car je ne peux plus supporter toutes ces maladies successives. » Le vieillard, dans un état de demi-sommeil, avait posé un bras sur ses cuisses et la paume sur ses genoux.

Solange, à tout bout de champ, implorait Stoppakius, par des gestes, de cesser de s'impatienter de la sorte, et d'aller s'asseoir dans un fauteuil — le vieillard allait s'endormir sous peu, et il serait alors libre d'aller là où bon lui semblerait. Mais il tournait en rond autour du lit, ne pensant qu'au moment où il pourrait s'esquiver. En gesticulant, il lui disait qu'il n'en pouvait plus de cette tactique qu'ils avaient instituée — de se retrouver tous là-dedans chaque après-midi —, que son père le voie ou non. Je dis cela car, même si ce dernier était à demi endormi, il avait pleine conscience de la situation. On prétendait, en fait, que c'était une question de temps ; vu l'évolution favorable de son état, il allait se rétablir entièrement.

Sterilda lui prêtait assistance, debout, à l'autre bout de l'oreiller. Lorsqu'il le lui demandait (à voix basse — par une espèce d'indolence et non par incapacité), elle se penchait et lui donnait deux ou trois gorgées du jus d'orange mélangé avec un puissant calmant de cette époque ; d'une main, elle lui tenait la tête relevée, et de l'autre elle portait le bord du verre à ses lèvres desséchées.

Un silence total régnait maintenant dans la chambre, exception faite du ronflement léger du vieux Papenguss, qui, selon toute apparence, s'était endormi. Le vent qui s'était levé tout à coup pour la deuxième fois ce jour-là, et qu'on entendait au loin dans la maison, le berçait, même si les branches dénudées de l'arbre grattaient les grilles d'une des fenêtres. Sterilda, avec de la sollicitude dans tous ses mouvements, retira la petite cuillère du jus d'orange pour la placer sur la soucoupe ; elle couvrit le verre d'une serviette propre, ce qui contribua à accentuer l'atmosphère mélancolique de l'alcôve. Évoluant d'un pas imperceptible de ballerine sur le tapis, elle contourna le lit — en faisant attention à ne pas effleurer Solange, restée à sa place, même du bout de son tablier — et ajusta l'édredon autour du corps du vieillard qui, dans la lumière déclinante du crépuscule qui pénétrait à travers les grilles, donnait l'impression d'un cadavre. Solange, avec beaucoup de ménagement, avait déjà enlevé sa main de ses cuisses où elle avait été oubliée, puis, comme un membre paralysé, elle la replia et la plaça sur sa poitrine, au creux de l'estomac. Sterilda se dirigea vers un fauteuil — qui sait combien d'heures elle allait demeurer dans cette pièce, sans fermer l'œil. Et Solange, après être restée un peu encore clouée à sa place sur le lit, se leva alors, les mains soigneusement tendues là où elle était assise afin d'amortir les ressorts du matelas — même si elle était convaincue qu'il s'était endormi pour de bon. Entre-temps, Stoppakius s'était approché de la fenêtre, pour observer le temps à travers les grilles. Il jetait des coups d'œil distraits dans la cour, mais son esprit courait vers la maison de Xentadine, et plus concrètement dans la pièce où sa femme avait joué du piano pour lui la première fois. C'est précisément cet après-midi-là — et dans cette atmosphère — que son esprit se transportait, comme s'il pouvait tout retrouver dans le même état en arrivant là-bas. Ainsi qu'il l'écrirait plus tard, dans ses papiers secrets, c'était l'une des rarissimes fois où il avait désiré aussi passionnément se retrouver dans l'atmosphère de cette maison. (Avec une telle passion, peut-être parce qu'une telle rencontre ne s'était jamais produite.) Alors, Solange s'approcha de lui, près de la fenêtre, et, sa main gauche appuyée contre sa nuque, lui fit pencher un peu la tête et lui donna un doux baiser près des lèvres, en lui chuchotant : « Tu vois ? Ne t'avais-je pas dit de patienter un peu ? » Et, au fond de son âme, elle se réjouit en pensant aux plans astucieux que son rejeton comptait mettre en action, quelque part ailleurs, aux limites de la ville. Lui, quoique devenu adulte, se laissa caresser, et par un caprice d'enfant (ce qui charmait sa mère) esquissa une tentative pour éviter son baiser, les yeux toujours rivés sur la cour — chose qui ne la troubla absolument pas ; elle se disait : « Qui sait quels baisers passionnés attendent le petit fripon, quelque part, dans quelque alcôve parfumée… » Et elle lui tourna le dos, la tête remplie de pareilles pensées.

* * *

Presque au même moment, Stoppakius vit, à travers les grilles, le spectacle du haut-de-forme qui roulait sur le pavé et des hommes en noir qui le pourchassaient, emportés par le vent. Cela vaudrait la peine, je crois, de faire remarquer ici qu'ils avaient arrêté leur calèche dans la rue, de l'autre côté de la maison, et non pas dans la cour, comme tous les autres visiteurs — manifestement pour ne pas attirer l'attention. À quoi servirent de telles précautions ? Ce détail le scandalisa grandement. Pour ce qui est du haut-de-forme, il lui attribua quelque chose de satanique qui dépassait, et de loin, les bornes de la réalité ; il le considéra comme un signe précurseur funeste lié directement à sa propre personne. En dépit du fait qu'il évite, même dans ses papiers secrets, de parler de ses réactions les plus profondes — ainsi que de ce qui se cachait derrière elles —, la frayeur que la scène provoqua en lui est d'une évidence criante. Je ne vous cache pas que je lui donne raison. La preuve de sa perplexité, c'est que, à la vue de toute la scène, il ne se tourna pas vers sa mère — comme on aurait pu s'y attendre —, mais il se figea sur place pendant un bon bout de temps, jusqu'à ce que se fassent entendre les coups agressifs et obstinés du heurtoir. Dieu seul sait ce qui a bien pu lui passer par la tête pendant ces instants. Trois situations distinctes devaient l'importuner : ses rapports avec des agents de l'ennemi ; la disparition de Béatrice ; et la mort d'Elfrida. Le seul détail susceptible de modérer son angoisse fut de voir (s'il le vit, de l'endroit incommode où il se trouvait) l'un d'entre eux en train de montrer du doigt notre maison. S'ils le recherchaient, il n'y avait aucune raison d'attirer leur attention.

Il ne pouvait que penser ainsi. Entre-temps, dès le premier coup de heurtoir, le vieillard, qui était devenu terriblement sensible aux bruits, comme plus tard Stoppakius l'était devenu en Afrique, se réveilla subitement, se souleva dans son lit et, fort agité, s'enquit de ce qui se passait. Il ne voyait rien devant lui ; ses paupières s'ouvraient et se fermaient comme si on avait braqué la lumière d'un projecteur directement sur ses yeux ; esquissant des mouvements spasmodiques, il cherchait désespérément autour de lui. Il semblait attendre avec frayeur que l'on vienne frapper à la porte depuis des mois. Il ordonna qu'on allume.

Sterilda et Solange s'affairaient comme deux farfadets autour de son oreiller, essayant de le rasséréner. Mais elles constataient que leurs efforts étaient déployés en vain, et elles le laissèrent se calmer de lui-même. Dans l'intervalle, Stoppakius, revenu de son étonnement initial, se tourna de nouveau vers la fenêtre, d'où il épiait la cour à travers les grilles — même si les hommes en noir se trouvaient sur le seuil de la Grande Porte, hors de son champ de vision. On le voyait en train de chercher dans son esprit le moyen d'aller se cacher pour qu'ils ne le trouvent pas. Mais il reconnut, avec désespoir, que cela était impossible, puisqu'il savait à qui il avait affaire : il se rappela le juge d'instruction dans l'affaire de Béatrice. Et il resta pétrifié, à sa place, sans pouvoir bouger d'un poil.

À un moment donné, le vieillard, dans son délire, se tourna avec colère — ce qui les stupéfia tous — vers Stoppakius, de travers par-dessus son épaule, et s'écria à la troisième personne, tout en s'adressant à lui : « Ce petit crevé, qu'est-ce qu'il a à rien foutre ? Vous deux, vous êtes accourues pour me prêter secours ; pourquoi il bouge pas de sa place, le sans-cœur ? Quand est-ce qu'il va faire un homme de lui pour me soulager de mon fardeau ? Et moi, qu'est-ce que j'ai fait de toute ma vie, idiot que je suis ? Tout, tout est parti en fumée… Tous mes sacrifices sont réduits en poussière… Solange, ma chérie, est-ce que j'en demande trop ? » — ainsi que d'autres phrases incompréhensibles, que ma plume arrive à peine à mettre en ordre. Et voilà qu'il se mit à pleurer à gros sanglots, comme un enfant, tout en continuant de s'en prendre amèrement à son fils — sans toutefois avoir le courage de lui dire de venir près de son lit. De façon générale, il donna l'impression de pleurer avec un tel dépit, précisément parce qu'il sentait qu'il lui était devenu tellement inaccessible. Solange s'approcha de lui encore une fois, et entoura sa tête de ses bras, en lui donnant des baisers tout près de la partie chauve de son cuir chevelu, les yeux pleins de larmes, le suppliant, affligée, avec de tendres mots chuchotés, de se tranquilliser. Mais le vieillard, ayant acquiescé à ses premières caresses, la rejeta à son tour, aveuglé et bavant de colère.

Stoppakius détourna les yeux des grilles ; il resta là, interloqué, à suivre la scène, incapable d'en croire ses propres yeux. Comment était-ce possible que son père, qui avait fait tant de sacrifices pour lui, puisse s'exprimer de la sorte ? N'est-ce pas assez que ma fin certaine soit imminente — tâchait-il de se dire —, c'est maintenant, papa, que tu vas me tomber dessus, toi aussi ? Quelqu'un va-t-il avoir pitié de moi dans ces moments difficiles que je vis ?

Sur ces entrefaites, on entendit de nouveau frapper brutalement à la Grande Porte. Avant que le vieillard n'ait piqué une autre crise, Solange se tourna vers Sterilda — livide à la vue de tout ce qui se passait autour d'elle — et, lui lançant un regard empoisonné qui trahissait l'angoisse qu'elle ressentait plutôt que quelque chose de personnel, elle lui ordonna de faire vite, d'aller voir en bas ce qui se passait. Elle était furieuse qu'aucune autre femme de chambre n'ait pris la peine d'aller ouvrir. Les mêmes observations en tête, Sterilda courut comme un lutin docilement vers la porte, puis disparut.

Stoppakius feignit de se diriger vers la porte, lui aussi — pour y faire quoi, aucune idée. Mais son père s'en aperçut et lui cria, comme devenu fou, de rester là où il était. Le fils, dans sa confusion, donna l'impression de ne pas vouloir obtempérer. Le vieillard se leva alors, hors de lui, vêtu de sa chemise de nuit, fit un pas pour se précipiter vers son fils, perdit l'équilibre, glissa et tomba sur le bras d'un fauteuil, en se donnant un vilain coup à la tête. Mais, dans sa frénésie, il ne vit rien devant lui. Avant que Solange n'ait pu fondre sur lui pour l'empêcher de tomber, il s'était déjà relevé. Aveuglément, il s'empara de Stoppakius, tremblant de rage et balbutiant des mots incompréhensibles, le traîna jusqu'au lit — sous les yeux de Solange qui, terrifiée, suivait toute la scène avec horreur — et le força à s'asseoir, en lui disant, fou de rage : « Assieds-toi là enfin, petit crevé de sans-cœur — petit crevé de sans-cœur — petit crevé de sans-cœur; tout ce que tu fais, c'est d'essayer de t'esquiver ! Qu'est-ce que nous t'avons fait enfin, sale garnement ? Salopard, sale bourrique que tu es devenu, et pire encore… pas moyen de te faire entendre raison ! Nous autres, nous nous sommes tous usés à la corde pour tes beaux yeux. Tu peux être certain, je vais te déshériter, sale canaille. Attends que je recouvre la santé, je vais t'organiser… Sale coquin, je vais faire enfin un homme de toi. Moi, espèce de petit crevé, quand j'avais ton âge, j'avais toute une usine, et toi, avec tous les bienfaits de Dieu, tout sur un plateau, tu as le front de ne rien reconnaître, de chercher par tous les moyens à te tirer ? »

Remonté par les mots qui sortaient sans retenue de ses lèvres écumantes, il dompta inconsciemment ce qui, depuis si longtemps — depuis de si longues années —, faisait qu'il ne pouvait pas s'approcher de son propre enfant, et il fonça sur lui pour lui administrer une raclée sans merci. Stoppakius, stupéfait, se recroquevilla pour parer les coups, mais son père, le voyant faire, sortit de ses gonds ; il l'empoigna par les cheveux, prêt à le mettre en charpie, lui disant, fou furieux : « À qui est-ce que tu fais ça, espèce de salaud ? » Et il se mit à le frapper dans le dos.

À ce moment, Solange courut s'interposer, affolée, en hurlant : « Non… Non… Non… Non, mon trésor ! Tu as raison, mille fois raison… Mais n'abîme pas ta santé. Mon Dieu, qu'est-ce qui nous est arrivé ? » Ses cris hystériques retentirent dans la pièce, passèrent par l'escalier en colimaçon pour se répercuter dans l'entrée. En fin de compte, après avoir lutté contre son mari en employant la force physique tel un policier, elle réussit à le calmer. Le poussant avec douceur, elle le fit s'étendre sur le lit — extenué par la surexcitation, tout en faisant semblant de tancer Stoppakius. Elle lui fit en même temps signe d'attendre sans bouger, sans souffler mot, comme si elle voulait lui dire : « Prends-en ton parti : nous avons désormais affaire à un paranoïaque. Courage ! Nous allons voir comment nous pouvons sortir de cette situation maudite ! » Avec des mots caressants à l'endroit du vieillard, avec des baisers au front, encore troublée, elle découvrit le verre, remua le liquide avec la cuillère, et le supplia d'en boire par amour pour elle. Le vieux Papenguss obéit d'un geste en sa direction, et Solange répéta la même procédure appliquée par Sterilda plus tôt, en prenant soin de lui tenir la tête plus longtemps, afin que la dose maximale puisse pénétrer dans son organisme. En peu de temps, il se mit à ronfler profondément, tout en gémissant de temps en temps comme une bête sauvage blessée.

Peu après, Sterilda revint et chuchota le triste événement à l'oreille de Solange. Mais, certes, le vieillard ne s'aperçut de rien. Toujours ébranlée par cet incident, et ébranlée de nouveau par cette nouvelle inattendue, mais maîtresse incontestable de la situation, Solange, avec force, comme si elle prenait en mains les rênes de la famille, dit tout bas à Stoppakius de courir dans sa chambre et de se changer, car il était tout fripé, pour qu'ils ne soient pas la risée des policiers, puis de descendre sans tarder au rez-de-chaussée où elle l'attendrait. Presque en même temps, elle donnait l'ordre à Sterilda de laisser un moment le vieillard seul et d'envoyer mon père chercher l'avocat, pour lui transmettre le message de venir au plus vite, et lui souligner que c'était elle-même qui lui demandait cette faveur. Elle s'arrêta un instant, puis ajouta de ne pas dire ces derniers mots ; il fallait simplement insister pour qu'il vienne. Mais elle changea encore une fois d'avis, et lui signifia qu'il valait mieux le lui dire — il ne fallait pas l'oublier ; si l'avocat n'était pas là, il fallait que mon père demande où il était, puis qu'il aille le chercher coûte que coûte. Ensuite, elle lui demanda de répéter ce qu'elle allait dire à mon père, et après que Sterilda eut tout récité à la perfection, elle la dépêcha aussitôt, lui ordonnant de remonter et de ne plus bouger du chevet du vieillard. Si, par hasard, il venait à se réveiller, qu'elle n'ose jamais lui révéler quoi que ce soit de cette affaire — qu'elle fasse bien attention. Seulement si elle sentait qu'il y avait une raison sérieuse, elle pouvait descendre afin de l'en avertir. Tout de suite après, Solange ajusta à la hâte, mais avec un bon goût féminin, ses cheveux et son diadème dans le premier miroir devant lequel elle se trouva. Puis, dévalant l'escalier, elle fit face aux hommes en noir, sur une file, auxquels elle fit signe de ne pas faire de bruit, car il y avait un malade dans la maison. Arriva sous peu Stoppakius, ahuri mais dans une forme relativement bonne, au courant désormais qu'au moins la visite des hommes en noir ne le concernait pas.

[15]

Le vieillard piqua pendant deux, trois heures la curiosité des femmes qui l'entouraient. Ce fut à peu près au moment où les hommes en noir complétaient l'enregistrement de la première pièce, au rez-de-chaussée. Ma mère, Sterilda et une autre femme de chambre, pendant qu'elles étaient assises sur leur chaise au fond de la pièce, sans parler, l'entendirent prononcer, dans son sommeil, le mot « Solange », suivi d'autres sons marmonnés comme des mots. Il était trempé de sueur. Il s'interrompit tout net. Les trois comprirent qu'il rêvait. Mais aussitôt après, il recommença à balbutier, à une vitesse prodigieuse, d'autres mots, une véritable logorrhée sans aucune cohérence — même si, ici et là, on pouvait dégager un sens quelconque, que l'on oubliait cependant dans le ramassis d'absurdités qu'il débitait. C'était comme si l'on assistait à une discussion très confuse, où l'on entendait les arguments des deux interlocuteurs sortir d'une seule et même bouche. Soudain, on aurait dit qu'avaient été exaucées les prières des trois femmes qui, debout, avaient prêté l'oreille et l'observaient avec amertume dans la pénombre, car il s'arrêta aussi abruptement qu'il avait commencé.

Après un certain temps, apparemment à moitié réveillé, mais les yeux toujours fermés, il dit, avec une certaine angoisse dans la voix : « Solange ! Où es-tu ? — Où es-tu ? — Où es-tu ?... » pendant qu'il s'agitait les mains en l'air comme s'il la cherchait dans l'obscurité. Mais avant que Sterilda n'ait pu s'approcher de lui, soit pour lui donner quelque excuse, soit pour voir si elle pouvait le réveiller, il sombra de nouveau et recommença à ronfler bruyamment, tandis qu'on pouvait voir que quelque chose le tourmentait dans son sommeil ; il changeait constamment de côté. Soudain, il se réveilla, les yeux grands ouverts. Avec l'expression tout à fait normale d'un homme non seulement éveillé, mais tout à fait alerte, il se tourna vers le fauteuil dans lequel il croyait Solange assise : « Dis-moi donc, où est-il passé, l'animal ? » (En parlant de Stoppakius.) Mais il sombra encore une fois dans une léthargie qui prit en otage son être tout entier — sans avoir eu le temps d'entendre la réponse de Solange, qui lui tenait tant à cœur.

Au grand soulagement de Sterilda, mais aussi des autres femmes derrière elle, il changea de côté et retomba dans son sommeil, donnant l'impression qu'il avait eu la réponse qu'il attendait, et en était satisfait. Peu de temps après, il se réveilla de nouveau, les yeux bien ouverts. La première chose qui surprit les trois femmes, ce fut qu'il avait complètement oublié ce qu'il avait dit à Solange, qu'il ne demanda même pas, et il ne mentionna plus Stoppakius. Dissimulant autant qu'elles le pouvaient leur douleur, elles se précipitèrent à son chevet. À la vue de ces trois femmes qui le dévisageaient étrangement, il se leva à moitié, la tête appuyée sur la main, et leur dit, comme s'il plaisantait : « Qu'est-ce que vous avez à me regarder ainsi, comme des Érinyes ? » Mais il changea de ton et, roulant de sombres pensées troubles dans son esprit, déclara sèchement à Sterilda : « Va voir quelle heure il est ! » Comme Sterilda allait le dire plus tard, même si ses paroles n'avaient rien qui puissent rappeler la tendresse avec laquelle il s'adressait toujours à elle — c'était comme s'il parlait à une personne dont il ignorait l'identité —, il lui apparut, l'espace d'un instant, que tous nos tourments avaient pris fin, que ce matin-là nous allions même faire la fête : elle vit le vieillard prendre son petit-déjeuner normalement dans son lit, de bonne heure comme auparavant, attraper le journal pour jeter avec entrain un coup d'œil rapide sur les colonnes, etc., puis se mettre bravement debout, pour se préparer à sortir, à visiter ses entreprises, comme si de rien n'était.

Aussitôt, marchant sur la pointe des pieds, elle se précipita vers une commode, dans un coin obscur de la chambre, où se trouvait une vieille horloge, de celles qui sont dotées de parois de cristal. Presque gaie, elle s'écria : « Neuf heures moins le quart ! » Et lui, alors, sur le même ton sec, lui répondit : « Tu dis la vérité ? C'est l'heure précise ? Regarde bien… » et il attendit la réponse. Elle, l'œil sur les aiguilles, lui affirma, un peu décontenancée : « Il est maintenant exactement neuf heures moins le quart. » « Je m'y attendais, répondit-il. Il est exactement neuf heures moins le quart. La prochaine fois, fais attention, même si maintenant je dois m'en aller. On ne sait jamais dans quelles mésaventures peut vous amener une toute petite erreur. Je me souviens, c'était en 188… (quand j'étais au sommet de ma gloire, moi aussi), alors, pour parvenir à boucler une transaction que je voulais effectuer à Liège dans un délai très court, je n'avais pas hésité à louer un train tout entier pour y arriver à temps. Je te dis cela seulement pour que tu te fasses une idée. Enfin. Prends donc crayon et papier, et écris. D'ici vingt-quatre heures, c'est-à-dire à neuf heures moins le quart demain matin, c'en sera fait de moi. Arrêtez de pleurnicher, vous tous. Je veux que vous m'enterriez de la façon la plus simple. Solange, mon amour, fais bien attention à appliquer à la lettre ce que je vais te dire. Après l'enterrement — je le répète —, je veux qu'il soit fait sans tambour ni trompette, vous allez me transporter — par le petit train, et non par le fourgon — à notre villa où vous allez m'enterrer dans un endroit éloigné, de ce côté du jardin d'où, un après-midi, nous regardions, si tu t'en souviens, le soleil se coucher, vers le sud-ouest, et le ciel était rouge sang, et je t'ai pris la tête entre mes mains et je t'ai dit de regarder par là le beau spectacle, mais même cette scène-là pour moi sacrée n'arrivait pas à te satisfaire — tu avais toujours quelque chose à redire pour m'empoisonner la vie; je n'ai jamais pu, de quelque manière que ce soit, te contenter, partager avec toi mes goûts. Mais en fin de compte, je te pardonne tout. Et, d'ailleurs, quand est-ce que je ne t'ai pas pardonné? Là-bas, sous les humbles treilles, si elles existent toujours comme nous les avions laissées ce dernier automne inoubliable quand nous avons quitté, pour la dernière fois certes, cet endroit idyllique avec lequel je veux m'unir pour toujours, c'est là que vous allez m'enterrer, SANS RIEN METTRE SUR MA TOMBE, ni pierre tombale, ni stèle, même pas mon nom, rien, pour que je puisse sentir, là où je reposerai, que je me suis allongé tout simplement sous les branches, été comme hiver, pour contempler au loin la mer, qui, tu l'avoueras toi-même, nous avait tellement comblés en ces instants, surtout alors que nous étions de jeunes mariés — pas tout à fait de jeunes mariés : un peu avant de nous marier, maintenant je m'en souviens parfaitement —, nous y étions arrivés vers midi, ce dimanche-là, et moi, je me souviens que, pour t'encourager alors que tu me regardais terrifiée, moi, j'ai été celui qui a insisté, quand je suis arrivé chez toi ce matin-là, pour venir te chercher après votre petit-déjeuner, pour que nous emmenions une dame avec nous — je ne me rappelle pas laquelle, peut-être était-ce madame B…? en tout cas, je ne me souviens pas —, afin qu'il ne t'arrive rien, dans le train, une dame pour s'occuper de toi, comme je l'ai laissé entendre dans un clin d'œil à ton père, cet homme en or que, s'il avait pu éviter la déchéance avec l'âge, si la banqueroute ne l'avait pas terrassé, j'aurais remis dans la situation brillante que tu avais vécue étant jeune fille. Dieu sait comment je l'ai vécue, moi, de loin, quand je n'étais qu'un pauvre petit employé — et je le dis à mon propre honneur, et que ce salopard qui s'appelle malheureusement mon fils y fasse bien attention — mais, depuis ces années-là, je t'avais à l'œil, et je venais et je te guettais derrière les grillages qui entouraient le jardin de votre demeure, et à travers les branches touffues de toutes espèces de plantes et de buissons qui me cachaient la vue, tu jouais, mélancolique et chagrine, avec ce cerceau de tonneau, sous la garde de cette dame entre deux âges, taciturne et tout aussi mélancolique, qui te surveillait, assise sur le muret, son ouvrage entre les mains, et qui brodait, criant de temps en temps d'une voix impérieuse : "Solange! Pas par là! Tu vas te faire mal!" puis se concentrait de nouveau sur les fils de couleur avec lesquels elle brodait des arabesques et des fleurs de toutes sortes sur le canevas, tandis que toi, plus mélancolique que jamais, ton petit minois pâle et tristounet, tu répondais sans entrain : "Je fais attention, madame…" fin prête à l'étrangler.

« Ah, te souviens-tu de la première fois, à la villa? Tu rougissais comme un coquelicot quand je caressais tes cheveux blonds, éclatants et doux — même si cette bonne dame était tout près de nous par suite de mon insistance — lors de la petite promenade à laquelle je t'avais conviée aux alentours, et les collines et les monticules te plaisaient tellement que tu sautais de joie. Maintenant que j'arrive à la fin, j'approfondis notre amour, et je t'aime infiniment plus qu'à tout autre moment — et je pars avec cette impression inoubliable. Nous le savons, nous deux — je ne doute pas que tu l'aies compris, toi aussi —, combien mais combien de fois tu m'as blessé pendant toutes ces années que nous avons vécues ensemble. Mais ne t'ai-je pas blessée à mon tour ? La blessure que je t'ai faite était unique et d'envergure — alors que toi, tu m'as blessé à petites doses. Mais j'admets que tu m'as fait goûter des délices qui me resteront pour toujours inoubliables ; le plus grand de ces délices est survenu quand, après une longue attente, et grâce à l'intercession d'entremetteurs des deux parties respectives, tu as finalement dit oui. Je m'en souviens comme d'un rêve. Le fait que tu aies accepté le sacrifice, que tu m'aies épousé (même si je sais que tu ne m'aimais pas — mais je ne peux pas dire que tu aimais quelqu'un d'autre) n'est pas peu de chose. Toi qui étais d'une grande beauté (et pour moi tu l'es toujours), tu aurais pu épouser le jeune homme qui te convenait, au lieu de te condamner pour toujours à la compagnie de quelqu'un qui, pour dire l'amère vérité, aurait pu être ton père s'il s'était marié jeunot. Penses-tu que je n'ai pas compris tout cela depuis longtemps ? Hélas, je le comprends trop bien. Tu te souviens d'un seul instant où je n'ai pas voulu te donner raison ? Encore plus maintenant, où tout finit pour moi. Et quand je te dis que je voulais te donner raison, je ne veux pas dire, Dieu m'en garde, que tu ne le méritais pas — car je serais alors hypocrite. Je te dis tout cela uniquement pour que tu ne restes pas avec la prétendue doléance que, après les tourments que tu m'as fait subir, tu m'as soi-disant traité avec injustice. Au contraire, égoïste comme je suis, et vu la passion qui me poussait à faire ta conquête (abstraction faite de ce que je t'aimais à la folie), j'ai eu tort sur toute la ligne. »

Alors que cet infortuné débitait son délire torrentiel, Sterilda, se rendant compte de la gravité du moment, et sans consulter les deux autres femmes, trouva opportun d'aller chercher Solange — qu'elle rattrapa, comme on sait, au moment où elle se préparait à pénétrer, avec toute la compagnie, dans la pièce qui contenait les objets précieux. Entretemps, lui, véritable épave, épuisé par l'angoisse avec laquelle il martelait ses propos, s'était recouché, et c'est ainsi, à l'horizontale, que Solange le trouva en entrant. Il faisait alors allusion aux questions familiales ; elle apprit tout ce qui précède de la bouche de Sterilda et de ma mère après les funérailles. Inutile de vous dire que le vieillard ne s'est même pas aperçu quand Solange est entrée, étant donné que, pendant tout le temps qu'il délirait, il la croyait là, devant lui.

« Quand je dis "avoir tort", continua-t-il, que l'on me comprenne bien ; il ne faudrait pas que tu penses que j'aie jamais voulu te faire le moindre mal — et tu le sais très bien. Si jamais je me suis mal conduit, si jamais je t'ai mal parlé, pardonne-moi — mais je n'ai jamais cessé d'être un homme avec ses faiblesses. Et n'étaient-ce tes crises d'hystérie — malgré l'amertume que je ressentais, je les ai toujours justifiées et les justifie toujours, je tiens à te le souligner —, je me serais comporté envers toi encore mieux. Arrange-toi, maintenant que je m'en vais, pour refaire ta vie — tu es relativement jeune encore —, et toi, espèce de petit crevé, cesse donc de tourmenter cette véritable héroïne avec tes revers et tes lubies. Je te laisse ma bénédiction et ma malédiction ; ne fais jamais en sorte que ta mère soit triste. Pour le meilleur et pour le pire — car je sais à quelle ordure j'ai affaire —, je te déshérite par anticipation. Écris-le, crayon sur papier : Stoppakius Papenguss est aujourd'hui, tel jour de tel mois de telle année, à telle heure, déshérité par son propre père, en présence de son épouse Solange, dudit fils et de tout son entourage. En plus, je, soussigné, déclare solennellement, et en connaissance des conséquences prévues par la loi en cas de fausse déclaration, que je désavoue avec abomination et que je raye le fils susmentionné de mon testament, des bénéfices qui découleraient dudit testament, pour qu'il revienne en indivision à ma fidèle partenaire de vie, Solange Papenguss, fille de Jean Heereken, résidant à Gand dans la rue des Lys-Fanés, numéro 17. (L'avocat va le corriger ; pas besoin de signer parce que j'ai des témoins.) Car tu m'as assez cassé les pieds. Solange, ma bien-aimée, tâche de bien prendre en mains la direction de toutes les entreprises — je les ai inscrites à ton nom le 18…, craignant depuis qu'un malheur subit ne m'arrive. Quelque compte en souffrance que ce soit pendant ces deux années où je me suis retrouvé hors combat, veille à arranger cela ou bien à régler avec de l'argent comptant afin de les satisfaire tous — je suis plus que certain que nos affaires vont très bien, même si nous nous sommes un tant soit peu exposés par certains prêts à fonds perdus à des personnes qui, malheureusement, ne se sont pas bien comportées du tout, au point de m'ennuyer autant moralement que matériellement. Je leur pardonne tous. Fais très attention aux hommes de mon entourage — on passe sous silence ce qui va de soi… Tu sais de qui je veux parler. Tous les comptes que j'avais ouverts auprès de divers magasins au profit de ce salaud de sans-cœur qui veut s'appeler mon fils, prends soin de bien les acquitter tout de suite jusqu'au dernier centime, et demande des reçus afin que nous soyons couverts. Aucune prodigalité désormais, même pas pour des cigarettes, pour qu'il apprenne, enfin, comment l'argent se gagne. »

Il prononça encore quelques mots, toujours à propos d'argent, puis s'affaissa dans une torpeur dont il n'allait plus sortir. Il ne s'aperçut même pas de la tempête qui s'était déchaînée. Les mauvaises langues affirmèrent que l'avocat, qui monta avec Stoppakius quand ils entendirent ma mère et

Sterilda crier « Le médecin, le médecin… », resta des heures à son chevet, l'implorant de retirer tout ce qu'il avait dit au sujet de Stoppakius, promettant de le prendre sous sa garde, qu'il allait le punir sans pitié s'il ne se conformait pas aux directives, d'ailleurs très sages, qu'il avait formulées, etc. Vous allez comprendre le piètre degré de vérité que possède tout cela si je vous affirme qu'en réalité l'avocat n'est resté auprès du lit du vieillard que quelques minutes, pour ne pas dire secondes : en homme pratique qu'il est, il avait bien d'autres choses en tête qui requéraient son attention ; dès qu'il vit que son ancien client et ami était tombé en état d'aphasie, il se leva pour partir — le temps, c'est de l'argent : son devoir se trouvait ailleurs. Et puis ceci : je me demande comment il se fait qu'il a eu l'occasion de lui glisser un mot quand, si l'on doit se fier aux dépositions de tous sans exception, la raison pour laquelle ma mère et Sterilda ont accouru comme des folles dans l'escalier, c'est que le vieillard affichait tous les symptômes de quelqu'un qui se meurt. Là-dessus, Solange, qui se trouvait à son chevet, fut d'accord. Et, en dépit du fait qu'il ne nous laissa qu'à neuf heures moins le quart le lendemain matin (peu après le départ des hommes en noir), il n'en demeure pas moins qu'il resta dans cet état comateux à partir de l'instant où il cessa de délirer. À l'arrivée du médecin, exception faite du brouhaha qui se produisit pendant quelques instants, tous crurent qu'il allait faire l'impossible ; en réalité, rien ne changea. Selon son propre témoignage, cet homme sage, qui avait accouché Solange, ne put apporter quelque aide que ce soit : il comprit l'état du malade du premier coup d'œil. Après l'avoir examiné tout à fait pour la forme, avec le stéthoscope et avec des bandes de caoutchouc, il se releva de la position penchée qu'il avait adoptée et dit, par-dessus son épaule, à Solange qu'il était condamné, et qu'il fallait qu'elle se fasse à l'idée. Il lui dit aussi, en lui prenant avec affection le visage entre les deux mains, qu'il n'y avait pas d'intervention qui puisse le sauver, sauf un miracle. Ce n'était pas possible de prédire quand exactement l'inéluctable allait survenir — la robuste constitution du vieux Papenguss allait résister jusqu'au dernier moment. Quoi qu'il en soit, le médecin ne lui donnait plus que quelques heures, au maximum, une journée encore. Il s'assit un peu, puis demanda qu'on lui apporte de l'eau pour qu'il puisse se laver les mains ; il ramassa le stéthoscope et les autres instruments, et partit sa trousse en mains, après avoir souhaité bon courage à Solange.

* * *

Quand tout fut enfin terminé, il m'arriva, un après-midi, de me retrouver dans une discussion que tenait Stoppakius à propos de cette affaire avec un client, vieil ami à lui, dans le bureau qu'il avait aménagé chez lui, derrière le magasin d'antiquités. C'est alors que j'appris tout ce qui s'était passé cette nuit-là.

Mais ce qui m'a, avant tout, impressionné, c'est que l'avocat, dans ses efforts pour sauver son client des griffes du fisc, si cela pouvait se faire en vertu de la loi, avait passé toute la nuit sur pied. Ce n'est que lorsqu'il fut convaincu que ses initiatives avaient eu le résultat escompté qu'il s'en fut se reposer. Ayant attendu que l'homme en noir qui l'accompagnait soit parti, il se dirigea vers les écuries et, conduisant lui-même la calèche — en plein mauvais temps —, s'arrêta d'abord chez une ancienne relation, retraité du fisc, dans l'espoir que ce dernier pourrait intervenir pour y avoir quelque influence. Dès qu'il vit, d'emblée, que l'homme avait, et ce, depuis des années, perdu tout contact avec le Service, il le laissa tomber tout net et sans cérémonies, et, anxieux de voir le temps précieux s'écouler, il se précipita chez un juge, vieux camarade des bancs de l'école et grand juriste du pays, duquel il réussit à obtenir sans ambages la promesse qu'il attendait. Parallèlement aux démarches de l'avocat, Stoppakius alla mobiliser Xentadine et le directeur de *La Prospérité*, et eux, à leur tour, tous les rouages de l'aristocratie de Gand. Le mandat de sursis, qui différait la saisie sous prétexte de l'état de santé du vieillard, ne fut lancé que le lendemain matin — juste avant que je ne rencontre dans la cour cet homme en noir qui m'a donné cette tape amicale.

Bien qu'ils n'aient pu en fin de compte éviter la saisie de la plus grande partie de leurs biens, le fait demeure que l'intervention s'avéra salvatrice. Ils laissèrent la maison intacte, de même que l'hôtel. D'un autre côté, ce n'est pas peu de chose que d'avoir réussi à redresser la situation très largement, en exploitant les objets précieux et les joyaux qui échappèrent de peu à la vente aux enchères par les organes de l'État.

* * *

Une fois devenu employé au tribunal, après mon service militaire (j'ai combattu dans les tranchées), j'ai appris les véritables raisons de la dégringolade.

Peut-être que le gaspillage impardonnable de Stoppakius et les dépenses démesurées associées à sa maladie pendant tant d'années en constituaient la raison principale. Mais d'autre part, il y eut des parasites de toutes sortes qui se ruèrent tête baissée sur les entreprises dès que l'absence du vieillard commença à se faire évidente. Et, comme si cela ne suffisait pas, le défunt, afin d'impressionner ses divers concurrents — il en avait beaucoup, malheureusement —, accordait des prêts de façon inconsidérée à droite et à gauche à la ville tout entière, et même en province, avec comme résultat d'immobiliser d'importants capitaux, dont personne ne lui a jamais rendu le moindre centime. Et pour ce qui est des intérêts — sur lesquels il avait beaucoup compté —, il n'en était même pas question.

Enfin, j'ai appris auprès d'autres sources que c'était Solange elle-même qui avait fait main basse sur la caisse, et ce, depuis des années déjà — depuis l'époque où elle voyageait en Suisse pour aller voir Stoppakius. Elle faisait systématiquement des dépôts du tonnerre dans des banques de ce pays, ayant comme but, selon les rumeurs, de partir un jour de chez elle pour aller vivre pour toujours avec son amant, qui n'était nul autre que l'avocat. (Nous en reparlerons.) Pour preuve de la situation économique de Solange, nous avons aussi ce montant plus que généreux que, d'après les témoignages de feu Elfrida, Stoppakius lui avait demandé par télégramme, ce qu'il a reçu le jour suivant, à l'hôtel de cette ville dans laquelle ils étaient allés après la rencontre inattendue avec Helmut à la villa, comme vous vous en souviendrez.

Il est exact, selon plusieurs sources, que ces dépôts dans des banques suisses avaient eu lieu ; mais il n'existe aucune preuve — à part des conjectures — susceptible de nous convaincre que ç'aurait été l'avocat qui lui avait monté la tête avec des plans pareils. Tant qu'il est vrai, comme nous allons l'apprendre au fur et à la mesure que notre récit avance, que la liaison de Solange avec l'avocat était au fait très profonde, il n'y a rien pour nous persuader qu'un homme de principe comme lui aurait pu commettre une telle imprudence, surtout aux dépens d'un de ses clients bons payeurs, comme l'était justement le vieillard.

J'en arrive au point de douter qu'ils aient tous les deux tiré de tels plans visant à disparaître de la circulation. D'une part, l'avocat était attaché à son travail (il lui était impossible de laisser tomber une clientèle assurée, obtenue au prix de grands efforts, et d'aller dans une autre ville, en province, pour recommencer à zéro) et, d'autre part, Solange avait pieds et poings liés à Gand, pour l'amour de Stoppakius, pour qui elle nourrissait une dévotion pathologique.

Mais pour ce qui était de rester ensemble à Gand, au sein d'une communauté où les deux étaient archi-connus, c'était là quelque chose qui ne leur avait jamais effleuré l'esprit.

[16]

Nous sommes restés quatre dans la maison après la mort du vieillard : Stoppakius, sa mère, Sterilda et moi. Tous les autres ont déguerpi. Chose certaine, ils m'auraient expulsé, moi aussi, n'eussent été les prières de ma mère qui, au dernier moment, alors que nous ramassions nos affaires, s'est jetée aux pieds de Solange, la suppliant au moins d'avoir pitié de moi. Solange m'a gardé bien volontiers, et je suis resté près d'eux avec gratitude ; mais je n'ai jamais cessé de me sentir comme un intrus et de me comporter en conséquence. D'ailleurs, le travail qu'on me confiait me faisait sentir toujours déprécié. Avec les domestiques, les femmes de chambre, les cuisinières et notre propre famille, même les chevaux se sont fait larguer. Il est vrai toutefois que Stoppakius a donné ces derniers ainsi que la calèche à mon père. Personne ne peut nier que, sur cette question, il a agi avec humanité. Mais au début, ça s'est révélé un cadeau de Grecs, car mon père, dans l'état lamentable où il se trouvait, avait toutes les difficultés du monde à nourrir tant de bouches — *a fortiori* deux bêtes en plus. N'ayant point d'endroit pour les abriter, la mort dans l'âme, il n'avait d'autre choix que de laisser ces animaux tant choyés dehors dans la rue, à transir de froid, hiver comme été, couverts de sacs de jute. Grâce aux transports qu'il se mit à effectuer pour eux, non plus en tant qu'employé à temps plein, mais en tant que voiturier occasionnel, de pair avec d'autres contrats de transport, il réussit peu à peu à se rétablir. Tous les matins, de la fenêtre de la cuisine qui donnait sur la rue, je le voyais là, à l'affût, désespéré. Assez souvent, lui ayant fait signe de m'attendre, je m'esquivais par la porte de la cuisine et, passant courbé sous la fenêtre du bureau de Stoppakius, je lui apportais des restes du repas de la veille, que j'avais mis de côté à cette fin justement, avec un pot de thé chaud. Ni Stoppakius ni Solange ne s'en étaient aperçus, mais je suis porté à croire que, s'ils m'avaient vu, cela leur aurait été égal, puisque c'était destiné à la poubelle de toute façon. Cela, je le savais. Si je me cachais, c'était parce que le regard arrogant de Stoppakius m'intimidait — je ne voulais pas lui donner le prétexte de me prendre en pitié.

Mais ce qui nous a vraiment coûté, ç'a été l'expulsion de notre maison. Un des premiers jours après les funérailles, Solange a fait venir mon père au salon des objets précieux. Entourée de Stoppakius et de l'avocat, elle lui a expliqué sans ambages qu'ils n'avaient plus d'argent pour des somptuosités superflues : pour sa peine, l'avocat n'avait pas touché un seul sou, en dépit de tous les sacrifices qu'il avait faits pour eux. Et, de plus, qu'elle lui a dit, ils avaient besoin de notre maison, ainsi que des écuries — c'est pour cela qu'ils ont expulsé aussi les chevaux — pour y abriter les meubles et les archives des entreprises. Et lorsque, Dieu aidant, la situation redeviendrait normale, nous serions les premiers à réintégrer notre habitation. Puis elle en rajoutait — sans trop croire à ses propres propos. Allez savoir quand et comment cela allait se faire. Ainsi, du jour au lendemain, toute notre famille, à l'exception de moi, s'est retrouvée dans un taudis d'un quartier d'usines, que nous voyions pour la première fois de notre vie. Il s'agissait d'un minable appartement au rez-de-chaussée d'un immeuble petit-bourgeois au bout du monde, à peu près là où le vieillard lui-même avait vécu ses années d'enfance.

Je me rappelle vaguement certains tristes dimanches après-midi quand, après le repas et les politesses d'usage chez les Papenguss, je sortais par la porte arrière du jardin — à cette époque, j'évitais les rues principales — et, à travers d'étroites ruelles, j'arrivais devant la porte branlante de l'immeuble, que je trouvais immanquablement ouverte. J'apportais toujours une casserole enveloppée dans une serviette de cuisine, pleine de restes de nourriture mélangés. Une puanteur d'haleine enfermée depuis des mois, d'exhalations de sommeil, d'odeurs de bébé, de fumée de cigarettes, de linge de corps non lavé, m'assiégeait les narines dès que j'entrais. Avant même d'apercevoir ma mère, qui m'attendait avec un désir ardent, je voulais prendre la fuite — fuir dans le quartier du canal, et siffler la mélodie familière, et voir ma petite amie courir vers moi à travers l'herbe. Pourtant, aujourd'hui je me rappelle ces odeurs avec une nostalgie indicible, au point de me sentir coupable. Après la confiture, qu'elle sortait d'un bocal caché et qu'elle me donnait à la cuillère dans la bouche, ma mère m'amenait m'asseoir près de la seule fenêtre qui donnait sur le pavé de la rue et sur les murs éprouvés par le temps et par l'abandon des maisons d'en face. Tout en me parlant avec une profonde tendresse, elle surveillait les enfants qui jouaient au fond, dans la cuisine, pendant qu'elle brodait des dentelles au fuseau qu'elle vendait, tous les lundis matin, à un magasin central non loin de l'ancien bureau de Papenguss. Ils touchaient ainsi un petit revenu. Mon père était absent, toujours en train d'effectuer un petit déplacement quelconque. Mes frères et sœurs, rachitiques, malpropres, misérables, jouaient sans entrain dans un coin de la cuisine qui servait en même temps de buanderie et de salle à manger — et de chambre, où deux des enfants dormaient dans un lit. Derrière la maison se trouvait un jardin humide, négligé depuis des années, qu'ils avaient le droit d'occuper, tout comme ceux qui habitaient l'appartement d'à côté, mais je n'y ai jamais vu personne d'entre eux. Je peux vous dire que je n'ai jamais mis les pieds dans l'herbe de ce jardin ; je l'ai entrevu seulement, à travers la vitre sale de la cuisine, et je me rappelle avec horreur une fois où j'avais aperçu, près du mur d'une maison en face, le dos d'un rat d'égout, de la taille d'un chat. Je n'ai rien dit à ma mère, ni aux enfants.

Dans mon jeune esprit de cette époque, je n'ai pas pris très à cœur ce qu'on nous avait fait, de nous jeter ainsi sur le pavé. J'avais même accepté que cela ne pouvait pas se faire autrement. Mais maintenant que j'examine cette triste période avec d'autres yeux, enfermé entre les quatre murs de mon humble chambre où je trace ces lignes, je n'arrive pas à cerner la véritable nature de la justification qu'ils nous ont donnée — sachant qu'ils avaient, chez eux, de l'espace pour entreposer beaucoup plus de meubles qu'ils n'en avaient dans leurs bureaux. Leur empressement à se restreindre en tout s'explique par leur souci de ne pas attirer l'attention du fisc. J'attribue aux mêmes raisons leur décision de laisser aller la façade de la maison, au point que les pierres étaient apparentes à travers le crépi fissuré, dans les fentes duquel des herbes — de véritables buissons — avaient pris racine. Au contraire, de l'intérieur, la maison entière était un vrai palais, qu'ils entretenaient avec un grand soin. J'ai entendu un jour Solange elle-même dire à un cordonnier chez qui nous étions allés ensemble : « Ah, vous ne savez pas quelle pénurie nous traversons… », tandis qu'une telle chose n'existait pas, car ils vivaient très confortablement, presque comme avant. Même devant ce pauvre cordonnier, elle jouait du théâtre. Existe-t-il une meilleure preuve que, sous leurs agissements, il se cachait quelque chose de plus profond ?

Autre preuve que j'ai raison de parler ainsi : l'étage supérieur de la maison était devenu un espace vide, inutilisé. Ils ont fait venir des ouvriers et, une fois tous leurs meubles déménagés au rez-de-chaussée et au demi-sous-sol, ils ont scellé toutes les chambres en haut sauf trois : une pour moi, une pour Sterilda et une chambre d'invité. J'ai hérité ainsi d e la chambre de Stoppakius ; Sterilda a pris la chambre de Solange. Ils ont rénové de façon appropriée la chambre du vieux Papenguss, après avoir jeté à la poubelle le matelas mal en point, et avoir effectué d'autres changements et désinfections, que je ne crois pas opportun d'aborder ici. En tout cas, je me souviens que, pendant des semaines entières, s'exhalait, de la porte close, une odeur asphyxiante d'une substance désinfectante qui me rappelait une mort à la suite d'une maladie grave.

Ainsi donc, je dormais la nuit dans la chambre, parfaitement inchangée, de Stoppakius qui, depuis la mort d'Elfrida, évitait autant qu'il le pouvait d'entrer dans une pièce qui lui rappelait tant de douloureux souvenirs ; sautant sur l'occasion des changements radicaux, il l'a abandonnée pour de bon ; il ne montait que très rarement à l'étage. De cette chambre mémorable, j'ai retenu jusqu'au moindre détail, comme si elle était là devant moi. À côté de mon lit, il y avait celui d'Elfrida, au même endroit qu'il était quand elle a rendu l'âme, couvert d'un couvre-lit sombre en soie, sous lequel je n'ai pas trouvé de draps, quand je l'ai soulevé pour regarder. Tout indiquait que Béatrice avait dû coucher dans ce même lit, la seule nuit que Stoppakius l'avait fait monter. Le premier soir où j'ai dormi dans cette chambre, en fouinant et en fouillant un peu partout, par curiosité, j'ai ouvert les tiroirs de la commode avec une certaine difficulté, vu que le bois avait travaillé, et ils étaient vides — comme les tiroirs d'hôtel —, sauf à un endroit, où j'ai mis la main sur une vulgaire épingle à cheveux, coincée dans une fissure. Et, dans un coin écarté de la pièce, derrière un rideau en velours beige aux bordures dorées, se trouvait un piano droit de marque Steinway. Ce qui me renvoie à un autre incident dont je vous ferai part peut-être plus tard.

* * *

Sterilda a pris, comme je vous l'ai dit, la chambre qu'avait occupée Solange. Mais elle dormait dans son petit lit de misère, qui constituait une coquille par rapport à l'environnement grandiose de la pièce (nous l'avons monté du sous-sol où elle couchait auparavant), et non dans le lit de Solange, qui fut transporté dans le salon, avec les objets précieux, où elle s'était installée pour du bon. Elle y vivait entourée, chose tout à fait normale étant donné son caractère, de beaux objets : miroirs vénitiens, tableaux qu'elle avait choisis elle-même (principalement des paysages idylliques), bibelots de grande valeur disposés sur le manteau de la cheminée en marbre, vases toujours remplis de fleurs fraîches de toutes sortes placées sur des tables d'appoint finement travaillées, sa collection de parfums, et enfin des dentelles roses et blanches et des volants partout, partout… C'est là qu'elle passait le plus clair de ses heures libres sans interruption jusqu'à l'époque où elle a fait un voyage à la villa pendant quelque temps, et ensuite, chez de la parenté dans une ville de province, où elle est restée bloquée par le siège.

La plupart des objets précieux et des bibelots ont été

entreposés dans le demi-sous-sol. C'est là qu'ils ont mis sur pied avec, de l'aveu général, un bon goût inégalé une imposante boutique d'antiquités. Pour ce faire, ils ont dû démolir un mur sans fenêtre pour ensuite percer une porte vers la rue, qui était la seule ouverture de ce côté-là de la maison, exception faite de quelques petites fenêtres avec grillages. Dans ce milieu, assise dans un fauteuil Louis XV comme la véritable aristocrate qu'elle était, au fond, derrière quelques tapisseries de la Renaissance qui pendaient du plafond, Solange passait quelques heures le matin, et, après une sieste, l'après-midi — sans toutefois se mêler directement des tractations commerciales de la boutique d'antiquités. À ce chapitre, Stoppakius se révéla fort compétent malgré le fait qu'il était en permanence troublé par ces situations de culpabilité. Seulement quand elle voyait une dame éminente se présenter à la porte, Solange intervenait timidement ; assez souvent, elle se levait de son trône avec une grâce tout à fait innée et, légère comme l'air, elle s'approchait d'elle et de l'objet qui avait capté son attention. Ou encore, elle s'empressait de nouer connaissance elle-même, si la dame lui était inconnue. Mais encore là, non pas dans le but de gagner une cliente — Stoppakius lui-même n'insistait pas là-dessus —, mais tout simplement pour lui adresser la parole et goûter avec elle la même satisfaction devant un objet d'art qu'elle semblait, littéralement, contempler pour la première fois de sa vie. Je voyais son visage rose pâle se renfrogner sur-le-champ quand elle subodorait, avec l'intuition acérée qui la caractérisait jusqu'à la frénésie, que sa visiteuse manifestait de fausses émotions par des interjections affectées dénotant un pur snobisme. (Chose que Stoppakius ne tolérait pas lui non plus.) Elle ne tâchait pas d'être obligeante envers aucune d'entre elles, ni de la convaincre, ni de la presser à force d'arguments d'acheter quoi que ce soit. Elle avait toujours ce regard quelque peu triste, solennel, et en même temps fière dans son expression (surtout autour des sourcils), qui la distinguait depuis que je l'ai connue.

Maintes fois, surtout au début, avant même d'avoir percé ses véritables intentions, quand je l'observais, d'un œil admiratif et craintif, caché derrière l'un des objets exposés, en faisant semblant d'épousseter, j'essayais en vain de deviner ce qu'elle recelait au fin fond de son âme. Je savais, bien sûr, que les deux deuils qui avaient frappé la famille l'avaient éprouvée. Mais je soupçonnais que sa tristesse, qui rehaussait le charme qu'elle émettait tout entière, n'avait pas de rapport immédiat avec eux — elle remontait plus profondément encore à des situations très éloignées dans l'espace et dans le temps. Quelles étaient ces situations? Il m'était alors impossible de les élucider. Je peux dire, par contre, que sa tristesse avait un lien direct avec les dimensions symétriques de son corps et avec ses beaux cheveux blonds qu'elle coiffait avec une grande simplicité. On discernait aussi, éternellement, dans son expression la moue d'une petite fille qu'on vient de gronder. Mais combien cette moue l'embellissait! Même chose pour sa voix — le ton plaintif d'une petite fille qu'on vient de disputer. Autre charme, que celle-là. À l'occasion, je l'ai surprise, du coin de l'œil, à rêvasser, absorbée par un tableau — sans qu'elle soit consciente que je l'épiais —, et c'est à de tels moments que j'ai admiré la beauté dans toute sa gloire : la ligne exquise de son profil sculpté au burin, de son doux front et des racines de ses cheveux jusqu'à la cavité de sa gorge; une véritable beauté.

Mais alors, qu'est-ce qui m'a fait la craindre et la haïr pendant tant d'années? En réalité, existait-il au monde une âme plus noble? En amour — le grand, le vrai, sans compromis ni calculs —, quels sentiments purs, quelle tendresse devait-elle avoir au fin fond de son cœur! (Mon esprit, ayant caressé sa gorge, légèrement flétrie mais aucunement marquée de rides, couronnée de petites boucles blondes laissées là sans apprêt, pénétrait dans son corsage où je discernais tant d'univers fantastiques.) La culpabilité m'accablait lorsque parfois le diable s'en mêlait et instillait en moi des pensées impures à son égard — autant je voulais les éviter, autant elles revenaient me tourmenter, mais aussi me remplir de dégoût envers moi-même. À de tels moments, quand elle m'appelait pour faire une course, je pensais, jusqu'au dernier moment avant qu'elle n'ouvre la bouche, qu'elle allait me réprimander sévèrement pour les pensées indécentes qu'elle avait deviné que je formais à son endroit… Et quand je constatais combien injustifiées étaient mes craintes, je sentais une gratitude sans bornes. À d'autres moments, il m'est arrivé de me la représenter morte. C'est alors que j'étais victime de mon imagination. Je me voyais en train de regarder son cadavre, que j'avais poignardé, un soir de grande tempête au milieu du hall alors que nous entrions par la Grande Porte. J'étais si aveuglé que je ne m'arrêtais pas — quel imbécile — à réfléchir : comment était-il possible que je l'aie poignardée quand je n'avais aucune raison de la haïr ? Je ne pensais pas non plus aux conséquences, si jamais je m'étais rendu coupable d'une telle chose… Je ne voyais que son cadavre, revêtu d'une robe très fine qui lui arrivait à la cheville, et moi, à genoux, en train de pleurer, inconsolable… J'étais à ce point pénétré de cette pensée que, parfois, je me surprenais à avoir adopté une expression de désespoir. Une autre source de tourment, c'étaient les sentiments que je m'imaginais qu'elle devait avoir inspirés à des gens cultivés, raffinés, dont pourtant je doutais de l'existence quelque part dans le monde. Mais celui qui tomberait amoureux d'elle — même maintenant — deviendrait finalement fou de désespoir en constatant que, peu importe ce qu'il ferait, quels que soient ses efforts, il ne pourrait jamais se délecter totalement, jusqu'à la mort, de cette âme d'ange. D'autant plus si, dans son amour, il était loin d'être à la hauteur — voilà, me disais-je, la tragédie qu'a dû vivre auprès d'elle cet infortuné vieillard. Par contre, qu'en était-il si elle se comportait de manière autoritaire à un point frisant la folie? (Car, à vrai dire, elle était folle.) Je lui reconnaissais ce droit au suprême degré. Je lui reconnaissais tout. Elle, d'une magnificence telle qu'elle dépassait, et de loin, toutes les femmes de la terre — pourquoi ne devrait-elle pas avoir des exigences démesurées? Je désirais ardemment l'avoir eue : tantôt comme mère (pour pouvoir pleurer à ses pieds), tantôt comme sœur (pour la protéger), tantôt comme amante (pour la prendre dans mes bras à la façon d'un bouquet de fleurs) — tantôt comme les trois ensemble. Ou encore je me figurais gravement blessé par suite d'un combat héroïque, et elle me soignait dans un hôpital de campagne, débordante de tendresse, de compassion et d'affection à mon endroit; c'est là que mon imagination s'en donnait à cœur joie — avec toutes les conséquences qu'un tel amour enflammé devait avoir.

Parfois des idées farfelues me passaient par la tête : Stoppakius allait bientôt mourir (le projet allait l'emporter lui aussi), et alors je resterais seul avec elle dans cette maison, pour toujours son esclave exclusif. Je voulais me comporter envers elle — et en réalité je me comportais — comme son esclave. Sans servilité toutefois, mais avec un dévouement qui avait des racines très profondes, et je suis sûr qu'elle le comprenait même si elle n'en avait jamais parlé — non pas avec des mots, car une telle chose aurait été impossible pour une personne de sa qualité, mais par son comportement. Je me réjouissais jusqu'au désespoir de constater que son attitude me donnait l'occasion, me permettait de me conduire comme son esclave — comme si avait existé la moindre possibilité qu'une femme de sa prestance me l'eût interdit! Quel idiot j'ai été pendant ces années-là…

Je ne pense pas, au moment où je vous écris, que j'étais influencé en tout cela par le décor de la boutique d'antiquités (dans lequel je faisais la plupart de mes rêveries), par sa position sociale, ou par l'environnement général de la maison. Car cela aussi me venait à l'esprit, la nuit, dans mon lit, quand je pensais à elle dans la chaleur douillette des couvertures. Non, j'étais tout à fait certain que si je la rencontrais par hasard, pour la première fois de ma vie, quelque part à l'extérieur, en train de se promener seule dans les rues de la ville même comme une authentique déshéritée de la vie (même si j'excluais une telle éventualité; impossible de l'imaginer dans pareil état), ou bien dans une forêt en train de cueillir des champignons pour sa pauvre petite famille, son air et son attitude physique provoqueraient chez moi le même état d'esprit. Et même si une telle chose pouvait arriver (me disais-je), tout humble qu'elle serait, je trouverais le courage de lui parler de ce qui m'obsédait — alors que je la considérais avec une telle timidité, et aussi une telle culpabilité, qu'il m'était impossible de lui révéler la moindre marque de mon dévouement envers elle.

Entre-temps, je me suis rendu compte que je m'étais mis à corriger mon langage, à soigner mon apparence et ma démarche, à prendre soin de ma personne, à épousseter constamment mes habits tantôt avec la brosse, tantôt avec la main, à cirer mes souliers, à faire diverses mines dans le miroir de la salle de bains des maîtres pour savoir laquelle me convenait le mieux, et à admirer mon visage bien rasé. Car j'étais un beau jeune homme mais sans formation; la pauvreté m'irritait, de même que toute séquelle laissée dans mon caractère par les années passées dans une si humble famille que la nôtre, et ce, depuis ma naissance. Tout chez moi n'avait d'autre objet qu'elle — même si je savais combien futiles seraient tous mes efforts. Ma première flamme, celle de ma petite amie, s'est éteinte en moi, en dépit du fait que je l'aimais — mais différemment —, et je la voyais les jours de fête, ou en soirée parfois. Toutes ces rumeurs autour de la mort d'Elfrida, tout ce que racontait même ma mère, à savoir que l'attitude de Solange par rapport à cette affaire était signifiante, qu'elle avait tourmenté le vieillard pendant toute une vie, je lui avais tout pardonné, même si ce qu'on disait était vrai. Même si, pour être franc, je ne croyais plus la plupart de ces ragots. Malgré qu'elle n'eût jamais rien fait de spécial pour moi — si ce n'est qu'elle avait accepté avec un tel empressement de me garder chez elle, ainsi que sa disposition toujours bienveillante (elle ne m'a jamais grondé) —, je sentais envers sa personne une gratitude infinie. Je savais gré à ma fortune de me retrouver sous son toit, et je respirais l'odeur enivrante de son corps quand je l'approchais, ou quand elle passait devant moi, de ce pas aérien qui était le sien.

[17]

Par un après-midi nuageux, Stoppakius est monté embrasser sa mère qui se trouvait toujours au lit, puis est sorti en ville pour une affaire urgente dans la calèche de mon père ; il m'a confié le soin de la boutique d'antiquités ; à tout hasard, nous avons relevé les lames de métal musicales qui pendaient à la porte d'entrée, pour éviter que la venue d'un éventuel client ne réveille sa mère — bien que cela fût exclu (sa chambre se trouvait assez loin de là).

À peine la porte refermée, me retrouvant seul parmi les objets exposés, j'ai senti une forte tentation d'accomplir un geste coupable ; non pas, pourtant, de voler quoi que ce soit, comme j'en avais eu l'idée d'autres fois. Je me dois aussi de dire ceci : que cette même tentation m'a obsédé dès que je me suis douté que Stoppakius se préparait à sortir, et j'attendais avec impatience jusqu'au dernier instant de le voir foutre le camp.

Après un certain moment d'agitation, angoissé de voir le temps passer sans rien faire, je me suis dirigé en pensée du côté de la chambre de Solange. C'était là que je devais faire quelque chose — et je me suis mis à trembler de surexcitation.

J'ai donc laissé le magasin comme il était — sans même

me soucier de bien verrouiller la porte, ce que j'aurais peut-être fait intentionnellement, à la pensée qu'on aurait pu frapper de l'extérieur. Ainsi, le sang battant dans mes veines à tout rompre, je suis monté par l'escalier et, comme dans un rêve, je me suis dirigé vers la porte de Solange, pour regarder furtivement par le trou de la serrure. Le couloir était désert à cette heure-là. Je savais que Sterilda était occupée à la cuisine. Et même si elle n'y avait pas été occupée, quelque chose me disait qu'elle ne passerait pas par là. Me penchant, je l'ai aperçue couchée sur son lit — apparemment éveillée. Elle était à peine vêtue d'une chemise de nuit vaporeuse qui lui recouvrait même les jambes, et, à un moment donné, elle s'est retournée. Peut-être à cause du peu de lumière qui passait à travers les rideaux de tulle baissés, à ma droite, ou à cause de l'emplacement du lit, je me suis lassé de guetter de cet endroit si peu confortable. Devant les yeux, je n'avais que ses jambes ; je devinais son corps comme celui d'une statue inclinée ; je n'apercevais pas sa tête, enfouie dans la pénombre.

C'est alors que je me suis souvenu que, dans la chambre d'à côté, celle de Stoppakius, il y avait une porte qui communiquait avec la chambre de Solange — tout comme c'était autrefois le cas avec celle du vieillard. J'y suis entré, puis je me suis approché de la porte, en faisant toujours attention à ne pas laisser de traces pour ne pas faire naître de soupçons chez Stoppakius, car s'il se mettait à enquêter, cela signifierait une triste fin pour moi ; mes yeux trahissent toujours mes sentiments.

À mon grand désespoir, à la poignée de la porte de son côté elle avait pendu quelque chose — soit volontairement, soit par hasard — qui m'obstruait la vue. Il n'était pas question non plus que j'applique le plan qui, un instant, m'était passé par la tête, à savoir essayer de me débarrasser de l'obstacle à l'aide d'un fil de fer. Je me préparais à repartir le plus rapidement possible, déçu, mais en même temps satisfait à moitié d'avoir échappé à cette épreuve — qui sait dans quelles aventures elle pouvait me conduire —, quand, tout à coup, j'ai vu disparaître ce qui y pendait (il s'agissait d'une serviette de bain), et tout de suite après, j'ai vu Solange, dont je n'avais pas perçu les pas sur le tapis, s'éloigner en direction de la baignoire qui se trouvait sur le côté, à droite de mon champ de vision. Là, avec la désinvolture d'une femme qui sait qu'elle est seule, elle s'est déshabillée complètement pour ensuite se tourner vers la petite table de chevet à la surface de marbre, que je connaissais bien, où elle a pris un volumineux flacon d'eau de Cologne, prête à s'en asperger le corps tout entier — pratique que j'avais imaginée comme étant quotidienne. Puis elle a enlevé le bouchon de cristal qui, rond et polyédrique, tenait dans sa main. Mais, soudain, je l'ai vue se figer un instant, comme surprise par quelque chose. Elle a alors déposé le flacon sur la table de chevet et s'est tournée vers le fauteuil, mal à l'aise, puis a attrapé sa robe de nuit pour cacher sa nudité. Mais au beau milieu de son geste, elle s'est arrêtée, pétrifiée, les yeux fixés sur le trou de la serrure. Est-ce qu'elle a flairé ma présence et l'a tolérée soit par coquetterie, soit par pitié? Se peut-il que j'aie, dans l'excitation et la terreur qui me possédaient, exagéré la portée de la scène, alors qu'il ne s'agissait que d'une situation fortuite? Cela, je n'ai jamais pu me l'expliquer. En tout cas, tout ce que je sais, c'est que, aussi longtemps que je vivrai, je ne pourrai oublier cette expression ravissante, pleine de lumière, dans ses yeux bleus — expression de peur, d'étonnement et de dilemme, la bouche entrouverte —, laquelle, hélas! n'a duré que quelques instants, assez toutefois pour que je puisse graver dans mon esprit une image qui est indélébile depuis lors. L'idée de quitter mon trou de serrure ne m'a même pas effleuré. Je suis resté là, de marbre, à contempler avec la plus grande intensité dont j'étais capable le spectacle qui se déroulait devant moi. Mais j'ai aussi observé que, dans de telles circonstances, plus on tâche de s'appliquer, moins on voit.

J'incline, maintenant, à penser qu'elle s'est rendu compte de ma présence, sinon, la suite de l'incident est inexplicable, ce que je vais vous raconter. Au lieu de revêtir sa vaporeuse chemise de nuit, elle a poursuivi calmement son intention initiale. La main débordante d'eau de Cologne — une quantité telle qu'elle se répandait sur le tapis, au point que son parfum poivré me piquait les narines —, elle a commencé à s'en asperger tout le corps, jusqu'à la pointe des pieds — sans prêter la moindre attention aux positions qu'elle prenait par suite de tel ou tel mouvement ; elle ne semblait pas trop préoccupée de l'endroit d'où je l'épiais. Et pour ce qui est de son corps — si symétriquement modelé, jusqu'au moindre détail —, je dois affirmer qu'à ma grande surprise il me paraissait tout à fait inaltéré par le temps et les vicissitudes de la vie, presque comme une statue à tous égards ; de sorte que cela n'a pas éveillé chez moi la moindre envie d'amours barbares, de basses pensées. Tandis qu'elle s'aspergeait le corps d'eau de Cologne, elle jetait de temps en temps un coup d'œil en direction de l'horloge, sans toutefois laisser paraître quelque signe de précipitation.

Avant que je n'aie pu me remettre du spectacle, elle avait déjà enfilé son linge de corps, puis elle a passé par-dessus un déshabillé en soie précieuse d'Orient, avec des oiseaux exotiques et des branches fleuries, qu'elle a sorti d'un placard. Après cela, elle s'est arrangé les cheveux simplement, précise dans tous ses gestes, et se les est fixés derrière la tête au moyen d'un grand ruban mauve, tout en formant de ses doigts quelques mèches qu'elle laissait négligemment tomber sur son adorable front. Elle a tout fait avec assurance, et avec l'aisance d'une maîtresse de maison, tant dans l'attitude que dans ses mouvements, sans regarder à aucun moment son image dans la glace. J'ai aussi remarqué qu'elle se distinguait par la conscience qu'elle avait de sa maturité, chose qui lui prêtait un charme tout particulier, en plus de ses autres attraits. Ce n'est qu'à la fin qu'elle a jeté un coup d'œil furtif dans le miroir ; elle sembla totalement comblée, comme si elle ne s'attendait pas à être différente de ce qu'elle était.

À un moment donné, je l'ai vue se lever avec une certaine expectative (mais non pas avec empressement) du lit — sur lequel elle s'était étendue entre-temps avec l'air d'attendre — et se diriger vers la porte, qui se trouvait loin de mon champ visuel. Elle est revenue immédiatement, bras dessus, bras dessous avec l'avocat, qui avait l'air tourmenté à l'idée qu'on puisse l'apercevoir. Par leur attitude, ils me donnaient l'impression, très forte d'ailleurs, que depuis l'époque de la mort du vieillard, d'autres rencontres secrètes avaient eu lieu — même si je n'ai pas de preuves formelles à ce sujet. Sur ce, Sterilda aurait eu (si elle avait vécu) beaucoup de choses à nous dire, car j'avais assez souvent repéré certains de ses mouvements énigmatiques (pour ne pas dire suspects) par rapport à Solange, sans savoir à quoi les attribuer au juste. Cette fois-ci, en ce qui concerne les réactions de Solange à la vue de l'avocat, je pourrais affirmer avec certitude, et en relation avec tout ce qui allait suivre, qu'elle ne semblait pas trop ravie de sa présence, et que leurs rendez-vous étaient, de sa part du moins, le fait d'une nostalgie du passé plutôt que d'un renouveau de l'ancienne passion. En disant cela, je ne veux pas laisser entendre qu'elle ne se comportait pas envers lui avec sympathie — elle lui en témoignait beaucoup, en fait — ainsi qu'avec le tact nécessaire. Mais c'était évident qu'il luttait pour regagner sa faveur et, si cela avait été possible, de ranimer tout le passé exactement comme il avait été

— tandis qu'elle était bel et bien revenue sur terre ; pour elle, la flamme s'était éteinte. Je peux aussi affirmer que, pendant le laps de temps où je les avais eus sous les yeux, elle « avait tenu sa place » — en raison davantage d'une saine évaluation de la situation dans laquelle elle se trouvait encore du point de vue familial que d'une volonté réelle de tenir sa place par rapport à ce sujet. L'attitude de l'avocat était à tous égards comparable à la sienne, puisqu'il avait compris qu'il n'y avait pas moyen de faire autrement. D'un autre côté, je doute que leurs rencontres eussent eu lieu si l'avocat n'avait pas exercé de pressions — pressions auxquelles Solange a fini par céder pour ne pas le décevoir, palliant du même coup son besoin de compagnie après l'isolement dans lequel les circonstances l'avaient plongée des années entières.

Je n'avais pas l'intention de rester très longtemps à cet endroit, à partir duquel je les surveillais, car je savais que, d'un instant à l'autre, Stoppakius allait arriver. Mais je voyais bien qu'il était impossible de laisser l'affaire en plan et de partir, alors que mon attention fut attirée par ce qu'ils se disaient. Il était assis dans le fauteuil que je connaissais comme celui de Solange, tandis qu'elle avait pris place dans le fauteuil sur lequel elle avait posé tout à l'heure sa chemise de nuit. À cause de la position qu'elle avait adoptée, je ne voyais que ses pantoufles. Je l'ai entendue lui dire des mots plus ou moins tendres que je ne comprenais pas très bien ; toutefois, c'était comme si elle voulait lui faire comprendre de façon indirecte que, désormais, il n'y avait plus rien entre eux, mais qu'il ne fallait pas s'en faire, ils resteraient toujours de bons amis. L'avocat ne donnait pas l'impression d'être satisfait de cela. Au contraire, il s'irritait à chaque mot qui faisait référence à ce genre d'amitié ; mais, en psychologue, il ne voulait pas laisser paraître la défaite qu'il sentait dans tout son corps, de peur de la subir encore plus mal. À un moment donné, ils se sont mis à se disputer bruyamment, ce qui indiquait que c'était la suite d'une discussion récente — portant sur leurs relations personnelles —, et elle tendait souvent sa main pour lui clore la bouche, de sa paume, par crainte qu'on ne les entende du couloir. Mais alors que c'est elle qui lui disait de baisser le ton, elle ne faisait aucun effort pour qu'on ne l'entende pas ; au contraire, elle parlait encore plus fort que lui — sans toutefois susciter de protestations de sa part. Cela, Solange en prenait bonne note ; elle le voyait continuellement terrassé et reconnaissait que c'était sa faute à elle, et elle se sentait coupable en son for intérieur. Ainsi, pour ce qui est de toute autre expression de ses émotions, elle se comportait avec une certaine hésitation, et toujours avec tendresse — sauf que cette tendresse, étant donné son point de départ, le blessait au lieu de lui faire du bien. Je le voyais se pencher vers elle et lui couvrir passionnément les mains de baisers ; elle les retirait aussitôt, pas avec colère, ni avec répugnance, mais avec une drôle de perplexité et d'embarras, ce qui indiquait peut-être que tout s'était refroidi pour toujours en elle — mais pas au point de se comporter comme une étrangère envers lui, comme si tant de choses ne s'étaient pas passées entre eux.

C'est à ce point précis que l'avocat, constatant qu'il perdait du terrain et qu'il avait épuisé tous ses arguments sans résultat, osa faire allusion à l'ingratitude, la fureur qui couvait en lui étant désormais évidente. Solange a alors éclaté, et, sans les détours où elle s'était réfugiée jusque-là, elle lui a dit que, depuis son plus jeune âge, elle détestait les gens qui lui parlaient d'ingratitude. (Ici, elle faisait une allusion à peine voilée à son père et à feu le vieux Papenguss — même si elle n'a pas mentionné leur nom —, allusion que l'avocat a semblé saisir immédiatement.) Il aurait dû admettre, lui a-t-elle dit, que, s'il lui avait rendu service, c'était, en dernière analyse, pour sa propre satisfaction à lui en la voyant satisfaite, au sortir du cul-de-sac dans lequel le destin l'avait deux fois plongée (considérant comme la première fois l'effondrement économique de son père). Cela, il aurait dû le lui faire savoir — même si elle éprouvait envers lui une gratitude sans bornes. De toute manière, s'il lui avait rendu ce service uniquement pour profiter de la situation, ou bien pour le lui marteler plus tard, advenant l'écroulement de ses plans — tout comme elle l'en avait soupçonné sans vergogne dès le début de ses déboires —, alors, sans exagération, elle aurait pu très bien se passer de tels services, et il aurait mieux fait de se retirer de l'affaire, même si tout était fichu en l'air. Car sur des questions de principes elle était intraitable ; personne, mais personne, n'aurait pu la faire changer d'idée : c'est ainsi qu'elle était née, avait été élevée et éduquée. Mais même si ce n'était pas un plan prémédité — si ce n'était qu'à ce moment qu'il lui était venu à l'esprit de le lui rappeler après coup —, cette façon de désigner les choses lui faisait toujours une très mauvaise impression. Elle ne le lui pardonnerait jamais. Et, d'ailleurs, que voulait-il au juste ? Qu'elle se mette malgré elle à lui parler d'amour — simplement par gratitude pour quelque chose qu'il avait fait en tant que bon ami — alors qu'elle ne sentait (comment dire ?) plus rien en elle à son égard hormis une certaine nostalgie d'un passé sans contredit inoubliable ? C'étaient peut-être les circonstances qui l'avaient conduite jusque-là — peut-être qu'elle changerait d'avis plus tard, elle ne l'excluait pas du tout : ne pouvait-il pas patienter un peu ? Récemment, ne se rencontraient-ils pas pendant toute cette période ? Non, non ! — elle aurait mille fois préféré qu'il lui dise ce qu'elle lui devait, et très volontiers elle se serait arrangée avec Stoppakius (son nom, cependant, n'a pas été mentionné) pour que tout soit réglé très largement : elle ne cesserait pas de ressentir pour lui une parfaite reconnaissance — il n'avait pas à s'en inquiéter. D'un autre côté, il devait au moins apprécier sa sincérité à elle. Cela lui aurait-il plu qu'elle lui raconte des mensonges, sans croire au fond d'elle-même aux paroles qu'elle lui dirait? Est-ce qu'il aurait aimé ça? Elle se conduisait avec lui comme elle se sentait; elle se comportait comme ça. Pouvait-on la blâmer si ce n'était pas dans sa nature de feindre? Elle aurait bien voulu faire semblant, uniquement pour lui plaire. Mais comment pouvait-elle faire cela? Ce n'était pas dans son caractère. Et elle doutait que quelque chose de semblable eût pu lui plaire, car il était lui aussi un homme de principes; elle ne le connaissait pas de la dernière pluie… Elle avait tâché tant de fois jusqu'à ce jour d'être aussi obligeante qu'elle le pouvait pour ne pas le décevoir. Mais lui, au lieu de lui savoir gré de son attitude, était allé aux extrêmes… Ah, pas comme ça tout de même — car elle avait, elle aussi, une âme. Lui seul pouvait savoir combien elle était sensible en tout, à plus forte raison dans de telles circonstances… À tout bout de champ, elle accompagnait ses paroles de la phrase: « N'oublie pas que c'est à Solange que tu as affaire. »

Avec impatience, l'avocat attendait qu'elle ait fini, pour que vienne son tour. Deux ou trois fois, il a tenté de l'interrompre, mais sans résultat, et il s'arrêtait, intimidé. Faisant attention à ce qu'il disait, de peur qu'il ne la froisse irrémédiablement — en dépit de la haine qu'il sentait envers elle —, il lui a dit, embarrassé, en lui tenant presque de force les deux mains, qu'il y a sincérité et sincérité: il l'aurait préférée un peu moins franche, sur ce brûlant sujet. En fin de compte, si elle l'examinait bien, même la franchise la plus pure était au service d'un objectif quelconque, à son avis. À y regarder d'un peu plus près, elle verrait d'elle-même qu'il avait raison de parler comme il l'a fait. Dans une telle conjoncture, puisque la véritable sincérité servait un but, pourquoi alors ne servirait-elle pas un certain but de même qu'une sorte d'absence de sincérité à des moments cruciaux tels que celui-ci ? Ou du moins, qu'elle ait été franche autant que ça lui plaisait — puisqu'elle insistait tant là-dessus —, mais pas de cette manière, pas de façon aussi brutale, aussi cruelle. Car il avait, lui aussi, des sentiments. Elle seule savait combien il avait un faible pour elle, pour qu'il n'y ait pas de raison de le souligner. Lui aussi pouvait énumérer maintes sincérités comme la sienne — comme pour d'autres aspects de leurs relations —, autant qu'elle voulait. Oui, il savait qu'elle ne s'intéressait plus à de telles considérations. Comment en était-elle arrivée là ? Avait-elle oublié les serments qu'ils avaient échangés, de s'aimer éternellement, éternellement jusqu'au tombeau ? Se rappelait-elle, par hasard, qu'à une certaine époque, et pendant des années, au cours desquelles ils avaient peur de leur propre ombre quand ils s'unissaient, elle l'accusait par anticipation — sans que ses protestations aient le moindre fondement — de ce qu'il trahirait un jour leur amour ? S'en souvenait-elle ? Se rappelait-elle qu'il répétait qu'il craignait de voir le contraire se produire ? Voilà donc que, malheureusement, c'est précisément cela qui est arrivé. Qu'elle a choisi le moment de se comporter ainsi envers lui maintenant qu'ils étaient libres de faire ce qu'ils voudraient. Se rappelait-elle, par hasard — ou bien l'avait-elle si vite oublié ? —, qu'elle lui disait continuellement combien ils vivraient heureux quand, enfin, elle pourrait se défaire de son joug ? Maintenant que le monde entier était à eux, elle avait jugé bon de détruire d'un coup de pied tous leurs rêves. Quant à la façon de parler d'elle qui lui avait échappé si bêtement — cela, il l'avouait —, ne pouvait-elle comprendre, en femme d'expérience qu'elle était, que cela lui avait échappé, mû par l'angoisse de la convaincre ? Il demandait humblement pardon pour la bêtise qu'il avait prononcée. En aucune manière il n'avait pensé accepter — et encore moins demander — de l'argent. De qui? De sa chère Solange, seule et unique au monde? En vérité, pouvait-elle jamais le croire, qu'un homme de sa qualité puisse aborder sérieusement un tel sujet? En tout cas, il devait avouer à son tour que ce qu'elle lui soulignait d'une façon si prosaïque lui avait fait la pire des impressions — qu'elle le paierait. Il ne voulait pas l'offenser — car il savait quelle noblesse d'âme était la sienne —, mais cela finissait manifestement par être une mesquinerie qu'il ne s'attendait jamais à entendre de sa bouche. Pourtant, il l'a entendue. Elle n'avait qu'à demander, si elle voulait, à une amie en qui elle avait confiance — elle n'avait qu'à lui demander de manière tout à fait indirecte, et sans nommer personne par rapport à tout cela —, et elle verrait combien injuste elle était en se comportant envers lui aussi durement. Il n'avait pas la prétention qu'elle lui rapporte tout ce que son amie lui aurait dit, elle pouvait bien le garder pour elle-même; il était à ce point convaincu qu'elle prendrait son parti à lui, quelle qu'elle soit. Cela, il ne le disait pas par obstination pour gagner à tout prix, ou bien pour lui faire comprendre qu'il était comme cela et non autrement (loin de là), mais tout simplement afin de lui montrer, comme si elle ne le savait pas, que nous sommes tous des êtres humains et que, par conséquent, il arrive que nous fassions des erreurs — pour lesquelles nous pourrions un jour verser des larmes amères si nous ne parvenons pas à les corriger, et surtout à temps. (Considérant, sur ce dernier point, son attitude à elle.) Il était tout disposé à lui pardonner son attitude — et il la priait de bien vouloir en faire autant pour la sienne : oubliait-elle leurs querelles d'autrefois? Quoi qu'il en soit, il voulait souligner une chose : si, quand ont commencé ses derniers tourments, qu'on connaît, elle a jamais pu penser qu'un avocat de sa trempe (il se devait de le dire sans ambages) irait jusqu'à se comporter avec des visées inavouables et non par humanisme, ainsi que par une vénération pathologique qu'il lui vouait, POURQUOI ne lui en a-t-elle pas parlé immédiatement, ou même quand ils se sont extirpés de cette maudite affaire, au lieu de garder cela pour le lui servir seulement maintenant, au moment le moins propice qui soit ? Qu'est-ce qui lui est arrivé pour qu'elle devienne si dure ? Alors, comme ça, il devait, à son tour, croire qu'en tolérant son attitude elle se jouait de lui de manière égoïste ? Aimerait-elle qu'une telle idée lui traverse l'esprit ? Rien de tout cela, car une telle idée ne lui a jamais effleuré l'esprit — tout simplement il le lui disait pour lui prouver que nous faisons tous des erreurs. D'une chose il était sûr : s'il avait exprimé toutes ses stupidités au sujet de l'ingratitude d'une autre façon, à un autre moment, elle ne se serait pas emportée de la sorte. Voilà pourquoi ils devaient oublier ce petit chapitre triste de leur vie — pour leur bien à tous les deux. Car un fait était certain : ils avaient besoin l'un de l'autre — cela, elle devait bien se le mettre dans la tête. Y avait-il place entre eux pour de telles questions ridicules ? Ne voyait-elle pas comment il était épris d'elle ? Comment diable ne pouvait-elle pas comprendre cela ? Était-ce le moment de jouer à cache-cache ? C'en est fait ! Elle est irrémédiablement révolue l'époque où l'un pouvait jouer la comédie pour mettre l'autre à l'épreuve… En tout état de cause, l'idée la plus juste qu'il eût entendue de sa bouche, elle venait de la proférer un peu plus tôt : leurs relations, pour des raisons tout à fait personnelles, se trouvaient dans une période de transition ; plus tard, elle redeviendrait de nouveau l'inoubliable, l'immortelle Solange d'antan. Ça, oui, alors. Pas de discussion là-dessus : il était disposé à l'attendre autant qu'elle voulait. Non pas qu'il désirât la faire changer d'avis en disant ce qu'il disait — en fin de compte, tout se trouvait entre ses mains, et elle pouvait faire exactement ce qu'elle voulait, et, en ce qui le concernait, il y avait bien d'autres solutions, sans que cela constitue une menace de sa part — tout simplement, ainsi était la situation : elle le voyait d'elle-même… L'un avait besoin de l'autre. Voilà l'essentiel. Mais il ne faut pas oublier un autre point, le plus fondamental : que pour une femme qui n'est plus dans la fleur de l'âge (peu importe qu'il ait donné même son âme au diable pour elle), il est beaucoup plus difficile, si ce n'est impossible, que pour un homme de trouver le moyen de s'en sortir dans de telles situations… Etc.

* * *

Il se faisait tard. Au lieu de me satisfaire, insatiable comme j'étais, de ce que j'avais vu et entendu, au lieu de disparaître de cet endroit dangereux aussitôt après avoir compris dans quelle direction la chose avait l'air d'aller — c'était évident qu'ils allaient se séparer, les deux fâchés —, j'ai commis l'erreur impardonnable d'y rester pendant quelque temps encore. La tentation de voir ce qui allait arriver m'aiguillonnait. Mais qu'est-ce que j'attendais — me dis-je maintenant — du moment que j'avais compris que la boucle était bouclée ? Ce que j'escomptais le cœur battant voir arriver entre eux avait été écarté de façon définitive. J'ai dû avoir été tellement absorbé par tout ce qui se passait que j'avais perdu la notion du temps. Quelle fut la durée de cette scène ? Pas la moindre idée. J'avais aussi oublié une autre chose : la boutique d'antiquités qui m'attendait, non verrouillée. Qu'est-ce qui se serait passé si quelqu'un y était entré, je l'ignore. Et pour ce qui est du fait que je me retrouvais dans la chambre de Stoppakius lui-même, c'est justement ça que j'avais complètement oublié; pendant un certain temps, je ne savais même plus où je me trouvais. Les seules choses qui m'importaient pendant que j'étais à l'intérieur, c'était le bois de noyer de la porte, autour de l'endroit qui m'intéressait, jusqu'au dernier nœud et à la dernière petite fissure, le trou de la serrure, la poignée de porte en ivoire, ainsi que la plaquette, en ivoire elle aussi, pour protéger la porte contre les empreintes de doigts. Si, d'autre part, j'avais bien enregistré l'image du canapé attenant, recouvert d'une étoffe blanche garnie de dentelles, c'était que, étant donné que je perdais Solange de vue, j'avais décidé, alors que la scène tirait à sa fin, de n'utiliser que mon oreille — car j'étais désormais plus intéressé par ce qu'ils se disaient. Ainsi, j'avais les yeux libres, puisque je voyais avec mes yeux intérieurs (je voyais « d'autres choses »), tout en ne voyant presque rien avec mes yeux réels, comme s'ils avaient été fermés, ou bien, si je voyais quelque chose, j'étais incapable de le reconnaître, comme s'il n'avait pas existé.

À un moment donné, comme j'étais penché en train d'écouter en cachette, mon imagination parcourant frénétiquement les situations que l'avocat exhumait par ses allusions à leur passé, j'ai vu la porte s'ouvrir brusquement, et voilà que Stoppakius a fait irruption dans la pièce, et, derrière lui, Xentadine. « Qu'est-ce que tu fais là, imbécile ? » m'a dit Stoppakius, rouge de colère, les dents serrées, mais de toute évidence embarrassé par la présence de Xentadine. Je peux dire avec certitude que si ce dernier n'avait pas été là, j'aurais été perdu. Il m'aurait battu sans merci, puis il m'aurait chassé sur-le-champ — quoique je doute qu'il aurait été dans son intérêt de me chasser, à en juger par l'attitude que, se comportant de manière impeccable, il a adoptée à mon égard à la suite de cette scène. Vous allez voir bientôt pourquoi. Avant que je n'aie pu formuler quelque justification que ce soit

— que le diable m'emporte si je savais que dire au juste —, il m'a laissé en plan (à mon immense soulagement), et est ressorti immédiatement, toujours accompagné de Xentadine, manifestement en direction de la chambre de sa mère. Il m'a dit de ne pas oser bouger de ma place et a bruyamment fermé la porte derrière lui. De même, je me rappelle ceci : peu avant de quitter la pièce, Xentadine, que Stoppakius, par politesse, avait laissé sortir le premier, a jeté vers moi un coup d'œil scrutateur plein de mépris, comme si tout à coup je ne lui plaisais pas (alors que je m'étais beaucoup amélioré en matière d'habillement, de comportement, etc.), et, tout de suite après, un autre vers Stoppakius, comme s'il avait voulu lui dire : « Qu'est-ce que ce freluquet fait ici ? » Mais j'ai été aussitôt soulagé de lire dans ses yeux la suite des pensées qui lui sont passées par l'esprit avec la même vitesse qu'elles sont passées par le mien. Il m'a tourné le dos comme s'il s'était dit : « Pourquoi aller m'immiscer dans les affaires de ce malade-là ? Il est temps qu'il se mette à me soupçonner de nouveau pour des raisons obscures que lui seul connaît… » Ce incident apparemment anodin m'a persuadé que Xentadine était tout à fait innocent dans ses rapports avec Stoppakius. Ce coup d'œil, à lui seul, m'a convaincu sans l'ombre d'un doute qu'on le suspectait injustement. J'ai une mémoire d'éléphant à propos de détails pareils. Si son œil avait brillé un tant soit peu différemment en ce moment critique lors duquel j'avais communiqué directement avec lui, j'aurais senti immédiatement que oui, il était alors coupable envers lui, et il s'était gardé de s'exposer en lui fournissant une preuve supplémentaire. Or, il s'agit ici de quelqu'un qui, en fait, soupçonne avec une certaine lassitude qu'on le soupçonne systématiquement et injustement : mais il reste en retrait non pas par peur de se trahir — car il n'a rien à cacher —, mais par ennui.

* * *

Ici, mon œil, à l'instar de ces yeux publicitaires qui pendent à l'extérieur des pharmacies, voit tout d'un endroit haut perché — le toit de la demeure tout entière est absent. Je surveille les mouvements de tous, les miens y compris, dans les diverses pièces.

Je me vois, là où je suis resté, dans la chambre de Stoppakius. Je suis assis sur le coin du canapé, près du trou de la serrure, feignant l'indifférence (de crainte que Stoppakius n'entre soudainement de nouveau), alors que tout mon intérêt est centré sur la chambre adjacente. J'y vois l'avocat et Solange, pétrifiés, se regardant sans parler. Savent-ils ce qui risque de leur arriver d'un instant à l'autre ? Ils ont entendu le bruit, la voix de Stoppakius, la porte se fermer avec fracas. Ils ont certainement entendu ce que Xentadine a proféré. Ils s'attendent à ce qu'ils entrent, d'une minute à l'autre, et alors, advienne que pourra…

Solange songe avec nostalgie à sa chambre de l'étage supérieur — là où Sterilda s'est installée sur ses ordres — qui dispose d'une porte arrière par laquelle l'avocat aurait très bien pu s'esquiver. Elle est chagrinée par cette image dans sa tête, et furieuse contre Sterilda, comme si elle était la cause du changement de chambres. Elle est absorbée par l'idée que n'eût été l'avocat et son insistance, elle ne se trouverait pas dans cette situation délicate. Cela, l'avocat le voit sur son visage et se replie.

En ce qui me concerne, je suis tourmenté par l'idée que, désormais, je serai très embarrassé de la voir en face de moi. Sauf s'il se produit quelque miracle, et que dans la confusion on ne parle pas de moi, chose assez probable. Je me sens, toutefois, coupable ; si je n'avais pas été ici, victime de ma satanée curiosité, la scène que je redoute — avec la même curiosité — n'aurait pas eu lieu. Il est vrai que je suis le seul à savoir avec certitude que rien ne s'est passé entre les deux amants. Pas question, cependant, de me présenter sans y être invité, en tant que témoin oculaire, pour fournir des explications. Je ne le ferais que s'ils m'en faisaient la demande ; mais il n'en est pas question. C'est pour cela que je suis plongé dans l'anxiété. Ni Solange ni l'avocat ne peuvent dire que rien ne s'est passé entre eux. S'ils osaient insister, les deux autres, à juste titre, pourraient leur dire (du moins tacitement, ce qui est encore pire) que personne ne leur a demandé quoi que ce soit — qui leur a dit qu'ils avaient jamais cru une telle chose ?

Mais que font Stoppakius et Xentadine là-bas, une fois sortis ? Les voilà donc tous les deux devant l'une des fenêtres du couloir. Leurs visages se voient clairement sous la lumière du plafonnier à gaz qui, en ce moment précis, semble être placé là pour les photographier et les épier. Ils sont hésitants et silencieux, chacun pour une raison différente. En tout cas, Xentadine, de toute évidence, se trouve dans une position avantageuse : s'il paraît perplexe, c'est parce qu'il reflète la perplexité de l'autre. Ils font semblant de regarder par la fenêtre avec un grand intérêt — alors qu'ils ne peuvent rien voir par la fenêtre, tellement il fait noir.

Qu'est-ce qui leur passe par la tête ? Xentadine, à voir l'attitude prise par Stoppakius quand il m'a aperçu en train d'espionner la chambre de sa mère, a deviné que quelque chose de coupable se déroulait dans la chambre de Solange. Stoppakius ne veut en aucune manière que cela se sache — c'est ce qu'il indique par son comportement à l'heure actuelle. Xentadine se réjouit d'avoir mis notre héros dans un si joli pétrin — non pas par malice, mais par une tendance innée à s'amuser, à dissiper son ennui à la vue de l'angoisse de l'autre, qui n'aurait que ce qu'il mérite, étant comme il est. Xentadine, certes, fait tout pour ne pas montrer ce qui lui passe par la tête. Il feint d'être accaparé par des questions d'ordre purement personnel. Il n'a pas idée de ce qui arrive autour de lui, en apparence. Mais en même temps il laisse une petite fenêtre ouverte, pour maintenir Stoppakius en état d'alerte, ce qui lui plaît au fond. À un moment donné, abandonnant sa rêverie, il se tourne vers Stoppakius et lui dit : « Quel temps de chien. Nous en avons eu assez dernièrement. Vous voulez peut-être que je parte ? Je vous vois fatigué — avec raison. » En disant cela, il cherche à montrer qu'il s'ennuie, mais que la politesse la plus élémentaire l'empêche de le lui dire. Alors que tout cela n'est qu'un numéro d'acteurs — puisqu'il savoure chaque instant un à un.

Stoppakius, qui a, lui aussi, flairé depuis un bon moment que quelque chose était en train de se produire dans la chambre de sa mère — et que Xentadine l'a flairé (tout comme il a flairé que l'autre l'avait flairé), lui dit dans la confusion, comme si les mots sortaient de la bouche de quelqu'un d'autre : « Non, non, pas du tout. Fatigué, moi ? Qu'est-ce que vous dites là ? Tout au contraire... » pendant qu'au fin fond de son âme il ressent la tentation de s'éclipser de la manière la plus élégante. Sauf qu'il ne trouve pas, dans l'embarras qui est le sien, une telle manière élégante — surtout depuis que l'autre s'est proposé de partir. C'est pour cela, d'ailleurs, qu'il s'est proposé de partir : pour l'obliger à dire, par simple politesse, de ne pas s'en aller. S'il (Xentadine) ne parvenait pas à prendre l'initiative, alors Stoppakius aurait trouvé une justification pour le renvoyer. Mais maintenant...

Encore ceci : pourquoi Xentadine se comportait-il envers lui d'une façon si obligeante — pourquoi lui parlait-il sur ce ton, alors qu'il le voyait fatigué, et avec raison, etc. —, là, maintenant ? Tiens ! Cela ne se peut pas, il l'avait flairé à coup sûr, et à présent il se moque de lui férocement. Il ne lui reste plus qu'à le retenir dans le couloir, et advienne que pourra. Mais il doit agir rapidement — car plus il tarde, plus il mine sa position au cas où il serait obligé par les circonstances de le faire entrer enfin et d'y trouver sa mère seule avec l'avocat. Son seul espoir est enfoui dans un coin obscur de son cerveau — que rien ne se passe dans la chambre de sa mère. Mais il craint beaucoup, étant donné sa grande expérience (qui remonte jusqu'à son enfance), que ce ne soit pas le cas.

Entre-temps, Xentadine hésite exprès — systématiquement, il lit dans ses pensées. Stoppakius le diagnostique et devient hors de lui (en son for intérieur). Mais se peut-il que Xentadine soit mieux placé? (Il le pense, et jubile provisoirement.) Il ne faut pas oublier la présence de Gédéon — pendant tant d'années. Oui, mais à cette différence près qu'un tel fiasco, comme celui-ci — preuves à l'appui en plus —, n'est jamais à vrai dire arrivé à Xentadine. Ah, quelle bêtise était-ce de ne pas avoir tenté de se débarrasser de lui dès le départ, lorsqu'il a fermé la porte avec fracas derrière lui. Excédé, soi-disant, par la colère, il aurait pu le prendre par l'épaule et l'entraîner vers la Grande Porte — ou bien vers son bureau —, non pas vers son bureau, mais vers la boutique d'antiquités…

Quelle horreur, que cela lui ait échappé. Si jamais un autre acte déplacé lui arrivait inopinément par rapport à l'Affaire (ses fréquentations avec l'ennemi), s'ils parvenaient à le coincer d'une manière ou d'une autre, comment pourrait-il s'en sortir? Allait-il s'en extirper comme un amateur? Mais je me rappelle comment il s'est tiré d'affaire dans le cas de Béatrice, quand le juge d'instruction lui a présenté ses excuses, et il s'est calmé. Il sait, il sait — il sait comment manœuvrer dans des situations critiques. Celle-ci ne l'est pas. Et, après tout, sa vie n'est pas en danger, mais pas du tout, mon cher monsieur. Comment peut-il se noyer dans un verre d'eau ? (Lui revenaient à l'esprit les instants cauchemardesques qu'il a vécus lors de l'affrontement avec le juge d'instruction, qui, comme on l'a vu, n'était pas aussi terrible qu'il lui est apparu d'abord, quand ces effroyables policiers l'ont fait entrer dans son bureau. Aussi, comme il l'a constaté, son attitude pendant la durée de l'interrogatoire n'était point hypocrite — ainsi que tout naturellement il l'avait soupçonné tant qu'il restait avec lui. Le juge ne tentait pas de l'attirer prétendument de son bord pour ensuite le tailler en morceaux pendant les aveux. Non, sa position était sincère. La preuve en est que depuis cette date, et jusqu'à aujourd'hui, ils ne l'ont pas inquiété de nouveau.)

En faisant pareilles observations, son visage s'est transformé ; il se considère comme chanceux d'être un peu coincé dans une telle plaisanterie et non dans une histoire majeure. Mais que Xentadine le comprenne, cela ne lui plaît pas du tout. C'est pour cela qu'il imitait l'expression qu'il avait affichée auparavant. Il s'est alors mis à m'invectiver : ils m'ont recueilli, chaussé, nourri — à une époque où d'autres jeunes crevaient de faim, etc. — afin que Xentadine croie que je suis la cause de son attitude de tout à l'heure.

Mais il est évident que Xentadine, dont le cerveau continue de fonctionner, ne peut gober cela — ses soupçons deviennent de plus en plus apparents. Il s'agit de quelqu'un de satanique. À juste titre, Stoppakius le soupçonnait systématiquement depuis le voyage en Bohême ; et comme de raison, il l'évite comme la peste. Tenons-nous loin de tels types qui se cachent derrière eux-mêmes. Dans la lettre qu'il a fait publier alors dans *La Prospérité,* IL FAISAIT SEMBLANT de le couvrir. En réalité, il voulait le faire chanter. Et comme il ne se bornait pas à l'espionner sans vergogne, il avait le toupet de se moquer de lui publiquement…

Advienne que pourra. Il est furieux qu'on l'oblige de nouveau à être furieux. Pour mettre fin à cette incertitude, il le prend par le coude — à tel point que Xentadine s'en étonne — et l'amène à la porte. Sans frapper, il l'ouvre.

En entrant dans la chambre, qu'est-ce qu'ils constatent? Je vois, comme ils voient eux-mêmes, l'avocat bien coiffé, habillé, posé, impeccable, et tout à fait imperturbable. Il est assis dans son fauteuil, à une certaine distance de Solange, qui — pour quelle raison, de toute manière, s'énerver? —, à cause de l'attitude qu'elle a adoptée à l'égard de l'avocat pendant tout ce temps — non seulement ce soir, mais depuis que le vieillard se mourait —, reste la conscience tranquille; elle n'a rien à craindre. Sans considération pour le poids du passé. Mais le passé, c'est passé. La position des deux, dans leur fauteuil respectif, peut très aisément être perçue comme innocente. Après tout, il s'agit de l'avocat de la famille, qui s'occupe toujours de leurs affaires. Et dans ce cas, les choses peuvent s'arranger.

Je surveille alors Stoppakius, de façon systématique, par le trou de la serrure. Je l'ai sous mon contrôle absolu. Ses mouvements maladroits, mais au fond spasmodiques, montrent clairement qu'il comprend qu'il a affaire à deux paires d'yeux à présent. Mes soupçons étaient bien fondés. Il connaît depuis son enfance les rapports que sa mère entretenait avec l'avocat — il a grandi en étant au courant de cette relation, qu'il tolérait pour exiger de sa mère les concessions et les services que nous savons.

Or, voilà qu'il va prétendre que ce n'est qu'en ce moment qu'il a pressenti que quelque chose se passe entre eux (il fait tout ce qu'il peut pour qu'on voie qu'il n'y a pas de preuves à ce sujet). Il ne l'a flairé — semble-t-il soutenir — qu'en ce moment, et cela le rend amer. Mais, par son attitude, il fait ressortir non seulement qu'il n'y a pas de preuves incriminantes contre le couple, mais aussi que, si jamais il avait subodoré quelque chose entre eux, il les aurait égorgés sur place comme des agneaux. Tout indique, cependant, que rien de tel n'arrive.

Inutile de dire qu'il fait l'impossible pour créer l'impression qu'il ne se donne aucun mal pour prouver tacitement tout ce qu'il fait pour prouver l'impossible.

Entre-temps, Xentadine, constatant que tout cela est fait pour lui, agit comme il peut pour que les trois se rendent bien compte qu'il a compris leur petit jeu, mais par humanité, et pour les tirer d'embarras, il a tourné son attention vers la décoration de la chambre. Il admire cette décoration, jette un coup d'œil rapide aux tableaux, aux fleurs dans leur vase, à tout le reste (même s'il en possède de semblables et d'encore meilleurs chez lui) — tout en ayant l'oreille dressée vers eux, ce qu'il leur souligne par son attitude.

Stoppakius se dit : « Devrais-je faire un esclandre, en feignant d'être offensé de découvrir ma mère dans sa chambre à coucher avec l'avocat, ou ne devrais-je pas ? La mise en scène va-t-elle être crédible ? Peut-être que la mienne va marcher. Mais peut-être vont-ils tout gâcher, par leurs piètres réactions. » Son cerveau travaille à la vitesse de l'éclair, et voilà que soudain il trouve la solution. Il prétend qu'avant de partir il avait laissé l'avocat à la maison avec Solange, pour régler les questions brûlantes qui les préoccupaient encore. Simulant d'avoir complètement oublié la présence de Xentadine (dont tous les sens sont aux aguets), il se tourne vers l'avocat et lui dit, sur un ton presque de justification : « Je ne sais pas comment trouver les mots pour m'excuser. Je vous ai dit que je serais de retour dans une heure, et j'ai failli ne pas revenir du tout. Je vous jure que ce n'est pas ma faute. Comme je vous l'ai expliqué avant de partir, je devais régler un tas de sales affaires de nature courante laissées en plan depuis des semaines ; vous savez de quoi il s'agit, vous, en tant qu'avocat. Vous croyez que j'ai vraiment voulu sortir, par un temps pareil ? Mais il fallait absolument que j'en finisse — car à force de toujours remettre à plus tard, je me suis dégoûté de moi-même ces derniers jours. Mais ça ira. Au retour, j'ai eu la chance de rencontrer monsieur Xentadine dans la rue. De fil en aiguille — nous sommes entrés dans un café —, le temps a passé sans que l'on s'en rende compte. Toujours, quand nous sommes ensemble, nous oublions l'heure… Nous avons, vous voyez, des choses à discuter. Soit. Encore une fois, veuillez m'en excuser. » Il prononça ces derniers mots avec une certaine prestance dans son expression et dans sa voix, comme s'il avait voulu lui dire qu'après tout nous te payons, c'est pour du boulot que nous t'avons convoqué.

L'avocat (dont les mots sont bien comptés) lui donne la réplique sur un ton similaire. Tout en faisant semblant d'esquisser une légère moue, il le prie d'une façon un tant soit peu condescendante (pour confirmer l'impression que Stoppakius a voulu créer) d'oublier cela — en ajoutant que, d'ailleurs, entre-temps il a eu une occasion inappréciable de discuter avec sa charmante mère. En mentionnant Solange en de pareils termes, il fait tout ce qu'il peut pour montrer par son style (et par les simagrées idoines) qu'en aucune manière il ne la considère comme attrayante, ni capable de capter son intérêt en tant que femme, et ce n'est que par pure délicatesse — et rien de plus — qu'il avait prononcé ces mots.

En général, nous pouvons affirmer que les choses se sont replacées. Mais jusqu'à quel point Xentadine y a cru un peu, je ne peux pas le savoir. Il n'est pas exclu qu'il ait cru à tout. Toujours est-il que ce même soir-là, prenant prétexte de la pluie qui continuait à tomber, les quatre sont restés à souper à la maison, sur une proposition de Stoppakius aussitôt approuvée par sa mère. J'ai fait le service à la table, serviette blanche sur le bras, et je peux dire que j'ai tout vu. C'est-à-dire rien — car, en effet, il ne s'est rien passé. Personne ne se sentait à l'aise en présence de l'autre, mais il la supportait par nécessité. Tout en échangeant des coups d'œil en coin, des sourires ambigus et contrefaits, ils avaient au fond hâte de voir venir l'heure de se séparer. Tout le reste ne visait qu'à sauver les apparences.

Ce qui m'a étonné, c'est que Stoppakius n'a pas semblé soupçonner que le fautif dans toute cette histoire, c'était moi — et pourtant cette idée m'a obsédé tout le temps que je suis resté auprès d'eux. À moins qu'il n'ait été à ce point préoccupé par Xentadine, dans son effort pour lui faire accroire ce qui faisait son affaire — et rendu à ce point furieux par l'attitude de sa mère et de l'avocat —, qu'il m'avait complètement oublié.

Quoi qu'il en soit, j'ai ceci à ajouter pour ce soir : après le repas, quand les visiteurs sont repartis par la Grande Porte, tous les deux glacés de stupeur, il m'a pris à part pour me dire, d'un ton différent, de monter à ma chambre et de l'attendre, de ne pas m'endormir, parce qu'il voulait me parler, puis il s'est esquivé dans le couloir avec sa mère en direction de sa chambre à elle. Là, à en juger par l'expression qu'ils avaient quand ils se sont éloignés de moi, ils ont eu une discussion très tendue, mais à voix extrêmement basse, d'après ce dont j'ai pu m'apercevoir, qui a duré des heures entières. D'un autre côté, je n'ai pas pu déterminer qui s'en est pris à l'autre par rapport à la tournure des événements, ni s'ils ont fait mention de mon nom.

Vers minuit, pendant que je somnolais dans le fauteuil de ma chambre, j'ai entendu, dans le hall, l'écho de la voix de Stoppakius, qui m'appelait. Je suis descendu immédiatement, et je l'ai vu, dans la lumière blafarde de la seule lampe qui était restée allumée, ébranlé, en proie à mille et un soucis qui n'avaient manifestement aucun rapport avec moi, ni avec Xentadine, ni avec l'avocat. Je m'attendais à ce qu'il me retienne pendant une bonne heure pour m'injurier et me menacer; il ne m'a presque pas dit mot. Il m'a tout simplement signalé qu'il n'avait plus besoin de moi cette nuit-là, et que je pouvais aller me coucher. Avant de retourner à sa chambre, il m'a jeté un dernier coup d'œil, ce qui m'a convaincu qu'il m'avait moi aussi à l'esprit, mais que les autres problèmes qui l'assiégeaient laissaient dans l'ombre ma propre présence.

En montant à ma chambre, j'ai eu la forte impression qu'il était allé à son bureau pour y rester encore des heures entières.

[18]

À mon grand soulagement, peu après cet événement, Stoppakius est parti un matin en voyage, avec beaucoup de valises. Il a été absent des semaines entières. Je sais qu'il a réalisé la première tranche de son voyage, jusqu'à la gare ferroviaire, avec la calèche de mon père. Mais je ne possède — ni par le récit d'un tiers, ni par mes propres souvenirs, ni par des documents — de preuves tangibles indiquant où il est finalement allé, ni pour quelle raison il a fait ce voyage. Devant moi ou devant Sterilda, il a systématiquement évité de parler de ses plans jusqu'au moment du départ — lui qui, quand il s'agissait de questions futiles, se perdait en explications à n'en plus finir, comme s'il avait été entouré de crétins.

Quoi qu'il en soit, c'était clair, si j'en juge par les fiévreux préparatifs auxquels j'avais l'impression qu'il se livrait en cachette avec Solange, et surtout pendant les derniers jours, qu'il s'agissait non simplement d'un voyage, mais d'une quelconque mission importante (pas de nature commerciale) qui recelait beaucoup de mystère. D'un autre côté, les derniers soirs, après le repas — qu'il avalait à la hâte, la tête ailleurs, sans parler —, il se levait, embrassait sa mère au front à sa place à table, puis il partait, énervé, en direction de son bureau, où il s'enfermait, la porte verrouillée, jusqu'au petit matin. En demeurant silencieuse, Solange montrait qu'elle connaissait la raison pour laquelle il l'avait abandonnée la bouche pleine, qu'elle était généralement au courant de ce qu'il faisait derrière la porte verrouillée, et qu'elle lui donnait son entière approbation. Il y est resté enfermé pendant presque toute la journée. Quand il m'appelait pour une course, je le trouvais toujours perdu parmi des masses de papiers énigmatiques — sans lien avec la boutique d'antiquités — qu'il classait fébrilement. C'était comme s'il se pressait à mort, comme s'il voyait qu'il n'avait plus de temps avant de les remettre quelque part, à quelques types obscurs, selon un échéancier très serré qui ne souffrait pas de report. D'un geste il m'avait interdit de m'approcher de son pupitre — pour que je n'y remarque rien. À une ou deux occasions, je suis entré inopinément dans son bureau pour lui apporter un message de sa mère, je l'ai surpris au moment où, divers documents et une pile de photos bizarres (qui montraient des paysages nus et arides) plein les bras, il se préparait à les mettre sous clef tel un avare dans le coffre-fort qu'il avait rescapé des entreprises de son père, lequel se trouvait en lieu sûr derrière la chaise de son pupitre. Pour ce qui est du commerce de la boutique d'antiquités, il s'en fichait royalement — tout comme autrefois d'ailleurs — et il avait mis un terme à toutes ses relations sociales ainsi qu'à ses sorties en soirée.

Une autre chose qui avait piqué ma curiosité à cette époque, c'était le va-et-vient de certains types suspects — la plupart paraissaient bien établis et tirés à quatre épingles — qui s'étaient mis à entrer et à sortir par la porte de la boutique d'antiquités et ensuite aboutissaient au bureau de Stoppakius, sous prétexte de vouloir acheter ou vendre tel ou tel objet d'art ou tableau ; mais leur air de bête traquée qu'ils cherchaient vainement à dissimuler trahissait de sombres desseins. Ce qui m'impressionnait, c'était qu'ils auraient très bien pu passer inaperçus en entrant par la Grande Porte — laquelle à cette époque-là était presque inutilisée — ou bien par une autre porte non utilisée ; ils avaient préféré tout faire ouvertement, à la suite des instructions qu'à coup sûr Stoppakius leur avait données. À bien y penser, je me suis rappelé que j'avais déjà vu ces types-là auparavant, à l'époque des funérailles du vieillard, mais maintenant leurs visites étaient devenues beaucoup plus fréquentes. Je n'ai pas besoin de vous souligner que je réagissais à tous leurs mouvements — qui se faisaient sous les yeux de Solange, qui était, de toute évidence, de mèche elle aussi — les yeux fermés, comme on dit : au début, par pure naïveté, plus tard, par calcul. J'en suis arrivé au point de ne plus parler même à Sterilda, avec laquelle j'échangeais de temps à autre tellement d'autres secrets de la maison. Elle ne m'a rien dit là-dessus non plus.

Autre indice que quelque chose se tramait systématiquement à mon insu ces jours-là, ç'a été un événement que je n'oublierai pas de sitôt.

C'était deux jours avant le départ. Un après-midi, à l'heure où Stoppakius savait que je me trouverais dans la boutique d'antiquités en train de m'occuper des clients, je l'ai entraperçu par une fenêtre en train de flâner, d'un air insouciant qui m'a scandalisé, dans un coin éloigné du jardin, à moitié caché par des fourrés qui lui arrivaient aux épaules. Cela m'a étonné. Depuis la mort d'Elfrida, mais plus anciennement encore, je ne l'avais vu dans le jardin que très rarement. D'ailleurs, j'estimais inconsidérée sa présence au sein de toute cette verdure, étant donné les circonstances qui l'obsédaient ces jours-là. Je me rappelle la scène comme si j'y étais en ce moment où j'écris. Quelle heure il était (presque cinq heures et demie), quelle saison exactement (l'été tirait à sa fin), quel temps il faisait (une chaleur humide, le ciel plein de nuages gris immobiles)…

À l'endroit où se trouvait un petit kiosque en bois, comme un ossuaire, ruiné par le temps, colonisé désormais par des oiseaux, j'ai vu pendant un instant un oiseau, que j'ai pris pour un pigeon, voleter gaiement autour de la tête de Stoppakius. Selon toute apparence, il venait de l'est, le trajet déjà inscrit à un point tel qu'il semblait s'agir d'un oiseau mécanique. C'était comme s'il tentait de communiquer avec lui par les singuliers mouvements vibratoires de ses ailes ; en même temps, Stoppakius me donnait une intense impression qu'il connaissait déjà cet oiseau. En effet, c'était le cas. Comme s'il exécutait le geste le plus naturel du monde, il a levé, puis remué les deux mains en parallèle, comme pour faire une prière, et il a attrapé l'oiseau avec une relative facilité.

À ce moment précis, il se retrouva le dos tourné, ce qui me coupait la vue. Je distinguais toutefois ses mouvements, et je peux dire avec conviction qu'après avoir maîtrisé l'oiseau il le serra tendrement contre sa poitrine, près du sternum — sans craindre du tout qu'il ne s'en aille — et, du bout des doigts, dégagea délicatement quelque chose de sa patte : un petit cylindre en bronze, qu'il glissa avec exaltation dans la poche de son veston, en jetant autour de lui un regard furtif comme pour s'assurer que personne ne l'avait suivi.

Dans la certitude que ce n'était pas le cas — et pourtant, ce l'était —, il posa l'oiseau sur une des corniches en ruine du petit kiosque. L'oiseau sembla obéir avec docilité à la directive d'attendre qu'il lui chuchota, car il allait revenir. Il prit alors le chemin de la maison, écartant les branches dans une angoisse de plus en plus grande, pressé de gagner son bureau au plus vite, avant de se faire voir — sans compter son impatience d'apprendre le contenu du message, et cette autre impatience de retourner au kiosque sans tarder pour envoyer son message à lui, avant que le pigeon ne s'envole.

Je me suis retiré, entre-temps, de la fenêtre. Après un petit tour à la boutique d'antiquités, pour ne pas me faire remarquer, je suis retourné dans le couloir pour le guetter, caché derrière une colonne. Peu après, je l'ai vu revenir au pas de course de son bureau — ayant bien assimilé le message, et sans douge rédigé une réponse — puis sortir par la Grande Porte dans le jardin. Ayant adopté les mêmes mesures de sécurité qu'auparavant, il arriva au kiosque où, d'une main sûre (et l'air satisfait), il replaça à la patte de l'oiseau le petit cylindre en bronze contenant son message, et il le laissa s'envoler. Pendant quelques minutes, il suivit son envol et, certain qu'il avait pris la bonne direction au-delà des toits des autres demeures, il se retira prestement de cet endroit dangereux. De retour à la Grande Porte, il parut soulagé.

Vraisemblablement, il leur avait écrit que tout était fin prêt, et il leur avait donné la date précise où il allait enfin partir en voyage. Ce même soir-là, à table, malgré sa grande distraction, son esprit tantôt au bureau, tantôt à des kilomètres et des kilomètres de là, il se conduisit avec obligeance envers tous — envers sa mère, tout comme envers Sterilda et envers moi, qui assurions le service —, et j'ose dire qu'il se comporta ainsi même envers les choses inanimées qui l'entouraient. Sa mère paraissait être au courant de tout ce qui s'était passé. À tout bout de champ, elle lui jetait un regard inquiet, façon de savoir comment il se débrouillait, mais de peur de le compromettre devant nous, elle l'abordait à la blague, lui souriait, mais avec une attitude composée et retenue. À quelques reprises, il lui donna du pied sous la table. Avant que je n'aie pu saisir ce qui s'était passé d'autre, il était reparti vers son bureau, avec empressement, comme les autres fois.

J'ai oublié de dire que, si je devais en juger par la familiarité qui marquait les mouvements autant de Stoppakius que de l'oiseau, cette interaction dans le jardin avait dû se dérouler par le passé; à coup sûr elle allait se répéter à l'avenir. Je le dis, sans même avoir de preuves. Ce fut la seule et unique fois que je vis cette scène.

Ce matin-là, celui précisément de son départ, il faisait un beau temps estival, le ciel était bleu sans le moindre nuage. La nature, dans la cour ainsi que dans le jardin, éclatait dans toute sa splendeur. De partout venait une belle odeur de terre humide qui se réchauffe doucement, mystérieusement, et de feuilles sur le point de se faner, prêtes à tomber et à s'unir avec la terre. Les oiseaux chanteurs de toutes espèces s'en donnaient à cœur joie. De la rue principale, de ce côté-ci de la maison, on n'entendait pas le moindre bruit. En général, l'atmosphère rappelait le matin d'un jour de fête comme nous le vivions dans notre jeunesse. Mais Stoppakius, habituellement très tatillon sur de tels sujets, ne ressentit aucun enthousiasme — il n'en avait pas fait la moindre remarque à sa mère, en sortant dans la cour; et je doute que son œil en ait pris la moindre photographie, même inconsciemment. Son esprit semblait se trouver déjà dans le train, dans la ville où il allait descendre, songeant aux ennuis auxquels il allait faire face non seulement là-bas, mais à son retour.

D'un autre côté, j'étais fort impressionné par le fait que, même si personne n'a prêté attention — pas même mon père lui-même — à l'endroit de sa destination, il fit l'impossible, pendant que sa mère le raccompagnait avec des baisers et des étreintes, pour laisser croire qu'il allait tout simplement à la villa. La conjoncture ne l'aidait pas trop à susciter l'impression qu'il désirait créer. Son attitude — et par ricochet celle de Solange et de mon père, sur le siège de la calèche comme autrefois —, ses valises, le départ brusque de la voiture, tout cela parlait de lui-même, et disait que la destination était ailleurs — loin, très loin de leur villa. Je suis resté convaincu que son absence n'avait pas de durée fixe : elle serait de quelques jours, peut-être, ou bien de mois entiers — chose que je souhaitais — selon la volonté des hommes sombres qui lui donnaient des ordres. Je lisais la même chose dans les yeux de Solange. Je dis tout cela sans parti pris, sans être influencé par la position ultérieure de Stoppakius à mon égard, laquelle fut inqualifiable, comme vous allez le voir.

* * *

Maintenant, j'arrive au point principal, que j'attendais avec impatience de vous raconter depuis quelque temps. Il n'y a pas de plume qui puisse décrire l'atmosphère qui a régné, dès le premier jour, partout dans la maison, et même dans l'enceinte, jusqu'aux recoins éloignés du jardin, pendant qu'il a été absent. Une brise fraîche et parfumée, comme du baume, qui paraissait souffler de la forêt la plus vierge de la Terre, circulait dans tous les couloirs de la maison, et dans les diverses chambres. Elle rentrait par les fenêtres, qui étaient restées symboliquement ouvertes depuis que ce type hypocondriaque était parti. Nous avons tous repris notre souffle, sur-le-champ. Nous étions des oiseaux libres.

Sterilda, peu importe ce qu'elle faisait dans la cuisine ou ailleurs dans la maison, était toujours en joie. Elle sautillait en marchant, heureuse, et chantait en faussant légèrement des chants marins de son pays natal (elle venait de la région de la mer du Nord, pas très loin de la villa). Quand j'allais dans la cuisine pour goûter à quelques mets, elle me couvrait de baisers aussi frais qu'innocents.

Il était évident que Solange, même si elle en imposait à son fils, et, quant à l'essentiel, se comportait envers lui de manière aussi autoritaire qu'envers le vieillard, attendait elle aussi son départ pour respirer, pour reprendre courage. Elle n'avait plus d'horaires stricts, ni pour son sommeil, ni pour ses autres activités ; elle prenait son petit-déjeuner confortablement au lit, où soit Sterilda, soit moi lui apportions le plateau. Et dans la boutique d'antiquités, elle se montrait toujours de bonne humeur et avec les meilleures dispositions à mon égard, à des heures inattendues. Que l'on me comprenne : jamais ses visites faites à l'improviste ne me déplaisaient — au contraire, elles me plaisaient toujours ; elles étaient d'ailleurs de courte durée, elle venait tout juste pour passer le temps. Après un coup d'œil — purement pour les apparences — aux objets d'art tout autour, elle me laissait seul, indifférente à la destinée de la boutique, pour aller soit dans sa chambre en vue de s'y offrir un petit somme, soit dans le jardin. C'est là que je l'ai vue maintes fois, surtout l'après-midi, se promener en rêvassant, parmi les fleurs saisonnières et les bosquets de la manière la plus romantique qui soit, s'arrêtant constamment afin de se délecter, laissant planer ses regards jusqu'à l'endroit où commençaient les jardins des autres propriétés, un spectacle sublime. Elle tournait la poignée de son parasol, qui virevoltait derrière son dos — indice qu'elle volait de joie haut dans les airs —, puis tout d'un coup, elle s'arrêtait, se penchait pour couper à la racine de belles grandes fleurs, comme des roses, dont j'oublie le nom, qu'elle rapportait triomphalement pour les disposer avec un goût exquis dans les divers vases de sa chambre à coucher, dont j'étais devenu un visiteur régulier.

Il est vrai que j'ai été contrarié par la reprise de ses relations avec l'avocat, aux prières duquel elle avait cédé, selon tous les indices, dès les tout premiers jours de sa liberté, et qu'elle rencontrait discrètement en soirée seulement, toujours dans sa chambre. Ensuite, elle ne laissait pas Sterilda lui ouvrir ; elle n'attendait même pas d'entendre le heurtoir résonner, mais à l'heure convenue elle guettait à la fenêtre son apparition dans la cour, puis courait à sa rencontre comme aurait fait toute autre femme normale. Je ne sais pas pourquoi, mais cette observation me donnait des ailes — un peu comme si elle contenait l'espoir qu'elle se comporterait ainsi envers moi un jour. L'avocat arrivait toujours à pied, pour ne pas attirer l'attention, sauf deux ou trois fois où il s'est présenté dans un cabriolet qu'il conduisait lui-même, mais avec précipitation, pour lui dire qu'il ne pouvait pas ce soir-là ou autre chose du genre, et ensuite repartir avec le même empressement. Quand je les voyais se rencontrer dans l'entrée, leurs mouvements épousaient le même profond sentiment, comme cela avait dû être au début : la même tendresse, la même pureté — pas de regards enflammés et barbares qui trahiraient de bas instincts. Je tiens à le souligner. Pour les deux, l'amour physique et l'amour spirituel étaient une même chose — mais les émotions de l'âme revenaient toujours à la surface.

Je n'ai pas eu d'autres occasions de les épier par le trou de la serrure de la chambre de Stoppakius, puisqu'il avait fermé la porte à clef à la dernière minute, dans l'effervescence du départ ; il n'est pas exclu qu'il l'ait fait exprès. Mais je ne voulais pas trop savoir ce qui se passait entre eux des soirées entières qu'ils y restaient enfermés. Ils avaient compris, eux aussi, que je les avais repérés, mais cela ne nous gênait pas, ni eux, ni moi ; nous en sommes devenus des habitués.

Un matin que je m'étais réveillé à l'aube, au moment de descendre l'escalier en colimaçon pour aller profiter un peu du jardin, je vis l'avocat sortir de la chambre de Solange. Ma présence ne sembla pas le déranger. Au contraire, il ralentit un peu le pas et me parla avec affabilité, sûr de tout, puis m'offrit une cigarette parfumée de marque étrangère provenant d'une boîte bizarre. Je me souviens de ce matin-là, car il marqua le début de mes relations avec lui ; c'est lui qui m'a trouvé du travail à la cour quand Stoppakius m'a expulsé de la maison. Après une petite promenade ensemble dans le jardin, il m'a mené jusqu'au coin de la rue — cela faisait des mois que j'étais passé par là, car je sortais toujours par la porte arrière du jardin —, nous avons pris une calèche qui passait et nous sommes allés à son bureau qui était situé dans une rue sombre de la basse-ville, me disant pendant tout le trajet de ne pas m'inquiéter, que je serais à l'heure à la boutique d'antiquités où il me reconduirait en calèche. Il m'aimait bien, à ce qu'il semblait, et je ne pense pas qu'il ait agi de la sorte pour m'influencer, de peur, disons, que je ne les dénonce à Stoppakius ; il n'en était pas question, cela, je l'ai compris le soir où je les ai découverts pour la première fois dans la chambre de Solange. Entre-temps, l'heure filait, et pendant que j'examinais des diplômes divers suspendus aux murs, ainsi que des cadres qui représentaient surtout des caricatures de scènes de la cour, il avait ramassé, avec l'aide d'un misérable scribe habillé en noir, des dossiers de procès qu'il a emportés avec lui dans une grande serviette en cuir. Me faisant passer par l'entrée, où dominait le lourd cristal décoré de fleurs héraldiques en filigrane — et non pas par les couloirs arrière, chargés d'archives poussiéreuses et de livres de droit reliés, comme auparavant —, nous sommes sortis dans la rue, qui bourdonnait déjà d'activité. M'ayant reconduit jusqu'à la maison, il est aussitôt reparti à la cour sans même jeter un coup d'œil aux fenêtres supérieures, où par hasard il aurait pu entrevoir Solange, lui qui aurait tant voulu qu'une telle chose se produise.

Depuis ce matin-là, il y eut un changement dans toute l'atmosphère à mon égard et, sans exagération, n'eussent été les circonstances adverses qui s'ensuivirent, les deux m'auraient tout laissé en héritage. La sympathie de Solange envers moi n'avait plus de bornes. Malgré le rôle obscur qu'elle a joué dans l'affaire à laquelle Stoppakius a été mêlé, il se peut que ce soit sa position là-dessus qui m'empêche d'aborder la question à mon aise. Elle avait évité par tous les moyens de me parler de l'Affaire, tout en faisant certaines allusions qui montraient qu'elle comprenait que je comprenais quelque chose, plus ou moins. Elle s'était abstenue de me parler de Stoppakius, voilà tout. Mais jamais, pas même dans mes rêves, je ne me serais attendu à ce qu'une personne comme moi, un minus, puisse arriver à un tel point que Solange — notre épouvantail à nous tous — m'ouvre généreusement son cœur pour raconter des détails de son passé. Elle s'adressait à moi avec une si grande familiarité que c'était comme si elle avait eu devant elle l'un des siens. Si, après tout ce que j'avais entendu dire de ses relations avec le vieillard, j'avais eu encore un doute, elle l'aurait vite dissipé, et j'en arrive à me dire que, au moins pour le moment, j'ai justifié son attitude.

Elle m'a aussi parlé de ses années d'enfance, ainsi que de son idylle avec l'avocat quand elle était encore jeune fille, avant qu'on ne la marie. Au moyen de sous-entendus, elle m'a fait comprendre que, pendant que Stoppakius était malade, en Suisse, ils avaient eu plusieurs rencontres secrètes, et, lors d'un de ses voyages pour aller voir son fils, il l'avait accompagnée. Mais quand elle en venait au moment crucial, c'est-à-dire la reprise de leurs relations, elle coupait court à toute discussion, de sorte que j'avais peur de perdre la confiance qu'elle avait en moi. Elle se référait alors à un tas d'autres situations, qui n'avaient rien à voir avec ce qu'elle disait jusque-là. En plus, elle n'a jamais soufflé mot au sujet des derniers jours du vieillard, lesquels lui avaient été extrêmement pénibles, et elle évitait d'en parler en raison de la véritable terreur que cela lui inspirait. Mais d'après le contexte de ses propos, j'en suis venu à la conclusion que c'était pour cela qu'elle se comportait ainsi envers l'avocat pendant les premiers mois après la mort de son mari : la plus infime allusion lui faisait oublier totalement le présent, et elle s'abîmait dans les sombres images de ces jours-là.

Elle me faisait ses confessions, tantôt après trois heures de l'après-midi, quand elle se réveillait, rafraîchie par sa sieste, et que nous n'avions pas de clients à la boutique, tantôt le soir, dans le jardin quand nous sortions nous promener, les jours où l'avocat, surchargé de travail, ne pouvait venir la voir. Très souvent, nous prenions place sur un monticule, non loin du petit kiosque que je vous ai décrit, directement sur l'herbe desséchée. Souvent, après les premières confessions, elle me permettait — je n'aurais jamais osé le faire — de lui prendre affectueusement la main, pour y déposer un court baiser, ou bien de lui caresser les mèches ou les nattes derrière le cou ; mais rien de plus. Car si j'avais esquissé un quelconque geste hardi, elle m'aurait, d'une manière à la fois tendre, sévère et irrévocable, dissuadé, pour ensuite revenir à ses confessions, se sentant légèrement coupable des tourments qu'elle aurait alors provoqués, sans l'avoir voulu, dans mon âme de jeunesse. Une foule d'indices me portaient à croire que s'il n'y avait pas eu quelqu'un d'autre dans le paysage, quelqu'un avec qui elle avait des liens aussi anciens, à coup sûr je l'aurais gagnée à moi pour toujours. Et mes fantasmes se déchaînaient…

Un beau matin, soigneux de ma personne comme je l'étais depuis que j'avais commencé à lui vouer un culte, à l'heure où je m'apprêtais à déposer le plateau avec le petit-déjeuner sur le bord de son lit, je n'ai pas pu me retenir et, laissant de façon spontanée le plateau sur la commode, je me suis tourné vers elle, qui s'était redressée. Après avoir pris son visage entre mes mains brûlantes, je lui ai donné avec passion un baiser dans le cou, un peu derrière l'oreille, pendant que mes joues, encore tendres, s'appuyaient contre les boucles de ses cheveux. Ivre du parfum de son corps, j'ai versé des larmes, qui sont rapidement devenues d'insoutenables sanglots. Voyant mon état, elle ne m'a pas grondé, car elle savait que le respect que je ressentais pour elle était tel que je n'aurais jamais osé aller plus loin ; mais si d'aventure j'avais été sur le point d'oser, d'un seul regard comme elle en avait la manière, elle m'aurait cloué sur place. Aussitôt dit, aussitôt fait. Mais du moins, ce matin-là, j'avais acquis le droit — qu'elle ne pouvait plus m'enlever — de lui donner à la dérobée un baiser, sans qu'il y ait jamais eu la moindre réciprocité. Quoique, souvent, il s'en soit fallu de peu que je ne discerne dans ses yeux ce quelque chose d'imperceptible qui m'aurait donné l'autorisation de faire ce que je voulais avec elle : cela était presque arrivé, une ou deux fois, mais ne s'est finalement jamais produit. À la toute dernière minute, un nuage passait devant ses yeux, et tous mes espoirs s'effondraient.

*　*　*

Même comme cela, je n'avais pas à me plaindre. Je me réveillais chaque matin rempli de la même joie : j'allais la voir. Je pourrais dire que j'avais complètement oublié la présence de Stoppakius. J'étais maître de moi-même. Je ne désirais pas savoir où il était, ce qu'il avait pu faire là où il était allé, aucune lettre n'était venue de là-bas, pour les raisons que vous comprendrez facilement. À l'aube, j'étais le premier sur pied, toujours de bonne humeur. Peu importe si je devais attendre des heures entières avant de la voir. L'espoir de la voir m'était suffisant ; plus que suffisant. Pas encore habillé, j'allais frapper légèrement à la porte de Sterilda pour qu'elle se réveille, fasse sa toilette et prépare le petit-déjeuner. Après avoir pris mon bain dans ma baignoire princière, je décrochais, en suivant le cérémonial, l'uniforme qu'on m'avait fait faire à l'occasion des funérailles d'Elfrida ; de cet uniforme, Sterilda avait enlevé, sur les ordres de Solange, les galons et les épaulettes en argent. C'était un complet à tous égards admirable, fait d'une étoffe noire de première qualité, et dont le seul problème était le patron, copie conforme d'une tenue militaire. J'avais l'air d'un hussard, et non pas d'un monsieur tout court — comme je croyais que je l'étais — admirant le complet tel que je le portais sur moi, au lieu de m'examiner dans la glace. Je ne me regardais pas dans le miroir parce que je me doutais que quelque chose n'allait pas… Je dis cela parce que je m'imagine maintenant combien j'aurais pu paraître ridicule aux yeux de Solange, à une époque où, justement, je faisais tout ce que je pouvais pour être élégant, pour lui être plus attrayant sous tous les aspects. (Pour ce qui est de ma petite amie, je ne m'en faisais pas ; d'ailleurs, je m'étais éloigné d'elle à cette période-là.) Pendant que Sterilda m'ôtait les galons, comme si elle me destituait, j'ai entendu, je m'en souviens, une voix en moi qui disait : « Gardez-les quelque part, au cas où nous en aurions besoin de nouveau » — voulant dire Stoppakius, qui s'était malheureusement transformé depuis longtemps en malotru.

Ainsi habillé, je descendais les marches d'un air princier, et je m'arrêtais pendant quelques moments dans le hall d'entrée. Après avoir contemplé, avec la même intensité chaque matin, tout ce qui m'entourait comme si cela m'appartenait, je sortais me promener dans le jardin, mais non sans avoir fait un tour devant notre ancienne maison. Là, en regardant à travers les vitres couvertes de fils d'araignée, je trouvais inconcevable que nous ayons vécu pendant tant d'années dans un environnement aussi minable, qui aujourd'hui avait l'air totalement étranger à mes yeux. Je pouvais voir, dans la pièce qui fut autrefois notre cuisine, des chaises et des fauteuils de bureau déglingués — là où des huissiers sans état d'âme les avaient jetés —, des lutrins, de grands livres de comptabilité aux tranches teintes en rouge ou en vert, lesquels semblaient littéralement impossibles à soulever des encriers, des placards en bois sans grâce comme ceux que, malheureusement, nous avons toujours aux archives du palais de justice, des coffres-forts, des tas de sceaux d'affaires et autres — tous empoussiérés et abandonnés. Le jour du déménagement, caché derrière un canapé en cuir à l'endroit où se trouvait autrefois le lit de mes parents, j'ai aperçu un bel encrier en bronze que j'ai dissimulé sous ma veste, puis je suis allé l'enterrer dans un coin peu fréquenté du jardin. Quand Stoppakius parlait à sa mère de tous ces meubles, qui soi-disant allaient bientôt prendre de la valeur, je pensais à cet encrier, qu'ils allaient sûrement réclamer, celui-là en particulier, et ils n'allaient pas le retrouver, rejetant aussitôt sur moi tous leurs soupçons.

Depuis le départ de Stoppakius, c'était une chose établie, chaque matin, même par mauvais temps, je pénétrais dans les buissons, qui me cachaient presque en entier, au fond du jardin, près du kiosque en bois, et je regardais vers l'est, brûlant de découvrir lequel de tous les pigeons avait utilisé Stoppakius pour communiquer avec l'ennemi. Peine perdue. Ils s'envolaient tous dès qu'ils me voyaient venir. Mais pour autant que j'aie pu observer de près, de ma cachette dans la verdure, ils n'avaient aucun marque distinctive — ils se ressemblaient tous ; impossible de distinguer quelque chose d'inhabituel à leurs pattes. En tout cas, dans ce coin du jardin régnait une situation étrange. Tout — pas seulement les oiseaux, mais les arbustes aussi — avait l'air de comploter par signes pour ne pas attirer l'attention de qui que ce soit, à l'exception de Stoppakius.

De là, je prenais sur ma gauche à angle droit et, passant derrière notre maisonnette, j'arrivais à cette partie du jardin derrière la cuisine, qui avait autrefois connu son heure de gloire. En cet endroit, la végétation était plus touffue, et c'est seulement par une bande étroite, dans la petite enceinte de la cuisine, fréquentée chaque jour par Sterilda et moi, que l'on pouvait circuler sans difficulté. L'abandon général de cet espace était souligné par deux arbres centenaires, qui, la fameuse nuit de la tempête, au moment où nous nous préparions à sceller la porte avec de la cire, s'étaient effondrés avec fracas l'un sur l'autre, réduisant en miettes la statue en verre d'un oiseau exotique qui, depuis que j'ai souvenance, trônait sur le faîte de la fontaine. Il est vrai que celle-ci s'était asséchée depuis des années (l'eau parvenait à peine à jaillir entre les lichens de sa base), mais à mes yeux, cette fontaine symbolisait la déchéance de cette famille.

À la citerne, à gauche, là où donnait la fenêtre du bureau de Stoppakius, je m'amusais à regarder les poissons rouges, galeux et grassouillets comme des rougets, qui avaient proliféré avec le temps, sans obtenir aucune attention de qui que ce soit, et qui risquaient de crever principalement faute d'espace, toujours la bouche grande ouverte dans les eaux vert-jaune sales. Plusieurs flottaient, le ventre en l'air. L'endroit a été rendu encore plus étroit par les divers lichens, par les pourpiers et les nénuphars qui s'y étaient multipliés, eux aussi, et sur lesquels les poissons venaient se frotter. Plus d'une fois, j'ai creusé de la main dans l'eau pour attraper très facilement un poisson rouge — que je laissais ensuite s'échapper par dégoût…

Toutes ces choses-là peuvent endeuiller l'âme. Mais à

cette époque, pour moi, elles étaient réconfortantes et belles, car elles avaient toutes quelque lien avec Solange.

Déjà l'odeur appétissante de crêpes et de café me chatouillait les narines depuis la cuisine. J'y entrais par la porte arrière, éternellement déverrouillée, et, dans la fumée de la friture, je trouvais Sterilda en train de déposer les crêpes sur un beau grand plateau, décoré tout autour avec de petites fleurs multicolores. Je me précipitais, affamé comme une brute, sur la nourriture. Je dévastais, littéralement, non seulement les crêpes, mais tous les condiments possibles — même chose pour les confitures et le beurre. Ce dernier, je le mangeais cru, soit avec mes doigts, soit avec une cuillère en bois que je plongeais dans le beurre couvert de ma salive. Sterilda, qui voyait la manière effrénée dont je ravageais tout, ne m'a jamais grondé, pour autant qu'il m'en souvienne. Et en ce qui me concerne, une voix me dit, aujourd'hui encore — quand je me rappelle avec quelle avidité je tombais sur tout ce que je trouvais sur la table —, que je faisais tout cela afin de m'éclater, de faire mal à Stoppakius. J'explique ainsi les petits vols que je perpétrais de temps à autre — même si, à quelques occasions, il s'agissait plutôt d'objets que je lorgnais depuis un certain temps. Autant je pensais à lui, autant je calculais que, d'un jour à l'autre, il allait revenir, autant je complotais avec malignité.

Rassasié, marchant sur le bout des pieds comme un voleur afin de ne pas réveiller mon idole par le moindre bruit, je retournais dans le vestibule pour y jouir de la solitude, me prélassant sur le banc de marbre sur lequel j'étendais chaque matin une belle couverture en velours que j'avais apportée en cachette du piano de ma chambre. À cet endroit j'attendais, d'une minute à l'autre, que nos visiteurs quotidiens viennent frapper : le facteur, le livreur de journaux, le laitier. Je me comportais en maître envers les trois. Quand tout cela était terminé, je regagnais le bureau de Stoppakius où je procédais au ménage.

Ici, je sens l'obligation d'avouer, avant de donner l'impression que je ne fais que critiquer les autres, que j'avais moi-même commis un certain nombre d'imprudences à cette époque. Bref, j'avais exploité en sauvage ma liberté, et je m'étais lancé dans le dévergondage. Il est vrai, certes, qu'au début, pour me débarrasser de la culpabilité dans laquelle mes relations illicites (ainsi croyais-je) avec Solange m'avaient plongé — quand je lui embrassais le cou, mais même la main, les larmes et les sanglots irrépressibles qui s'emparaient de moi me donnaient du répit, mais ensuite me tyrannisaient —, je faisais tout ce que je pouvais pour m'acquitter plus que convenablement de mes tâches, afin d'avoir la conscience tranquille du moins de ce côté. Toutefois, au fur et à mesure que je la voyais céder du terrain — jusqu'au point que je vous ai dit seulement —, je me faisais des illusions, croyant inconsciemment que j'avais la liberté de faire tout ce qui me chantait, non seulement dans le bureau de Stoppakius, mais partout ailleurs dans la maison. Sans jamais penser que viendrait le moment, avec le retour de ce tyran, où je regretterais amèrement la perte de la liberté à laquelle je m'étais habitué.

Tout d'abord, qu'est-ce que je faisais tous les matins dans son bureau, moi qui voulais m'ériger en être impeccable ? Au lieu de dépoussiérer, de ranger, puis de m'en aller — tels étaient mes devoirs —, je ne faisais strictement rien de tout cela, préférant fouiller, à la recherche de quelque indice qui m'aurait aidé à percer le mystère qui entourait ses mouvements, surtout dernièrement, avant qu'il ne parte en voyage. Méthodiquement, et en prenant toutes les précautions pour ne pas laisser de traces qui m'auraient trahi, je scrutais de très près chaque objet qui s'y trouvait : toutes choses, sans exception, prises séparément et ensemble, constituaient une immense énigme à mes yeux. Il n'y avait pas de livre que je n'aie retiré soigneusement des tablettes, et dont je n'aie examiné, jusqu'à l'intérieur de la tranche, pour voir s'il y avait de caché soit un message, soit un élément quelconque. Non seulement j'ai tâté des renfoncements du mur à droite et à gauche de sa place au pupitre, lesquels semblaient être en bois, non seulement je les ai auscultés, mais aussi, au moyen de petits coups presque imperceptibles l'un après l'autre, j'ai tout fait pour savoir s'il y avait des cachettes à tel ou tel endroit. Je me suis décarcassé pour ouvrir par la base une statuette en bronze du Bouddha, qui me suivait de ses yeux impénétrables en porcelaine, mais sans succès. En général, il n'y avait pas la moindre preuve, en dépit du fait que tout, absolument tout, me disait que quelque chose se tramait là-dedans. Tous les secrets, pourtant, devaient être enfermés dans le coffre-fort, lui-même indélogeable — derrière le fauteuil de son bureau —, lequel possédait trois clefs distinctes, dont l'une, comme pour se moquer de moi, se trouvait à sa place. Les tiroirs de son pupitre étaient eux aussi sous clef.

J'avais entrepris les mêmes fouilles, bien sûr, dans certains coins invraisemblables de la boutique d'antiquités, ainsi que dans les autres pièces du sous-sol. C'est ainsi que l'heure passait. Au début, je remettais mes tâches au jour suivant, me disant que je dépoussiérerais le lendemain. Le lendemain arrivait, et je reportais ça encore une fois au lendemain, jusqu'à ce que ce soit devenu la règle. D'autre part, je me disais : si un jour Solange me gronde à cause de l'état lamentable où tout a sombré, je lui servirai un beau prétexte et j'accomplirai docilement tout ce que je n'avais pas fait depuis si longtemps. Et si elle ne me gronde pas aujourd'hui et qu'elle me gronde demain, ce sera tant mieux, je l'aurai échappé belle une fois de plus, etc. Finalement, elle ne m'a jamais réprimandé, et mon dévergondage a continué jusqu'à la fin, quand Stoppakius est réapparu. Je me dois toutefois d'avouer que les choses n'étaient pas aussi tragiques que je ne les voyais de mon œil de coupable. La preuve : même lui, alors qu'il m'avait tellement tracassé pour bien d'autres sujets, n'a jamais fait allusion au désordre, à l'abandon et à l'accumulation de poussière qui régnaient dans son bureau, du moins le croyais-je.

[19]

Ainsi s'écoulait le temps, sans que je m'en aperçoive. Stoppakius est revenu de voyage, sans avertir comme toujours,
quelques semaines plus tard. L'automne s'était installé pour
de bon. C'était, je me souviens, l'après-midi, vers cinq heures.
Avec l'œil de ma mémoire, de l'endroit où je me trouvais
alors, au fond de la cour, j'ai entrevu, en train de franchir la
Grande Porte, qui était ouverte, la carcasse d'un carrosse
bringuebalant arrêtée dans l'entrée. Un vent fou, comme
celui qui nous avait tant préoccupé lors de l'épisode des
hommes en noir, a fait lever violemment une vague de
feuilles mortes dans la formation que prennent les oiseaux
migratoires au cours de leurs voyages automnaux. En m'approchant, j'ai vu, descendu de la voiture, Stoppakius dans un
état pitoyable, le dos tourné vers moi, en train d'arranger
avec colère et un soupçon de féminité dans ses mouvements
sa chevelure ébouriffée. Il me donnait toujours cette impression, quand il était mentalement fatigué. Il a ordonné au
cocher, qui m'était inconnu, de porter ses valises et un certain
nombre de caisses, comme celles utilisées pour des muni-
tions (mais sans inscription) qu'il avait rapportées de voyage.
Il n'a prêté aucune attention à la Grand Porte, qu'il avait,
selon toute apparence, ouverte lui-même peu avant que je

n'apparaisse. Avec des gestes hystériques, il a rangé tant bien que mal des enveloppes et des revues étrangères qu'il tenait dans ses mains.

Par respect et par crainte — et surtout par crainte —, quand je me suis approché de lui, je ne lui ai même pas souhaité la bienvenue ; je suis, d'ailleurs, sûr et certain qu'il ne s'attendait pas à un tel accueil. J'ai dit au cocher, avec un air retenu, que j'allais revenir lui donner un coup de main pour transporter les effets — cela pour amadouer Stoppakius, qui pourtant ne se laissait pas impressionner —, et j'ai couru à l'intérieur informer Solange, à la boutique d'antiquités, elle qui n'avait pas encore idée de la scène. En entrant dans le couloir, j'ai vu Sterilda venir de la cuisine, les mains mouillées qu'elle a essuyées sur son tablier, et j'ai compris qu'elle était au courant de ce qui se passait. En ce moment précis, pendant qu'au fond du jardin une lumière rose recouvrait encore les buissons, le vestibule était dans la pénombre ; un rayon oblique de lumière ocre, qui faisait scintiller la poussière dans l'air, se répandait sur les carreaux du plancher par les trois fenêtres du coin qui donnaient sur le sud-est. Comme j'aurais voulu être seul, ainsi qu'il y a quelques instants, pour me laisser aller à la rêverie en toute quiétude…

Cette fois-ci, comme il fallait s'y attendre, il n'avait même pas prévenu sa mère. Je le dis avec certitude — comme s'il fallait fournir des preuves — car, quand je suis allé informer Solange de l'arrivée de Stoppakius, elle s'est montrée proprement étonnée ; elle semblait tout à fait prise au dépourvu. Elle ne prisait guère le fait que son fils la verrait aussi peu soignée. Avant qu'il ne prenne les devants en s'engouffrant dans le vestibule, elle s'était mise, en proie à la panique, à se coiffer les cheveux et à se poudrer les joues, regardant dans un miroir qui pendait à côté d'elle, près de la tapisserie Renaissance, où je voyais se refléter son portrait de marbre plusieurs fois par jour. Elle avait réussi à atteindre l'entrée avant lui.

Il paraissait exténué par le voyage, découragé, mentalement accablé par les circonstances qu'il avait rencontrées chez les gens avec lesquels il était entré en contact. C'était comme s'ils n'avaient pas été tout à fait satisfaits des services qu'il avait rendus, comme s'ils s'étaient attendus à plus de sa part, comme s'ils l'avaient admonesté pour son manque de préparation, comme s'ils l'avaient menacé de chantage ou de quelque chose du genre. Il semblait en outre complètement perdu, à cause de tant d'ennuis, de nuits blanches et de risques que présageait la nouvelle mission qu'ils lui avaient confiée de manière impérative.

Sans mot dire, il a embrassé sa mère, la couvrant de baisers avec une détresse indicible, comme si elle avait représenté pour lui son ultime refuge dans la vie. En même temps, il s'escrimait à lui faire savoir — chose qu'il aurait sûrement faite ouvertement n'eût été ma présence et celle de Sterilda — que ç'avait été une erreur monumentale de s'être mêlé à pareille entreprise, erreur aussi de sa part à elle de ne pas l'en avoir dissuadé toutes ces années durant; mais voilà qu'à son grand désespoir il était désormais trop tard pour tout. Notre boutique d'antiquités, mon bureau, notre belle maison, notre jardin, mes beaux objets, toutes mes activités insensées d'autrefois me suffisaient, me comblaient — avait-il l'air de dire. Qu'est-ce qui me manquait? Que diable avais-je voulu en m'engageant dans de telles intrigues? Pourquoi ne les ai-je pas envoyés paître dès le début? Qu'est-ce qu'ils auraient bien pu me faire? De toute façon, cela aurait été mille fois moins pire que les tourments dont je souffre depuis tant d'années; Dieu seul sait ce que j'ai à souffrir encore. Mais voilà que je l'ai voulu! À présent, il est trop tard.

Pendant un instant, il sembla tout à fait décidé à s'ouvrir à l'avocat, à Xentadine et à sa femme, à s'ouvrir encore à Gédéon et au directeur du journal, et, une fois qu'il leur aurait tout raconté en détail et avec une franchise totale, à se livrer à une confession dans *La Prospérité*. Et, à partir de ce moment-là, il aurait été un oiseau libre. Puis, advienne que pourra.

Sa mère a tout de suite montré qu'elle comprenait ce qu'il voulait dire par son attitude, et, avec une expression équivalente, elle lui a répondu qu'elle reconnaissait très bien dans quel pétrin il se trouvait. Mais tout ce qu'elle avait fait, elle ne l'avait fait que pour lui — semblait-elle vouloir lui dire — parce qu'elle voyait, en tant que mère qui l'avait mis au monde, qu'il aimait bien toutes ces cachotteries pour passer le temps. Elle n'avait rien à gagner dans tout cela — tout ce qu'elle voulait gagner, c'était sa santé et son bien-être à lui. Elle a semblé se mordre la langue, du fait que le rétablissement de sa liaison avec l'avocat ne lui permettait pas trop d'insister là-dessus.

Lui, entre-temps, admettant que sa mère avait pleinement raison de penser ainsi, et savourant au maximum, d'un regard circulaire, la sécurité et en même temps la beauté de l'endroit où il se trouvait, il l'attira, en la tenant tendrement par la taille comme si elle avait été sa maîtresse, vers la porte de la boutique d'antiquités, avec un intérêt et une attente manifestes pour tout ce qu'il allait y trouver de familier. Au moment de passer le seuil, il m'a ordonné de manière assez condescendante de garder les caisses à part, pour les lui apporter dans son bureau. Pendant que j'effectuais le trimbalage — en pensant toujours à la mère et au fils —, Sterilda, à qui il avait remis ses clefs, apportait des draps frais pour faire son lit.

Après avoir trimbalé ses effets, je suis allé à la boutique

d'antiquités, où je les ai trouvés seuls, et la porte qui donnait sur la rue était fermée. Je les ai surpris au moment où, leurs fronts se touchant presque, ils se murmuraient quelque chose, complètement absorbés par ce qui les occupait. Dès qu'ils m'aperçurent, ils s'éloignèrent l'un de l'autre et changèrent de sujet ; ils me laissèrent ainsi l'impression que Solange, pour le consoler, lui avait dit sans trop y croire que, même maintenant, il était encore temps de leur faire la figue à eux tous, ou quelque chose du genre. Stoppakius répliqua que l'idée ne lui déplaisait pas du tout, mais c'est la suite qui était la pierre d'achoppement. Et, d'ailleurs, il était tellement mal en point qu'il n'avait pas la capacité de prendre des décisions. Toutefois, à bien y penser, cette solution ne lui plaisait pas non plus — il y avait anguille sous roche. Ce n'était pas tant les menaces qu'ils avaient proférées à son endroit — même si elles avaient un certain poids — que ceci : il était embarrassé à l'idée de devoir abandonner une situation qui lui était devenue une manière de vivre pendant de longues années. Sa vie serait vide. Or, n'était-il pas possible que les choses restent inchangées, sans qu'ils exigent autant de lui ? Il ne pouvait pas s'empêcher de penser aux mines patibulaires des gens avec lesquels il était entré en contact…

Ils se sont levés tous les deux de leurs fauteuils, avec un air qui signifiait que l'affaire avait un avenir certain, puis, après m'avoir dit d'ouvrir la porte et de m'occuper des clients, ils se sont retirés dans sa chambre. Comme Sterilda me l'a révélé le soir même, ils y sont restés longtemps, à se chuchoter continuellement des choses, et, à tout moment, soit l'un, soit l'autre élevait la voix. Ensuite, ils ont fait venir Sterilda, qui leur a apporté à manger, puis se sont séparés ce soir-là relativement tôt.

Il semble qu'ils avaient décidé de les envoyer promener, du moins pour un bon bout de temps. Le lendemain, après le petit-déjeuner, que Stoppakius a pris un peu plus tard que d'habitude, dans la salle à manger avec Solange, il est parti, le cœur serré, au bureau. À compter de ce moment, à mon soulagement hélas momentané, je l'ai perdu de vue pendant deux, trois jours. Du matin jusqu'au soir, il restait enfermé dans son bureau où, vraisemblablement, il mettait en ordre les documents qui se trouvaient dans les caisses, et rédigeait un rapport à l'intention de ces gens, question de leur clore le bec pendant quelque temps. À en juger par certains papiers de prix, sans traces d'écriture, que, stupéfié, je l'ai vu insérer dans des enveloppes prêtes à être postées, il est clair qu'il utilisait abondamment à cette époque-là la méthode de l'encre sympathique.

Ensuite, comme un homme apaisé et renouvelé, il s'est mis à consacrer toutes ses journées à la boutique d'antiquités ; c'est là que j'ai pu étudier la méticulosité pathologique et la misère qui le caractérisaient dans toutes les démarches de sa vie. Tout lui puait au nez ; tout le rebutait. Rien n'était jamais correct ou à sa place. En mouvement constant, omniprésent, il me rendait fou par les courses de mille et une sortes qu'il m'ordonnait avec rudesse de faire dans les limites étroites de la boutique ; je les aurais faites avec le plus grand plaisir si j'avais pu y déceler une quelconque raison d'être. Mais une telle raison d'être n'existait malheureusement pas. Cet objet devait aller là-bas et non pas ici où il se trouvait depuis longtemps, car il n'y était pas mis en valeur ; c'est pour cela qu'il n'avait pas encore été vendu. « Prends-le tout de suite ! Qu'est-ce que tu as à me regarder comme un imbécile ? Pas comme ça, crétin, où as-tu la tête ! Non, pas comme ça ! Tu vas le briser, tu vas l'esquinter ; tu n'es donc bon à rien ? Qu'est-ce qu'il m'a pris, l'idiot, d'accepter de te garder ici ? Rien d'autre que des bonnes actions dans cette maison… » Par ces mots, il faisait allusion à sa mère, pour qu'elle l'entende de sa place. Car, à ses yeux, c'est elle qui était toujours la grande coupable.

Force est d'avouer qu'il faisait quelques menus travaux lui aussi, aussi longtemps que j'avais la malchance de l'avoir sur le dos. Il passait le plus clair de son temps à dépoussiérer, en soufflant, et avec un plumeau qu'il avait rapporté d'Afrique, ou bien avec une petite brosse, jusqu'au moindre recoin d'une statue où l'on ne pouvait imaginer que même l'œil du client le plus méticuleux aurait jamais pénétré. Les tableaux sur les murs penchaient affreusement, à son avis à lui — même si l'on ne pouvait voir aucune différence à l'œil nu —, et il passait son temps à les rectifier à l'aide d'un petit niveau à bulle qu'il avait toujours dans sa poche. Tous les objets se devaient d'être verticaux, horizontaux ou bien parallèles les uns par rapport aux autres. Son œil ne détectait aucun charme dans le beau fouillis que Solange avait su instaurer avec le temps et avec tellement de goût, fouillis auquel elle m'avait inconsciemment initié. Mais même quand tout prenait la position et la place qu'il voulait, là encore il n'était pas entièrement satisfait, et il recommençait à ronchonner. Peu à peu, il reproduisit la même approche dans le vestibule, et ensuite dans toutes les pièces du rez-de-chaussée, où se trouvaient surtout des portraits, mais aussi quelques œuvres sculptées.

Quand un client qui ne lui plaisait pas entrait dans la boutique — ces types mystérieux et bien habillés ne se sont pas réapparus pendant un bon mois, sinon plus —, il l'évitait avec un dédain évident, ne le saluait même pas, puis m'envoyait le servir, tandis qu'il dressait l'oreille dans notre direction, tout en étant en apparence occupé à quelque chose. Je sentais très clairement qu'il me suivait pour voir si j'appliquais tous les trucs et les coups qui sont propres à convaincre un client… Parfois, si mon comportement n'était pas à son goût (et ce, parce que sa présence me mettait dans l'embarras), il s'approchait de nous et, furieux, intervenait pour me corriger, dans l'indifférence la plus totale à l'égard du client. Autant ses paroles que son comportement étaient offensants pour le client ; ce dernier perdait les pédales, puis se fâchait tacitement contre lui, et de manière humiliante pour moi ; je me sentais pitoyable, diminué aux yeux du client, de Solange et de Stoppakius. Je dois toutefois avouer qu'il n'y eut pas peu de fois où la réaction du client, ainsi que de Solange, en catimini, faisait preuve d'une telle sympathie à mon endroit (et d'une telle indignation envers Stoppakius) que je me sentais réconforté, je me flattais presque, pouvais-je dire, arrivant même à être reconnaissant que l'affaire ait pris cette tournure. De plus, l'idée que nous étions trois contre un m'enthousiasmait, et je faisais l'impossible pour cacher ce que je ressentais, pour que cela ne se retourne pas contre moi. Car j'avais remarqué qu'à partir de tels incidents il s'entêtait, se rebiffait, et accumulait, au fond de son âme, de la malice à mon égard. Parfois, par contre, il évitait de me faire de telles observations devant un client ; il attendait que ce dernier soit parti pour éclater, et me débiter un tas de théories qui m'écœuraient, puisqu'elles provenaient d'un être aussi ridicule et frivole. Et, pour défenseur, j'avais sa propre mère, qui me faisait comprendre à sa manière qu'elle savait, qu'elle savait très bien que, par sa façon de se comporter, il était furieusement injuste envers moi. En fait, je me demandais quelle mouche l'avait piqué pour qu'il s'en prenne à moi, alors qu'il n'y avait pas la moindre raison.

* * *

Pendant cette même période, parallèlement au travail à la boutique d'antiquités, qui progressait à un rythme constant, les deux s'occupèrent beaucoup de diverses activités sociales nocturnes. C'est alors que j'ai pu admirer la beauté sobre et naturelle de Solange dans toute sa magnificence. Ils allaient régulièrement au théâtre et dans les meilleurs restaurants, au début seuls, et ensuite avec de petits groupes triés sur le volet. Après commencèrent les visites et les soupers réciproques. Xentadine et son épouse, Gédéon et l'avocat étaient toujours présents, ce dernier conservait une certaine distance qui ne laissait rien paraître. De même l'attitude de Solange. Il y avait aussi d'autres gens dont l'identité m'échappe ; j'ai pourtant pu me rendre compte de l'apparition graduelle et hésitante, sans chercher à être trop visibles parmi les autres, accompagnés de dames, de quelques-uns de ces types énigmatiques qui m'avaient inquiété peu avant le départ de Stoppakius pour l'Allemagne. Pendant un certain temps, toute la maison fut imprégnée d'une odeur permanente de lourds parfums des dames qui venaient et sortaient tous les soirs. Solange ne manifesta jamais de mauvaise humeur devant la présence de ces dames — comme j'avais gardé l'impression que ce serait le cas —, et j'ai compris qu'elle avait noué avec la femme de Xentadine une grande amitié dépourvue de la moindre hypocrisie : apparemment elle lui avait ouvert son cœur pour lui révéler certaines choses qui, jusqu'à la mort du vieillard, l'avaient étouffée. La situation de son amie était similaire, et Solange commença à considérer Gédéon avec beaucoup de sympathie. Pendant un certain temps, j'étais très préoccupé par l'idée que Stoppakius allait trouver finalement l'occasion de revenir à la charge envers elle. Mais à ce que je sache — et je suis bien placé pour dire que je sais très bien —, une telle chose ne s'est jamais produite. Ni lui ni elle ne semblait s'y intéresser. D'ailleurs, la surveillance vigilante qu'exerçait Gédéon sautait aux yeux ; son attitude charmait, au lieu d'énerver, son amante, qui était toujours de bonne humeur, alerte, heureuse de sa vie ; la présence de son mari ne lui pesait pas du tout. Pour ce qui est de Xentadine, l'idée m'est venue qu'il savait tout, du début jusqu'à la fin, de l'idylle de sa femme avec Gédéon mais qu'il faisait comme si de rien n'était, ou bien ce devait être un imbécile de type classique. Sans vouloir dire par cela (aujourd'hui encore, où je rédige ces lignes) que sa femme, de même qu'envers Gédéon, ne se comportait pas avec tendresse envers lui. Mais elle agissait par habitude. Et par obligation, tout de même… Au moyen de regards toujours furtifs, je fis ainsi diverses observations à propos de toutes les personnes qui participaient aux réceptions. Pour toujours arriver à la conclusion que chacune d'entre elles, sans exception, cherchait instamment et par divers artifices à obtenir ce qui lui était inaccessible.

Toutes ces activités mondaines, qui se sont multipliées tout d'un coup, ne manquaient pas de me scandaliser ; elles me donnaient très fortement l'impression qu'elles avaient un but. Au départ, je croyais que c'était pour attirer de la clientèle, et non pas parce qu'ils eussent le goût de divertissements de ce genre. Bientôt vint le temps où ils commencèrent à se lever tard — à mon grand soulagement, même si l'absence de Solange, qui souvent ne se présentait même pas l'après-midi, me coûtait cher —, et je puis dire que, du moins le matin, en dépit de mon horaire chargé, je me sentais presque comme à l'époque où Stoppakius se trouvait en voyage. Sauf que j'en payais doublement le prix à partir de midi…

Peu après ces premiers événements mondains, ils inaugurèrent tous les jeudis après-midi, à la suite d'une initiative de Gédéon, avec qui Stoppakius s'était entre-temps lié d'amitié, des réunions spirites dans le grand salon, au rez-de-chaussée, à droite quand on entre par la Grande Porte. Là, tous les lourds rideaux tirés — de sorte que, même s'il faisait encore clair à l'extérieur, à l'intérieur il régnait une pénombre incertaine —, les visages des personnes présentes, qui attendaient avec appréhension que certaines choses se produisent, ressemblaient à des fantômes. Au début, tous prirent ces expériences à la blague, et l'on entendait, venant de la pièce, des rires d'hommes et de femmes. Très vite, toutefois, le silence qui va de soi dans de telles circonstances s'imposa, et dès lors les expériences se mirent à être couronnées de succès.

Stoppakius nous avait interdit, à Sterilda et à moi, de rester au salon pendant les expériences, et ainsi nous nous retirions tous les deux selon l'étiquette une fois le service des rafraîchissements terminé. N'empêche, au moins deux fois, j'ai vu de mes propres yeux, caché derrière un rideau, une petite table en bois de baobab sans clous — que j'avais apportée de la boutique d'antiquités un après-midi avant que les invités n'arrivent — s'élever dans les airs et se balancer de façon satanique, à la grande surprise et à la frayeur muette de ceux qui étaient présents. Alors qu'on aurait dit qu'elle avait une identité propre, et qu'elle risquait de frapper dangereusement quelqu'un à la tête, tout à coup elle changeait de trajectoire, comme si elle avait été possédée, pour emprunter la direction la plus invraisemblable, totalement imprévisible, et enfin elle s'écrasait inerte sur le plancher — comme si la durée de sa vie avait été déterminée d'avance — au risque de se fracasser. J'ai relaté l'incident à Sterilda, qui ne pouvait pas le croire. Mais l'occasion se présenta où, un après-midi, elle fit le guet, elle aussi; alors, elle m'a cru tout à fait. Pendant des semaines entières, elle fut incapable de se remettre d'un état dans lequel elle s'était plongée, comme une épileptique.

Quand ces réunions commencèrent à devenir de plus en plus fréquentes, j'ai remarqué que Stoppakius, usant de divers prétextes — qui avait soi-disant rapport avec les expériences spirites — ou à l'abri des yeux des autres, sortait à un moment donné de la salle pour se diriger en toute hâte vers son bureau, où il se barricadait. Peu après, quelqu'un d'autre de la compagnie, mais pas toujours le même, s'esquivait par la porte avec le même empressement, et avec la même attitude se rendait au bureau, refermait la porte derrière lui d'une façon entendue. Ils ne ressortaient que lorsqu'ils savaient qu'il fallait faire vite pour rejoindre les autres avant qu'on ne rallume les lumières. Plusieurs fois, j'ai constaté qu'ils ne se présentaient pas à temps, avec pour résultat qu'ils arrivaient à la dernière minute, pâles, blafards, comme traqués. Je doute, toutefois, que les non-initiés aient jamais soupçonné ce que cachaient leurs mouvements, absorbés qu'ils étaient encore par tout ce qui se passait autour. Une fois, je me rappelle, j'avais surpris Solange, prise de panique, en train de se mordre les lèvres devant tout le monde, en direction de Stoppakius, comme pour lui dire de se surveiller, de redoubler de vigilance — pour ne pas attirer l'attention aussi ouvertement.

Comme ces réunions tiraient à leur fin, Stoppakius changea de tactique, et il tenait ses rendez-vous secrets dans la chambre du vieillard, à l'étage. C'est à cet endroit qu'ils avaient convenu de se rencontrer à l'époque où j'ai pris mon congé de la maison.

*   *   *

Le temps passait. Peu à peu, après les premières impressions vives, l'intérêt que je portais aux réunions se mit à faiblir ; mes observations sur le comportement des diverses personnes, même de celles qui me préoccupaient le plus, étaient devenues stéréotypées, et je ressentais une certaine lassitude. C'est pour cela que le soir, vers neuf heures, après avoir servi, avec Sterilda, les invités, je la laissais seule dans la cuisine puis, vêtu de mon costume de garçon de table, je m'esquivais par la porte arrière du jardin, sans que mon absence se fasse sentir. C'est-à-dire qu'à la maison ils savaient que je n'y étais pas, mais ni Solange ni Stoppakius ne m'en ont jamais fait la remarque. Au début, je suis sorti une fois à titre d'essai ; quand j'ai constaté que mon geste n'avait pas eu de conséquence, j'en ai pris l'habitude.

Une fois dehors, je reprenais un peu courage, et, après avoir fait le tour d'une petite place attenante qui était à la mode à cette époque, j'empruntais les rues sombres et étroites pour aboutir à cet endroit couvert de mousse près du canal, derrière les usines, là où je rencontrais, près des poteaux de télégraphe, ma petite amie — toujours de la manière bien connue. Je dois avouer que quelque chose avait changé en moi à son égard ; je n'attendais pas avec le même désir ardent qu'auparavant le bruissement de ses pas dans l'herbe. Mais les moments que je passais avec elle n'avaient pas cessé d'être agréables pour autant ; ainsi je faisais tout ce que je pouvais pour la satisfaire de ma présence, pour me racheter de la culpabilité qui venait de ce qui s'était irréversiblement dégradé en moi, et que, hélas, elle avait compris elle aussi, et son petit cœur s'en affligeait, sans qu'elle me le dise jamais, pour ne pas me blesser, la pauvre petite. Parfois, je lui apportais des friandises d'un magasin de la place, mais je finissais par presque tout manger, puisqu'elle insistait. D'habitude, nous nous séparions vers onze heures, ou bien onze heures et demie, et j'arrivais à la maison vers minuit, alors qu'on entendait encore des conversations et des éclats de rire au salon. Mais bien sûr je les laissais se dépatouiller et, sur la pointe des pieds, je montais les marches, et puis j'allais directement au lit, où je sombrais immédiatement dans le sommeil.

Un soir, ça faisait à peine une demi-heure que nous étions enlacés dans notre coin, près des poteaux de télégraphe, voilà qu'il s'était mis à pleuvoter. J'ai aussitôt couvert sa tête de ma veste, et je l'ai emmenée dans le hangar, où étaient les machines. Mais là ce n'était guère mieux — ça dégoulinait de partout, et l'humidité pénétrait jusqu'à l'os. Nous avons décidé de nous séparer tôt ce soir-là, après nous être mis d'accord pour nous rencontrer le surlendemain. Je l'ai raccompagnée jusqu'au tournant du sentier qui mène chez elle, puis j'ai couru prendre le tram le plus près en direction de la maison.

Il s'est avéré que la pluie n'était que passagère ; quand je suis arrivé à l'arrêt de la petite place, elle avait cessé, et je voyais des gens qui vaquaient à leurs occupations. L'idée m'est venue de ne pas rentrer tout de suite, mais d'aller quelque part pour passer le temps. M'étant secoué comme un chien, je suis entré dans un café, où j'ai commandé deux verres d'absinthe, pour me réchauffer. Je les ai avalés d'un trait. Mais quelque chose me tracassait — je ne voulais ni rentrer chez moi, ni rester là où j'étais —, le vacarme, les mines patibulaires qui allaient et venaient, avec un air comme si on m'en voulait personnellement, me rendaient fou. Finalement, tiraillé pendant un bon bout de temps sans savoir que faire, je suis sorti vers les onze heures. Peu de temps après, je me retrouvais à la porte arrière du jardin.

J'étais sur le point de franchir la vieille porte de fer lorsque quelque chose a attiré mon attention du côté des arbustes dégarnis près du mur de notre maison d'autrefois, malgré le fait — j'insiste là-dessus — que je n'avais rien entendu, rien vu. Qu'en était-il, au juste? J'ai couru me cacher derrière un pan de la clôture, et j'ai vu quelque chose bouger dans la pénombre parmi les branches. J'ai concentré encore plus mon attention, et j'ai discerné, sur le mur, l'ombre d'une silhouette humaine qui, de toute évidence, cherchait à ne pas se faire repérer; j'avais trahi ma présence par le grincement de la porte de fer. J'ai vu, l'espace d'un instant, qu'il portait sur le dos quelque chose comme un havresac, et qu'il tenait dans sa main un grand revolver, de ceux qui ont l'air de petits canons, prêt à le charger pour me prendre en chasse — ainsi l'ai-je cru.

J'ai pris la fuite. Mais qu'est-ce qu'on pouvait bien chercher dans le jardin à une heure pareille? Si l'on suppose que c'était un voleur classique, il avait dû épier les lieux, donc il aurait constaté qu'il n'y avait plus du tout d'objets de valeur dans la maison. Pour ce qui est de la boutique d'antiquités dans laquelle se trouvait tout ce qui n'avait pas été vendu aux enchères, elle était littéralement inexpugnable. Les petites fenêtres qui donnaient sur la rue étaient munies de grillages, faits d'épaisses barres de fer solidement ancrées en croix dans la pierre murale et scellées avec du plomb, et qui remontaient à l'époque où l'on ne se servait pas du sous-sol. La porte était doublement verrouillée, même chose pour la porte du couloir, et Stoppakius portait les clefs sur lui en tout temps. En outre, le rez-de-chaussée était toujours éclairé. La cour était pleine de calèches, et la lumière jaillissait des fenêtres. Que se serait-il passé si, soudain, l'intrus avait eu l'inconscience de se diriger vers la clairière — ce qu'il était obligé de faire s'il voulait entrer dans la maison — et que les visiteurs s'étaient mis à sortir à ce moment précis? Ne l'auraient-ils pas découvert?

Entre-temps, comme tout prenait d'énormes proportions dans ma tête à mesure que je courais, certaines situations troubles à propos desquelles j'avais lu récemment dans le journal et desquelles j'avais vaguement entendu parler dans les cafés chantants me sont venues à l'esprit — des bruits de mouvements d'armées dans différents pays d'Europe, de rappels secrets de réservistes, de missions diplomatiques discrètes, de trains entiers chargés de matériel de guerre et de soldats qui partaient secrètement la nuit pour les frontières orientales.

Ayant tout cela en tête, j'ai fait le tour du pâté de maisons pour me retrouver dans la cour, étant entré par la porte qui donnait sur la voie publique. Je suis monté immédiatement dans ma chambre, la lumière éteinte, pour pouvoir surveiller par la fenêtre sans courir le risque d'être vu. Lorsque je me suis placé à la fenêtre, je me suis souvenu de ce soir-là, où j'avais regardé par le trou de la serrure dans la chambre de Solange, et plus précisément de la scène, qui s'était déroulée après minuit, lorsque je m'étais séparé de Stoppakius dans l'entrée (car cette fois-là aussi je m'étais réfugié dans une fenêtre). Le dernier regard qu'il m'avait jeté ce soir-là trahissait le fait qu'il était préoccupé par des problèmes, qui formaient une véritable énigme pour moi. Ceux-ci — ainsi que d'autres dont je vous ai déjà fait part — étaient les problèmes qui le tourmentaient. Cela était désormais clair pour moi, à présent. La rémission qu'il m'avait accordée — au moment où je m'attendais à ce qu'il m'invective et me renvoie sans un mot —, il me l'avait accordée parce qu'il ne pouvait pas faire autrement. Les circonstances exerçaient une pression sur lui.

Il se mit de nouveau à pleuvoter, et à peine pouvais-je distinguer les ombres des arbres dans le jardin. Au fond, à gauche de notre maison, l'ombre de l'intrus, penché en avant, est réapparue derrière d'autres buissons. Je l'ai vu faire un signal avec une lanterne sourde — puis faire un bond vers l'étang aux poissons rouges, où se trouvait la fenêtre du bureau de Stoppakius. Là, immobile quelques instants, après avoir apparemment reçu un signal positif — il s'agissait d'une véritable communication —, il a envoyé encore deux éclats de lumière avec sa lanterne, et il a immédiatement pris, d'un autre bond, la même direction ; c'est alors que je l'ai perdu de vue.

[20]

Depuis tôt le matin, j'étais debout, remonté comme une montre. Le soleil brillait. Mon premier souci, après un rapide tour du jardin — où je cherchais à élucider le parcours du visiteur nocturne, sans toutefois découvrir d'indices incriminants —, était de descendre au bureau de Stoppakius, sous prétexte de faire un peu de ménage. En ouvrant la porte, j'eus les narines piquées par des relents insupportables de fumée de cigarettes et d'haleines d'hommes. Ils ne devaient pas être plus de deux. Ils avaient dû quitter les lieux à peine une heure auparavant. Un nuage blafard flottait encore dans l'air.

Le moindre objet, ce matin-là en particulier, avait quelque chose de curieux à révéler. J'ai pu observer que le poil de la peau devant le pupitre de Stoppakius avait été piétiné avec insistance à un endroit précis : juste devant les pieds du fauteuil, lequel avait été tiré près du bureau, en direction de sa place à lui. Cela indiquait qu'une discussion longue et intense avait eu lieu. Sur le même bureau, j'ai vu des cendres de cigarette éparpillées, et le gros cendrier en bronze débordait de mégots nerveusement éteints. Pour ce qui est des objets qui s'y trouvaient — coupe-papier, encriers, porte-plumes, documents, un petit baromètre —, ils gisaient en désordre, loin de leur place habituelle. Très étonnant pour le bureau de Stoppakius, lui qui avait tendance, quand il était occupé avec un interlocuteur, à tout aligner.

Me remémorant les événements de la nuit précédente, je m'avançai vers la fenêtre qui, comme nous savons, donnait directement sur le jardin, et je vis, sur le plancher, comme aux extrémités des rideaux tirés, des traces de feuilles mortes et de boue, qui avaient été essuyées avec un certain soin à quelques endroits. Dans la poubelle du bureau, à droite de la place de Stoppakius, je remarquai des feuilles de papier de correspondance (vierges) froissées. Il y avait aussi des chiffons avec lesquels, de toute évidence, celui qui était entré avait voulu nettoyer ses souliers ainsi que le plancher, mais sans faire attention — impatient qu'il était de faire quelque chose de beaucoup plus important, qu'il avait en tête avant de s'introduire par la fenêtre. Dans la même poubelle, je trouvai un paquet vide de cigarettes de marque étrangère, ainsi que des médailles que l'on décerne dans les expositions internationales, sur lesquelles je vis imprimés des mots en allemand. Comme le paquet que l'avocat avait ouvert pour m'offrir une cigarette ce matin-là. Dans le foyer, qui n'avait pas été utilisé depuis pas mal de temps, je découvris des documents réduits en cendres, au bout desquels je pouvais distinguer des terminaisons de mots étrangers que, malgré mes efforts, je ne pus déchiffrer. D'ailleurs, à peine avais-je tenté d'en saisir un qu'il s'était effondré en poussière.

Tout indiquait que la fenêtre avait été fermée de l'intérieur, le loquet bien en place. Cela m'a fait supposer que celui qui s'était introduit par la fenêtre était ensuite sorti par la Grande Porte, mais j'ai tout de suite exclu cette hypothèse : ou bien il était ressorti par la fenêtre avec la complicité de celui qui l'avait fait entrer, qui n'était nul autre que Stoppakius, ou bien il était resté dans la maison et dormait maintenant dans l'une des chambres d'en haut. Cette dernière possibilité me troublait nettement davantage.

D'un autre côté, cet homme ne pouvait être que le bienvenu — il aurait fait son travail autrement s'il avait été un simple intrus ; il aurait laissé d'autres traces sur son passage. Pour le meilleur et pour le pire, j'ai tout étudié dans l'optique du vol, pour éliminer cette éventualité : les tiroirs du pupitre — d'une belle facture en bois blond, de ceux qui forment un « U » inversé — n'avaient pas été ouverts, ni même forcés. Dès que j'essayai de les ouvrir, l'un après l'autre, je butai sur la résistance que j'avais essuyée quand j'avais tenté de faire la même chose, alors que Stoppakius était en voyage.

Quelles qu'aient été mes observations, je me suis empressé de nettoyer le bureau avec le plus grand soin. J'ai tout remis en ordre, craignant curieusement que Stoppakius ne fasse irruption et ne me voie à l'œuvre — comme si tout ce fouillis était ma faute à moi, comme si c'était moi le coupable. J'ai ramassé à l'aide d'une petite pelle à poussière la boue séchée et les feuilles mortes qui se trouvaient sur le tapis et, avec le contenu de la poubelle, je les ai jetées comme faire se doit aux ordures, à l'endroit prévu à cet effet derrière notre maisonnette. De retour, insouciant, par la porte de la cuisine — où j'ai plaisanté pendant un moment avec Sterilda, alors que le cœur me débattait devant la tournure des événements où j'avais fourré mon nez —, j'ai pénétré dans le bureau comme si j'entrais dans une propriété bien à moi. Une fois dedans, j'ai ouvert les rideaux et les fenêtres afin d'aérer les lieux comme il le fallait ; ils sont restés ouverts lorsque je suis parti vers la salle à manger. Pour être franc, j'avais laissé sur son pupitre quelques morceaux de documents à moitié calcinés, et je l'ai fait exprès, de manière à communiquer avec lui, et à le provoquer. Alors, nous pouvons dire, en toute certitude, qu'à partir de ce jour l'attitude de Stoppakius envers moi a soudainement changé, jusqu'à ce que, finalement, il me renvoie — la faute n'était pas tout à fait la sienne, surtout quand on considère que je m'étais mêlé d'autres affaires, la plupart du temps malgré moi.

En général, alors que j'avais tout nettoyé avec beaucoup d'application, je faisais mon possible pour qu'il comprenne que j'avais flairé quelque chose, pour l'avoir tacitement à ma main ; je l'avoue. D'une manière contournée, c'était comme si je lui disais que j'avais fait disparaître des preuves compromettantes qu'il aurait dû éliminer lui-même, ce qu'il n'avait pas fait. De deux choses l'une : soit il me mettait dans le coup — je brûlais d'y être, par curiosité —, soit il devait m'écarter complètement de l'affaire. Mais je n'ai pas trop bien évalué la seconde hypothèse, et je ne croyais pas que cela puisse m'arriver.

Vers dix heures et demie, Stoppakius a pris son petit-déjeuner avec Solange. Pendant que Sterilda les servait, j'y assistais — au garde-à-vous, sans expression, pour ne pas trahir tout ce qui me passait par la tête —, la serviette blanche bien amidonnée sur le bras gauche, selon l'habitude que j'avais prise depuis mon engagement. De temps en temps, de mon garde-à-vous, le regard rivé sur le tableau d'en face (mais les oreilles aux aguets), je jetais sur eux des coups d'œil furtifs. Tout ce que je peux ajouter, c'est qu'il régnait entre eux un silence absolu, sans gestes allusifs, sans murmures, sans mots ambigus comme auparavant. À mes tentatives répétées (et légèrement ironiques, à propos de Stoppakius) pour savoir s'ils voulaient autre chose, les deux répondaient par un « Non, merci » sans inflexion, alors qu'ils avaient l'esprit ailleurs. J'ai pu observer, aussi, que Stoppakius semblait extrêmement fatigué ; il avait des cernes noirs autour des yeux, et il était pâle — non pas tant à cause du sommeil perdu que des événements de la nuit précédente. C'était comme s'ils avaient souhaité que je disparaisse de leur vue. Mais alors que, tant de fois par le passé, ils m'avaient dit de dégager quand ils le voulaient et sans autre formalité, maintenant ils indiquaient très clairement qu'ils avaient bien évalué la situation, tous les deux, dans leur for intérieur (chacun pour ses propres motifs, mais les deux pour la même raison), pour en arriver à la conclusion qu'il n'était pas dans leur intérêt de me renvoyer, surtout pas cette fois-ci, pour ne pas éveiller de soupçons. Quant à moi, je restais là à dessein, sans bouger d'un cran de mon garde-à-vous, même si autrefois je trouvais l'occasion de m'esquiver quand j'en avais envie. (Là-dessus, j'ai su m'imposer.) Quand est venu le moment de se lever de table, Stoppakius — qui passait son temps à me regarder d'un œil torve —, ne pouvant plus se retenir, m'a ordonné de sortir un instant dans le couloir, précisant qu'il allait me rappeler. Et avant même que je ne sois sorti, ils se sont mis à chuchoter quelque chose entre eux. Ils se pressaient d'en finir, par souci de ne pas paraître louches. Peu après, il m'a rappelé, un ton impératif dans la voix (elle avait encore un reste de ce qu'il lui avait dit, à elle, sans doute à mon sujet), puis, ayant échangé devant moi des regards obliques lourds de sens, ils se sont retirés en même temps que moi, sans mot dire, jusqu'à la porte de la boutique d'antiquités. Là, Stoppakius, fouillant dans ses poches, prétexta qu'il avait laissé les clefs dans sa chambre. Il est parti les chercher, me laissant dans une position difficile face à face avec Solange; c'est un miracle que je ne lui aie pas donné un baiser furtif dans les cheveux. Il est revenu haletant — après un certain temps, plutôt long —, puis il a déverrouillé la porte avec les deux clefs. Il a laissé la porte s'ouvrir, et pendant que Solange passait devant lui, il a jeté un coup d'œil global à tous les objets exposés. À ce point précis, regardant toutes ces choses comme si elles ne lui appartenaient pas, il m'a laissé l'impression très nette d'être travaillé par les remords, et qu'il n'existait — littéralement — rien au monde qu'il n'aurait donné pour pouvoir s'extirper de cette situation, qui l'obsédait de plus en plus, de jour en jour, et se consacrer uniquement à la boutique d'antiquités et à lui-même. Mais, de retour à la dure réalité, il a donné un baiser routinier à sa mère dans le cou, puis est parti avec un empressement tout particulier (qu'il s'efforçait de dissimuler) à son bureau, où l'on peut entrer par une porte de côté, donnant sur le même couloir que le sous-sol.

Un peu plus tard, après avoir effectué un époussetage superficiel des objets exposés, je contemplais Solange, de ma cachette habituelle derrière les grands vases chinois de je ne sais plus quelle dynastie, quand j'ai entendu Stoppakius m'appeler du couloir. J'ai compris que je m'en tirerais difficilement. Sa voix avait un ton sec et hésitant, ce qui laissait présager qu'il allait tenter de s'imposer avec beaucoup de précautions, alors qu'en même temps il ne souhaitait pas que je comprenne quels étaient les motifs de son attitude. D'un autre côté, il ne voulait surtout pas me contrarier, ni se comporter avec moi trop mollement non plus, ce qui aurait indiqué chez lui une disposition à essayer de me ranger de son côté pour des raisons dont je pouvais deviner l'importance.

Mais il avait beau chercher à le cacher, il était on ne peut plus évident qu'il m'attendait avec impatience, les yeux fixés sur l'endroit où j'allais faire mon apparition. Avec la plus grande désinvolture possible, il m'a demandé qui avait fait le ménage ce matin dans son bureau, comme s'il ne le savait pas. Avant même que je n'aie pu répondre, il ajouta, furieux : « Ferme bien la porte. Ne bouge pas de là où tu es ! »

Il reprit ses esprits, me laissa dans l'anxiété quelques instants, puis continua, le plus calmement qu'il le pouvait : « Regarde-moi dans les yeux ; ne m'évite pas. Avant de commencer, je vais te dire ceci. Que je n'apprenne jamais que tu as osé — ce que je vais te dire — le répéter, même aux murs, sinon je vais t'étriper, misérable. Je n'ai rien d'autre à ajouter. Je ne plaisante pas, tu le sais. Écoute bien ce que je vais te dire. J'ai un certain nombre de renseignements vérifiés auprès de sources sûres, qui t'incriminent. (Tu sais ce que j'entends par là. Je ne te donne pas d'explications, et je n'en veux pas de toi. Je n'ai pas de temps à perdre.) Nous t'avons ramassé, habillé, chaussé, empiffré, et tu as maintenant le culot et l'ingratitude — je suis hors de moi, surtout depuis récemment — de te retourner contre nous en cachette, de nous surveiller, de nous espionner. Fais bien attention, corrige-toi, parce que dès maintenant tu as affaire à moi, en personne. Ça dépend de toi si tu veux rester avec nous comme un prince, comme jusqu'à présent, ou si nous allons te renvoyer à coups de pied. Avec toi, ton père et toute ta famille !

« Tu vas perdre non seulement tous tes privilèges en partant d'ici, mais où que tu sois, si tu oses jamais souffler mot à propos de tes bienfaiteurs, pour nous faire du mal par des calomnies, des complots et des machinations, tu vas te faire descendre TOI AUSSI avant même que tu n'aies pu ouvrir la bouche. Sans compter ce qui va s'abattre sur ta famille. C'est pour ça que, si tu veux ton bien, bouche-toi les oreilles et la gueule avec de la m…, ferme-toi les yeux avant que je ne te les arrache — avant qu'il ne soit trop tard, que tu ne le regrettes amèrement. M'as-tu bien compris ? Tu peux en sortir gagnant. (Moi, ça m'est indifférent, parce que d'une manière ou d'une autre, je n'ai besoin de personne.) Surtout, si je vois que tu fais preuve d'un esprit de coopération — tu comprends ce que je veux dire ? —, je n'hésiterai pas même à te payer un petit salaire — pour que tu puisses faire face à tes dépenses, en jeune homme que tu es. Et si certains de mes plans vont bien — c'est seulement une question de temps —, tu pourras jouir de choses dont tu n'as jamais eu idée : argent, position, et tout le reste. Tu aimerais ça qu'on te nomme maire de Gand un beau jour ? Je ne peux pas en dire plus ; je ne voudrais pas que ça te monte à la tête. Penses-y bien. Écris-le quelque part. Un de ces jours, tu verras par toi-même que celui qui te fait l'honneur de te parler en ce moment était un Héros — et pas comme certains ignobles individus essayent de me présenter, des types qui ne sont bons que pour cracher du venin. D'eux, il ne faut pas s'attendre à autre chose que du mal. De gens comme moi tu as tout à gagner — il ne faut pas te laisser emporter par l'ingénuité et l'émotivité de la jeunesse. Comprends-tu ce que je veux dire ? Penses-y bien, parce que je ne vais pas le répéter. Ce qui est fait est fait. Je te pardonne. Mais à partir de maintenant, fais bien attention. Tu ne veux pas te conformer ? Tu vas le regretter amèrement. À présent, tire-toi de ma vue, ingrat ! »

Lorsque je me suis tourné, pour déguerpir, il m'arrêta de nouveau. « J'ai oublié ceci, m'a-t-il dit. À compter d'aujourd'hui, très peu de conversations avec monsieur Xentadine. Ou plutôt, rien du tout — pas un mot à personne, et par ça je veux dire tout le monde. Si on te pose des questions, sur n'importe quel sujet, tu ne sais rien. Tu dis "Je ne sais pas" et tu coupes court à la discussion. Si je te prends en train de parler avec quelqu'un, je te casse les jambes. Je te mets cartes sur table, afin que tu ne viennes pas me voir après pour me dire que je ne t'en avais pas informé. Et puis, ceci. À partir de maintenant, je t'interdis de circuler dans les chambres à l'étage sans raison — sauf si, et quand, je te l'ordonne personnellement. Et pour te montrer mes bonnes dispositions envers toi — comme envers tout le monde, d'ailleurs —, je te dis que j'avais d'abord l'intention de t'envoyer dormir dans la maisonnette du jardin, sur l'un des canapés parmi les rats.

Mais je ne l'ai pas fait. Ne m'oblige pas à aller jusque-là. Voilà, disparais de ma vue — il ne faut pas que tu me donnes envie de te faire ce que je ne souhaiterais pas à mon pire ennemi. »

*   *   *

Là-dessus, le mieux que j'ai à faire, c'est de me référer aux notes que j'ai prises ces jours-là, en proie au désespoir. Je m'en suis servi pour ce qui précède à maints égards. Ici, je vais citer un autre extrait, tel que je l'ai écrit.

... Aujourd'hui, j'ai vécu l'une des pires journées de ma vie (dis-je à un moment donné, comme vous allez le voir dans l'original). J'écris ces lignes en soirée, avec angoisse, enfermé dans ma chambre, les rideaux tirés. Je leur ai demandé de m'accorder un congé à partir de midi; ils ont acquiescé. Pendant toutes ces heures, je suis resté à jeun. Comme un fou, je me suis promené dans cette partie de la maison qui ne m'est pas interdite, et dans le jardin, un tas de nuées noires dans l'âme. Je n'ai pas pris contact avec qui que ce soit — j'évitais même Sterilda car je la soupçonnais, elle aussi, malgré qu'à vrai dire je n'aie pas de preuve. Mais autant je prétends cela, autant le contraire peut arriver. Le temps le dira. Que voulait-il entendre quand il a déclaré qu'il avait des renseignements vérifiés auprès de sources sûres? Qui sont ces sinistres individus qui me surveillent? Comment est-ce possible que je ne m'en sois jamais aperçu? Est-ce qu'il me l'a dit comme ça, pour que j'aie les foies? D'accord, mais sans motif valable, comment pouvait-il s'occuper de moi, au risque de trahir les relations tendues qu'il entretenait avec ces tristes sires? Autant je dis cela, autant je dis ceci, toutefois: il semble que, parmi les soucis qui l'obsèdent, il se soit comporté spontanément — sans même penser au mal que je pourrais lui faire à partir des éléments compromettants que je possédais. C'est lui-même qui me l'a certifié, par allusions, bien entendu. Mais pourquoi avoir peur de quelque chose de semblable, du moment que c'est pour cette raison justement qu'il m'a lancé toutes ces menaces? Une chose est sûre : je suis en mauvaise posture. Durant l'après-midi, en flânant dans le jardin, j'étais tourmenté par un dilemme : si je décide de partir, j'aurai peur de mon ombre partout où j'irai, sans parler des privilèges que je perdrai. Si, par contre, je reste, comment pourrai-je supporter cette atmosphère maudite, où même les murs me sont hostiles? Je n'ai qu'une seule option : m'en remettre au sort.

Je me sens peut-être coupable à certains égards — mais coupable à la suite de ce qu'il m'a dit. Autrement, je ne peux pas admettre qu'au fond je sois fautif. Cela, je ne le dis pas pour retrouver un tant soit peu mon calme. Dans la plupart des cas, j'ai fourré mon nez dans ses affaires sans le vouloir ; ce sont les circonstances qui m'ont ouvert les yeux — je n'y suis pour rien, moi. Peu importe si j'ai été amadoué par le mystère que recelait l'Affaire. Je n'ai rien fait, toutefois, de propos délibéré. Comment peut-il m'accuser de les épier? De toute façon, je n'ai dévoilé mes observations à personne. Ces explications, je ne les apporte pas pour que Stoppakius les voie, soi-disant, pour ensuite me pardonner. Au contraire, je vais cacher mes papiers dans un endroit que je suis seul à connaître, car il n'est pas dans mon intérêt qu'il sache ce qui me vient à l'esprit. Si jamais il apprend que j'ai l'esprit vif, je vais peut-être avoir d'autres déboires.

Impossible de décrire la terreur que je ressens. Je n'ai peur de rien de précis ; mais c'est cela, le pire. Je vois partout des fantômes, partout des indices qui, pour être tout à fait franc, excitent ma curiosité de savoir ce qu'ils dissimulent

— à un point tel que je résiste difficilement à la tentation de tâter, d'écouter à la dérobée, de scruter à la loupe tout ce que je trouve devant moi, à chacun de mes pas. C'est comme si le mur en face de moi, à l'heure où j'écris à ma petite table, voulait me faire signe qu'il cache quelque chose — qu'il tient à me révéler quelque chose, chose qu'il m'est possible d'apprendre pour peu que je fasse une tentative. Mais voilà le hic, cette tentative-là, je ne peux pas la faire. Je sais qu'il sait que je sais qu'il sait que la terreur que je ressens est telle que, avec le peu qu'il a laissé sortir de sa bouche, il n'a pas besoin de me faire surveiller, soit par ses hommes, soit par d'autres moyens obscurs, où que je sois — car je serais un idiot si j'osais faire une chose pareille, étant donné qu'il me mettrait le grappin dessus en un clin d'œil. Mais je suis tout sauf réconforté par cette constatation. C'est pour ça que je suis comme paralysé. Où que je me trouve, à la maison ou dans le jardin — même s'il n'est pas devant moi —, je fais tout ce que je peux pour montrer par mon attitude que je n'ai pas de mauvaises intentions, que je suis sans danger pour lui. Je sens que les portraits sur les murs possèdent de véritables yeux; qu'ils ont été placés là pour mieux me surveiller à partir du moment qu'ils captent mon image jusqu'à ce que je disparaisse de leur champ visuel. C'est pour cela que je me comporte en conséquence.

Ces instants, lors desquels j'ai été obligé de le regarder droit dans les yeux, me resteront dans la mémoire jusqu'à ma mort. Bien qu'il y ait eu, certes, des instants pendant lesquels il évitait de me regarder — peut-être parce qu'il ne croyait pas ses propres paroles, ou bien qu'il n'en était pas certain —, et il rangeait avec un embarras évident la paperasse devant lui sur son bureau de la manière qu'on sait. Je m'aperçois que j'évite systématiquement de prononcer son nom, parce qu'il me donne des sueurs froides et un dégoût insupportable

— surtout le second. Au fond, c'est le dégoût, et non la peur. Qu'est-ce que je vais faire demain, obligé que je suis de le regarder en face ? Quoi qu'il advienne, je vais le traiter d'innommable. Quoi ?! Dès que je le dis « innommable » en voulant dire « celui-là », j'aurai encore une fois sa bouille devant les yeux ? D'autre part, je ne sais pas ce que j'ai à gagner en me disant tout cela par l'entremise du papier. Ce serait la même chose si je m'adressais au mur. C'est ça, mon drame : je n'ai littéralement personne au monde à qui confier mon cas. Pour ce qui est des miens, ils ne me comprennent pas, et changent constamment de sujet, invoquant le destin ou le divin, quoi que je leur dise. Il est exclu que j'en touche un mot à ma petite amie. Je sais qu'elle ne pourrait rien répondre ; mais je n'en ai pas moins peur pour autant. Le diable est un fin finaud. Et comment savoir si, lorsque je lui en parlerai, il n'y aura pas quelqu'un de caché tout près, en train d'écouter ? Pour ce qui est de Sterilda, il n'en est même pas question — je n'ai pas du tout aimé son attitude récemment. Cet après-midi, pendant que j'observais, à temps perdu, les mouvements embarrassés des poissons dans la citerne, sous un ciel blafard qui accompagnait parfaitement mon désespoir, j'ai eu une idée insensée : l'oreille électronique, comme je l'appelais. Lui, avec les mécanismes diaboliques qu'il sait si bien appliquer, peut-on exclure qu'il ait implanté à un endroit dissimulé sous ma table un combiné, à peine plus grand que celui du téléphone, et qu'il entende à partir de son bureau, à sa guise, tout ce que j'ai la manie de me chuchoter en écrivant ? Je dois également faire attention à ce détail.

Sa figure, pendant que j'écris, ou bien disparaît complètement de ma mémoire, ou me regarde intensément, énigmatiquement, comme un portrait. Ses yeux ne sont pas bleus — comme je l'avais naïvement pensé pendant tant

302

d'années, influencé par ses cheveux blond-roux, lesquels ne sont même pas blonds, mais tendent vers le roux ; ils ont cette couleur rouge-brun qu'ont les yeux des lapins : pleins de méchanceté, d'un égoïsme abyssal et avec une disposition constante à la vengeance — le diable m'emporte si je sais de quoi. (Sauf que les lapins sont des bêtes innocentes.) La peau de son visage, rendue blême par la débauche et la maladie, semble être engorgée de pus au lieu de sang, couverte de taches de rousseur, à un tel point qu'elle donne l'impression d'une peau de reptile. Même chose pour ses mains. Cela dit, je ne veux pas affirmer qu'il est tout à fait rébarbatif. Ça, non. Je dois avouer qu'il possède un charme particulier, une finesse, même dans les moments les plus difficiles, qui le sauvent d'une condamnation sans appel. Cela, il le doit à Solange. Mais justement, voilà le drame : puisque ses traits la rappellent intensément, il arrive, par sa présence, à l'assombrir. Ainsi, il m'ampute de son image à elle, et au cours de mes rêveries coupables qui ont sa personne pour objet, mon esprit s'oriente malgré moi vers lui. J'ai enfin compris ce qui n'allait pas pendant si longtemps ; car cela se produit depuis un long moment…

J'écris un peu plus tard, après une paisible sieste que je viens de faire. Il m'a affirmé détenir des renseignements compromettants à mon endroit. Mais il ne m'a pas dit quels sont ces renseignements. Il n'a pas voulu, à ce qu'il semble, trop fouiller la chose par des révélations, des questions ou des allusions par crainte de m'ouvrir les yeux sur des aspects que j'aurais pu si bien ignorer… Oh, il n'en est rien. Il m'a dit cela de manière préventive, de peur que je ne m'aperçoive de quelque chose — et non pas parce qu'il possède des preuves. D'un autre côté, je sais qu'il ne peut pas me renvoyer parce qu'il n'est pas dans son intérêt que celui qui connaît tant bien que mal ses secrets s'en aille, persécuté et mécontent. D'ailleurs, il a besoin d'un serviteur, cela ne fait pas de doute. (Si j'examine tout cela de près, à plus forte raison lui, qui a perdu sa superbe.) Mais il n'est absolument pas certain de pouvoir trouver quelqu'un d'expérimenté comme moi qu'il aurait à sa main, quelqu'un qui puisse, sans rechigner, faire même le portefaix. Mais même s'il arrivait à dénicher un remplaçant, comment pourrait-il être assuré que celui-là ne se mettrait pas à flairer lui aussi la situation? Tandis qu'avec moi il sait comment gérer celle-ci, au moins. Je dis tout cela comme si je cherchais des raisons de rester. En même temps que je voudrais m'évader de cette prison le plus vite possible…

*　　*　　*

Le temps passait, les minutes, les heures, les jours. Dans l'intervalle, j'ai repris mon emploi régulier dans la boutique d'antiquités. Mais quelque chose y avait changé, même dans le comportement de Solange, qui regrettait, au fond, que tout cela me soit arrivé. Mais jamais on n'aurait pu imaginer qu'elle sacrifie les intérêts de Stoppakius pour mes beaux yeux. Quoique cela m'attristât, je lui donnais raison. Les soirées dansantes et les expériences de spiritisme avaient pris fin. De temps en temps, ils recevaient seulement un couple. Cela faisait longtemps que Xentadine ne s'était pas pointé, de même que Gédéon et tous leurs amis intimes. L'avocat, je ne l'ai vu qu'une seule fois pendant toute cette période franchir la Grande Porte, à un moment où Stoppakius était occupé dans son bureau, et se diriger directement vers la chambre de Solange. L'atmosphère s'était transformée; c'était perceptible même dans l'attitude de Sterilda, qui semblait être devenue plus circonspecte, et peu encline à me faire part de quelque chose d'une importance capitale, ce qui recelait un profond mystère. Maintes fois elle me donnait nettement l'impression qu'elle s'attendait à ce que je me mette à poser des questions sur l'Affaire, mais en même temps, par son attitude, elle me dissuadait d'avance de faire la moindre tentative.

Pour ce qui est de moi-même, ma situation allait en se détériorant. Alors que je ne voyais rien venir de positif, je soupçonnais fortement que certains regards obliques, certains sous-entendus, certains murmures entre Stoppakius et Solange n'avaient d'autre objet que moi. J'aurais préféré qu'ils me renvoient sur-le-champ, comme on dit ; il suffisait que cesse cette tyrannie, qui durait depuis des semaines. Par l'attitude des deux, et de façon plus générale par l'atmosphère qui régnait dans la maison — dont j'analysais tous les détails —, je voyais à tous coups qu'ils avaient commencé à se prémunir contre moi pour la raison suivante : et si j'avais fourré mon nez — sans le vouloir, je le répète — dans deux ou trois affaires sans importance, de quoi d'autre étais-je capable ? Et, pour être sincère, conformément à cette observation, j'avais intrigué pour faire exactement cela : apprendre quels étaient ces secrets qu'il n'était pas dans leur intérêt que je sache.

En tout cas, ce n'était plus qu'une question de temps. Tôt ou tard, j'allais prendre mon congé. Mais d'un autre côté, je flairais que le seul obstacle à mon renvoi, c'était que je connaissais certains de leurs secrets. Afin de leur prouver que je m'étais repenti, qu'ils n'avaient rien à craindre de moi, je prenais, lors de toute activité qui les touchait de près ou de loin, du matin jusqu'au soir, une attitude réservée qui dépassait les limites de la servilité. Là-dessus, je faisais preuve d'une telle application que, même quand j'étais seul, je sentais que j'adoptais le même comportement misérabiliste, comme si j'avais eu devant moi le visage de Stoppakius. Il y avait des moments pendant lesquels je voyais que je me nuisais en leur donnant l'impression qu'ils n'avaient rien à craindre de moi. Or, par ce constat, ils adoptaient l'attitude correspondante — et d'abord Stoppakius — qui se retournait contre moi. Mais je ne pouvais pas faire autrement.

Depuis les premiers jours où je suis tombé en disgrâce, l'une des conditions qu'il exigeait tacitement de moi, sans me dire un mot, comme une sorte d'expiation de la peine qu'il devait, selon lui, m'imposer (et qu'il ne m'a pas imposée, soi-disant, pour m'en faire grâce), c'était de l'accompagner dans tous ses mouvements quand il se trouvait à la maison. Cela, afin de savoir où je me trouvais — alors que moi, bien sûr, je ne savais pas toujours où il était, lui, car, quand cela faisait son affaire, il me renvoyait en m'ordonnant froidement de gagner directement ma chambre, sans m'arrêter, et de m'y tenir prêt, jusqu'à ce qu'il me rappelle. Ce qu'il oubliait de faire maintes fois, et j'attendais en vain des heures durant — et à la fin j'apprenais le lendemain, de la bouche de Sterilda, que lorsqu'il me disait qu'il me rappellerait, il se moquait de moi, car il savait très bien qu'il allait sortir, et qu'il n'allait rentrer qu'après minuit.

Bien sûr, j'avais l'occasion assez souvent de m'évader — surtout lorsqu'il m'envoyait faire des courses —, mais au fond, j'étais lié à lui comme par des menottes. Ce qui me mettait hors de moi, c'était quand j'étais obligé de le regarder en face. Quand il était assis, il me forçait par sa manière, et non en paroles, à rester debout près de lui. Cela dans son bureau, surtout. C'était lors de tels moments que je ressentais le désir ardent de lui asséner une baffe, et si je ne l'ai jamais fait, cela relève du miracle car il s'en est fallu de peu que je ne lui fasse voir trente-six chandelles. Je lui aurais donné cette baffe non par haine (qui existait, et comment, mais qui manquait à cette occasion), mais par suite d'une tentation quelconque ou bien pour je ne sais quoi au juste. Il me donnait fortement l'impression de comprendre ce qui me passait par la tête, et d'avoir un malin plaisir à constater que j'étais incapable de lui faire voir trente-six chandelles — en dépit du fait que, parfois, il n'y avait entre nous qu'un écart de quelques centimètres.

Les soirs, épuisé par les longues heures debout, les courses incessantes, et les humiliations de toutes sortes auxquelles il me soumettait par son attitude passive, je montais dans ma chambre princière et je tombais raide de sommeil. Non sans, toutefois, devoir subir encore une autre humiliation : lui demander la permission ; car je savais que, si je ne lui demandais pas la permission, il était tout à fait capable de m'oublier là, debout, jusqu'à minuit ou bien plus tard encore. Ainsi, quoiqu'il ait été impatient (parce que, au fond, ma présence le gênait autant que moi la sienne) de se débarrasser de moi au plus tôt, il préférait mille fois souffrir, pour autant que je souffre avec lui. Il ne me laissait même plus sortir.

Parfois, il ne supportait plus que je sois dans ses jambes, et alors il me renvoyait relativement tôt. Mais puisqu'il s'était habitué à la présence de quelqu'un auprès de lui, il gardait Sterilda sur pied jusqu'à la dernière minute. Il avait beau être irrité à l'idée que je devinais sur son visage renfrogné qu'il jetait sur ses épaules à elle un poids supplémentaire pour me ménager (sans qu'il comprenne qu'au fond il servait ses propres intérêts), il me donnait congé en esquissant une grimace, sans même me regarder, à condition que je ne bouge pas de ma chambre.

Cela se passait surtout après le souper, quand Solange lui souhaitait bonne nuit avec de la lassitude dans la voix et l'expression, puis se retirait dans sa chambre, où la lampe à gaz restait allumée très tard. Je montais dans ma chambre, ulcéré. Cependant, je me plaisais à penser que nous deux — Solange, dans son lit, et moi dans le mien, qui se trouvait juste au-dessus du sien —, nous communiquions secrètement à travers le plancher. Je croyais qu'elle m'envoyait des messages secrets, et que n'eussent été les circonstances, et les conventions ridicules, elle aurait fait je ne sais quoi avec moi. Par l'imagination, je me retrouvais dans sa chambre à coucher, comme je l'avais connue pendant l'absence de Stoppakius ; ces situations-là, toutefois, je les voyais d'un angle particulier, sous cette même lumière incertaine et déclinante, et par cet après-midi inoubliable lors duquel je l'épiais par le trou de la serrure.

Autant j'abhorrais la présence quotidienne de Stoppakius (je ne pouvais pas, je le répète, m'en débarrasser, même quand je m'enfermais dans ma chambre), autant je me sentais attachée à Solange par une passion singulière. Plus le temps passait, me faisant voir que je perdais du terrain, plus celle-ci gagnait en intensité. Mais, à ma grande exaspération, c'était son visage à lui qui surgissait dans les cellules obscures de mon cerveau, pour recouvrir le sien aux moments les plus critiques ; par conséquent, je ne pouvais plus jouir autant que j'aurais voulu des scènes où je me donnais à elle dans mes rêves.

Il y avait des moments où j'attribuais mon attitude de supériorité non pas tant à toutes ces affaires où, sans le vouloir, j'avais fourré mon nez, ni aux conséquences que cela aurait pu avoir pour lui, mais à la place privilégiée que je lui avais accordée de façon systématique, par le truchement du comportement réservé et servile que j'avais adopté. Avec ce constat, je prenais feu, je me révoltais, je levais la tête immédiatement. Je me mettais alors à lui faire diverses petites scènes, à refuser d'exécuter l'un de ses ordres, et à le regarder d'un air très méprisant. Et à ma grande surprise, il perdait contenance, et se transformait en agneau sur-le-champ. Mais combien de fois ai-je réussi à jouer ainsi mon rôle? Très peu souvent. Et encore, ces quelques fois-là, ma victoire était tronquée. À peine avais-je levé la tête que je la rabaissais, car entre-temps, lui, assuré d'abord que je savais qu'il était en son pouvoir de me faire perdre mon emploi, et donc de mettre à exécution les menaces qu'il avait formulées contre moi, et voyant dans mon comportement des stigmates de la lâcheté qui me dominait, en faisant cette constatation, il avait déjà repris du poil de la bête, et était redevenu maître de la situation. C'était là qu'il me battait comme plâtre. C'est-à-dire, lorsque j'arrivais le premier à lever la tête, il baissait la sienne, et inversement. Mais je n'étais pas habitué à cela; je ne pouvais pas exploiter la situation, garder la même attitude pendant un bon bout de temps. Comme toutes les autres conquêtes de sa vie, celle-ci aussi l'ennuyait. Cela aurait valu la peine (c'est comme s'il l'avait cru) si son triomphe avait eu comme objet quelqu'un de nettement supérieur à lui — et non pas un pauvre type comme moi... Cette observation était celle qui me faisait me révolter intérieurement. Ah, si seulement j'avais pu maintenir une certaine égalité de forces avec lui!

Je me souviens d'avoir passé des nuits entières à me retourner et à gémir sur mon matelas — qui, en dépit de la mollesse que je sentais sous mes côtes, me donnait l'impression qu'il était posé sur des pierres — en proie à des affrontements imaginaires avec lui. Le pied obstinément enfoncé dans la fourrure de la peau de bête étalée devant son bureau, je le dévisageais, disposé à répondre avec outrecuidance à chaque manquement aux règles de sa part. J'étais anéanti de constater que, jusque-là, je n'avais rien fait de tout ce que je m'étais promis à ce sujet. Mais pour dire la triste vérité, comment est-ce que j'aurais pu mettre en application l'un des plans que j'avais échafaudés, alors qu'il ne me laissait même pas ouvrir la bouche ? Où trouver la force de lui résister par les moyens que j'élucubrais, dans la fièvre de la nuit ?

Ma vie était rendue à n'être qu'un martyre sans fin. Du matin jusqu'au soir, quand je regardais autour de moi, je m'apercevais, dans toutes les choses qui m'entouraient, qu'il n'y avait plus rien pour me garder à la maison. Ou bien Stoppakius me renverrait un de ces jours, alors que je ne serais pas préparé à me trouver du travail, ou bien je devrais partir de moi-même — je le voyais très clairement, même si j'avais des sueurs froides à l'idée des conséquences qu'aurait un tel geste. Mon esprit, chaque fois que tout ce qui se passait autour de moi m'oppressait à un degré insoutenable, se transportait à cet appartement misérable où, comme je vous l'ai déjà dit, ils avaient jeté les miens, et que j'avais cessé de fréquenter depuis le départ de Stoppakius en Allemagne — c'est-à-dire depuis des mois entiers. Le désespoir s'emparait de moi simplement à l'idée que je serais obligé par les circonstances d'y rester même une seule nuit, après mon train de vie princier dans cet environnement-ci. D'autre part, mon éloignement de Solange, qui évitait même le moindre regard de ma part, ainsi que l'étiolement de mon amour avec ma petite amie du canal m'ont plongé dans des abîmes de mélancolie. Tout m'arrivait de travers. Il n'y avait personne au monde pour prendre mon parti. Mon seul espoir restait l'avocat, dont je conservais dans ma mémoire avec nostalgie le souvenir de notre rencontre ce matin-là dans le vestibule. Je scrutais méthodiquement son attitude, à partir du moment où il m'a amené à son bureau par la porte arrière à travers les dédales d'archives poussiéreuses, jusqu'au moment où il m'a ramené à la demeure en fiacre, pour repartir à la hâte en direction du tribunal. J'ai aussi examiné son comportement dans les autres occasions où je l'ai revu depuis cet événement. Et j'arrivais toujours à la conclusion — un grand soulagement pour moi — qu'il ferait quelque chose pour me soutenir si je le prenais à l'écart pour lui expliquer ma situation. Mais ma timidité ne me le permettait pas — à part le fait que je le voyais constamment accablé par divers soucis qui n'avaient pas toujours de lien avec Solange. L'existence de ce pitoyable scribe, en plus, dans son bureau en venait plus d'une fois à dissoudre, sans que je sache pourquoi, tous les espoirs que j'avais placés en l'avocat.

Entre-temps, les réceptions et les expériences de spiritisme se poursuivaient tous les jeudis, mais même parmi les gens qui m'étaient inconnus, je distinguais des ennemis, partout des ennemis; j'avais la certitude que Stoppakius leur avait parlé de moi en mal, et qu'il les avait prévenus de me surveiller. C'était pour cela que j'évitais par tous les moyens de les croiser même du regard. Et si, parfois, pendant que les expériences de spiritisme se déroulaient, mon œil en attrapait quelques-uns qui fuyaient comme traqués en direction de l'étage supérieur (vers la chambre du défunt vieillard), je n'en suis en rien responsable, moi, malgré que je fusse piqué par la curiosité — je l'admets — de savoir ce qu'ils faisaient là au juste (j'en avais déjà une bonne idée). Je ne pouvais pas non plus effacer de mon visage — qui m'a très souvent trahi dans la vie — la conviction inébranlable que l'homme que j'avais vu dans le jardin se trouvait caché quelque part dans la maison depuis des jours entiers, et qui avait laissé tant et tant de preuves tangibles de sa présence dans le bureau de Stoppakius.

Et en fait, cela a été prouvé, mes soupçons étaient fondés, comme je vais tâcher de vous le raconter.

C'était le soir, peut-être deux ou trois semaines après l'incident nocturne dans le jardin. Quoiqu'ils ne m'aient rien dit, à moi, j'ai pu constater — aux odeurs venant de la cuisine, à l'attitude effarée de Sterilda, aux vêtements que portaient Stoppakius ainsi que sa mère, aux fleurs sur la nappe d'une blancheur éclatante, qu'ils m'ont envoyé acheter, et, plus généralement, à l'atmosphère festive mais en même temps un peu lourde — que ce soir-là en particulier on se préparait à un événement exceptionnel, qu'il s'agissait d'un souper auquel assisteraient quatre personnes seulement.

À l'heure où j'aidais Sterilda à dresser les assiettes, alors que les préparatifs touchaient à leur fin, Stoppakius est entré et, d'un ton plutôt condescendant, comme s'il me faisait une faveur quelconque, m'a dit que j'étais libre de regagner ma chambre — à condition, cependant, de ne pas en sortir s'ils ne m'appelaient pas. Cela, il me l'a dit avec des sous-entendus. Ce qui m'a fait sourciller. Du moment qu'il s'agissait d'une circonstance exceptionnelle, pourquoi ne voulaient-ils pas que j'assure le service, comme c'était la coutume, la serviette amidonnée sur l'avant-bras ? Ma présence ne leur était-elle pas indispensable même quand ils mangeaient absolument seuls, tous les deux ?

Sans trahir la moindre réaction, j'ai immédiatement laissé là les assiettes, tout en observant que, par son attitude, Sterilda savait déjà que Stoppakius allait me renvoyer, et, machinalement, j'ai pris le chemin de l'escalier. Avant d'arriver au tournant — à cet endroit où celui qui monte perd de vue l'entrée —, j'ai jeté un coup d'œil furtif à ma gauche et j'ai vu Stoppakius qui restait là, immobile. Tout indiquait qu'il attendait le bruit de la porte refermée derrière moi avant de monter à son tour. Pour quelle raison Stoppakius prenait-il de telles précautions (envers moi, de surcroît) dans sa propre maison ?

Telles étaient mes réflexions quand, une fois parvenu à la marche palière (d'où l'on ne pouvait me voir), j'ai fait demi-tour et me suis mis à redescendre, fin prêt à prétexter, le cas échéant, que j'avais oublié quelque chose. Arrivé au tournant d'où j'avais pu l'apercevoir précédemment, je me suis rendu compte qu'il avait déjà monté quelques marches avec un certain empressement, sous le coup, à ce qu'il semble, de l'impression que je serais déjà entré dans ma chambre. Quand nous nous sommes rencontrés face à face, il ne m'a fait aucune remarque, mais, embarrassé comme jamais, il a rebroussé chemin en descendant les quelques marches qu'il avait déjà montées, faisant comme s'il ne m'avait pas vu et qu'il avait pris cette voie par inadvertance.

Une fois arrivé à l'entrée, il s'est tourné dans une direction vers laquelle, cela se voyait clairement, il n'avait aucune raison d'aller, alors qu'il aurait pu continuer à monter l'escalier et aller là où il désirait : qui pouvait le priver de ce droit ? Il n'avait à répondre à personne de ses actes. Et, puisqu'il ne m'a pas fait de remarque, je n'ai pas eu à verbaliser le prétexte que j'avais préparé, mais je lui ai donné à comprendre que je voulais quelque chose dans la cuisine, vers laquelle je me dirigeais avec un air dégagé.

Je me rappelle que, en passant devant lui, nous avons échangé un sourire discret de léger embarras, lequel, dois-je l'avouer, n'avait aucun lien avec les circonstances — de la part de tous les deux. Cela, je l'avais observé avant même que nos relations n'aboutissent à la rupture. Très souvent, quand il nous arrivait de nous retrouver dans le couloir tout à fait seuls, et que nos regards se croisaient, son attitude trahissait une telle crispation, une telle timidité qu'il m'obligeait, involontairement (si bien que je me sentais coupable), à adopter un attitude de condescendance envers lui — malgré tous les efforts que j'ai faits pour éviter un tel résultat, puisque je savais d'expérience que j'allais le mettre dans une position encore plus difficile. Parfois, sa timidité atteignait un point tel que je ressentais le besoin de lui demander d'excuser mon comportement — comme si c'était moi qui étais fautif. Et si je ne l'ai jamais fait, c'était pour ne pas rendre la situation encore plus malaisée ; sinon, j'avais la certitude que je finirais par lui demander pardon. Sauf quand il y avait une tierce personne, ou quand il était assis dans le fauteuil de son bureau, il prenait alors cette attitude de supériorité qui me faisait sentir diminué (et oublier complètement les observations susmentionnées).

Le temps que je revienne de la cuisine — une question de quelques secondes —, il avait disparu. Après avoir vérifié, discrètement, dans toutes les pièces, j'en suis arrivé à la conclusion que, pendant mon absence, il s'était esquivé — pour monter jusqu'à la chambre du défunt. Mes soupçons, à savoir que l'homme du jardin y vivait pendant tout ce temps, s'étaient avérés fondés — comme si j'avais besoin de preuves.

Certain d'avoir perdu sa trace, je me suis mis à monter l'escalier quand, à un moment donné, j'ai vu s'entrouvrir timidement la porte de la chambre du défunt, qui se situe à droite quand on arrive à la marche palière, et se fermer aussitôt, avant que je ne puisse voir qui avait fait le guet. J'ai compris qu'on avait ouvert la porte pour voir si le champ était libre. Pour ne pas trop attirer l'attention sur moi, j'ai fait comme si je n'avais rien vu et je suis allé directement à ma chambre. De plus, une fois la porte close derrière moi, je suis resté là sans écouter en cachette, ni rien de semblable.

Comme j'en suis venu à le comprendre, quand je suis allé me coucher tout habillé sans allumer la lumière, les contraintes que Stoppakius m'avait imposées pendant toute cette période avaient pour objet notre visiteur nocturne — je ne savais pas encore qu'il s'agissait de Helmut. J'avais relié certains incidents, puis tiré la conclusion qu'il passait ses journées dans sa chambre, où on lui apportait de la nourriture, et tout ce dont il avait besoin, à mon insu. Il ne sortait que la nuit tombée, quand je n'étais plus là, pour établir les contacts que nous connaissons, les jeudis avec ces tristes individus, en compagnie de Stoppakius. Ce soir précis, dont je vous parle maintenant, ils lui avaient organisé un souper d'apparat, faisant fi de tout, à l'occasion de son départ pour son pays — cette même nuit, comme je vais vous le raconter. Je suis désolé, mais je dois aussi déclarer, si je ne veux pas faire preuve de partialité, que la quatrième personne qui a participé au souper, c'était l'avocat.

*   *   *

La construction de la maison était telle que je n'ai pas entendu Stoppakius et son complice descendre l'escalier, ni ce qui est survenu lors du souper, ni même si ce troisième homme est remonté — et quand — soit pour dormir, soit pour préparer son voyage de retour. C'est toutefois ce qui est arrivé, comme j'ai pu le constater de mes propres yeux un peu plus tard. D'autre part, en vain suis-je allé régulièrement à la fenêtre pour surveiller les arbres, là-bas, dans le jardin, dont je pouvais distinguer très clairement les intervalles, étant donné que mes yeux s'étaient habitués à l'obscurité de la pièce.

Bref, j'ai succombé au sommeil, pendant que tous les événements des derniers jours me tourbillonnaient dans la tête. J'ai fait un cauchemar. J'ai vu que, comme j'étais assis à la table de la chambre en train d'écrire, un type au visage patibulaire, comme les individus en noir qu'on connaît, s'est approché de moi par-derrière. C'est Stoppakius qui l'avait envoyé. Il a tendu la main comme ça, derrière moi, et m'a remis un gros document, rempli de centaines de questions confuses et embrouillées auxquelles, comme m'a expliqué à voix basse cette détestable personne (comme pour éviter de révéler son identité), je devais répondre, coûte que coûte, par écrit et immédiatement, pour qu'il puisse repartir avec.

Il m'a chuchoté en me menaçant que, si je n'obtempérais pas, Stoppakius, de connivence avec son complice, allaient me torturer de manière atroce dans l'une des pièces condamnées du sous-sol, puis me renvoyer de la maison à coups de pied, plus mort que vif, dans un état tel que je n'oserais jamais dévoiler quoi que ce soit à qui que ce soit toute ma vie durant.

Par leurs questions, ils voulaient que je leur révèle, sans ambages : (a) ce que je savais à leur sujet ; (b) quand je les avais épiés et de quel endroit ; (c) qui m'avait engagé pour les espionner ; (d) tout ce que j'avais vu de mes propres yeux et ce que j'avais rapporté à leurs ennemis ; (e) ce que ces derniers m'ont entraîné à faire désormais aux dépens de mon Grand Bienfaiteur ; (f) si j'étais disposé à signer un le document selon lequel, à l'avenir, je m'engageais à devenir leur organe mercenaire, désavouant par ce fait tout ce que je tenais pour sacro-saint dans ce monde, même mon intérêt personnel, pour servir leurs sombres fins.

C'étaient là les points principaux. Mais il y en avait des centaines d'autres, imprimés en toutes petites lettres, pleins de paragraphes, de sous-paragraphes, d'alinéas, etc., auxquels j'étais obligé de répondre, sous les yeux de cet individu inquiétant qui rôdait autour de moi comme s'il avait été pressé.

Il se faisait tard. Quand pouvais-je réussir à donner une réponse à tout cela ? M'ont-ils demandé si je voulais répondre même ? « Au moins, accordez-moi un laps de temps, pour que je puisse reprendre mes esprits ! » ai-je dit, assez fort pour que cette brute derrière moi puisse entendre. Sa réponse se résuma en un mot : « Écris ! » Il continuait à attendre là, derrière ma tête, sans que j'aie la possibilité de distinguer ses traits lors de ce seul instant, au début, quand je l'ai entraperçu. Chaque fois que je tentais de me retourner sur la chaise pour le dévisager, il m'évitait — non pas, pour l'amour de Dieu, par peur, mais pour se moquer de moi — et il se cachait derrière moi, tout en étouffant de gras rires sataniques qui m'emplissaient d'un désespoir indicible, car je savais qu'il agissait ainsi parce qu'il m'avait à sa main, certain que je n'étais pas en mesure de lui faire quoi que ce soit. J'ai remarqué, au moment où je l'ai entraperçu, qu'il était un avorton, pitoyable, blafard, abîmé par les ignominies qu'il avait perpétrées pendant sa misérable vie. Si tu avais soufflé dessus, il se serait effondré à tes pieds, en t'implorant de lui faire grâce… « C'est là le sinistre individu qu'ils ont trouvé, les abrutis, pour venir m'en imposer ? » me suis-je dit. Et pourtant, devant cet avorton, je me sentais — avec les poings et les bras que je possédais alors — totalement désarmé, paralysé, comme s'ils m'avaient administré une potion. Je suis resté avec la certitude (qu'il a entretenue en moi par sa présence) que je ne pouvais rien faire, pour l'étamper contre le mur comme une décalcomanie, comme un gluant lézard, ainsi que j'en avais si fort le désir.

Il ne disait mot, mais il était évident qu'il attendait — insensible et plus que satisfait de m'avoir mis dans un tel pétrin — que je lui écrive les réponses pour qu'il puisse les rapporter tout de suite à ses deux supérieurs, qui l'attendaient en bas, dans le bureau de Stoppakius, afin que Helmut les prenne avec lui. À tout bout de champ, irrésolu, brisé par mon impuissance, je le suppliais, derrière mon dos, de m'accorder un peu plus de temps pour réfléchir. Alors, imperturbable comme toujours et secoué d'un rire intérieur, il a tendu son doigt sale par-dessus mon épaule et, en indiquant le document, m'a lancé : « Écris, que j'ai dit ! »

À un moment donné, n'en pouvant plus, je me suis levé d'un bond de la chaise et je lui ai dit, furieux : « T'es comme ça ? T'acceptes pas ? Je m'en vais prendre ces torchons (pour ne pas les nommer autrement) et te les écraser sur la tronche, salopard. » Avant que je n'aie pu terminer, celui-là, sans mot dire, les yeux écarquillés comme si on l'étouffait, m'a sauté dessus pour me couper la tête avec une hachette à double tranchant qu'il a tirée de sa ceinture.

Par bonheur, au même moment justement, j'ai vu apparaître, de derrière le rideau olive qui cachait le piano, un jeune homme honnête, le front large et franc et les yeux pleins de bonté, laquelle s'est transformée, en l'espace d'un éclair, en une haine inextinguible. Le bravache, à la vue du jeune homme, a perdu contenance, puis a laissé tomber la hache par terre, pris de panique. Le jeune homme l'a attrapé par les épaules et l'a enfoncé dans un fauteuil, et s'est mis à lui donner des gifles et à lui cracher dessus, en lui répétant sans cesse : « À qui est-ce que tu fais ça, espèce de salaud ? Toutes les abominations que tu as commises jusqu'à maintenant ne te suffisent pas ? » Puis encore une pluie de crachats, qui n'étaient pas, malheureusement, des postillons, mais une épaisse salive sécrétée par un corps en pleine santé. Malgré tous les sévices qu'il m'a fait subir, je le voyais recroquevillé dans le fauteuil, se cachant la bouille pour éviter les crachats, avec pitié, et je n'ai rien fait pour l'agonir d'injures. Quant au jeune homme qui m'a sauvé la vie, je doute d'avoir jamais senti à l'égard de quelqu'un une telle gratitude.

∗   ∗   ∗

Il était bien deux heures du matin quand je me suis réveillé. J'étais trempé de sueur, et je tremblais comme un chien, pelotonné dans mon lit. Je sentais le besoin d'aller au petit coin ; je ne pouvais plus me retenir. Mais une peur terrible, mêlée de frayeur, qui m'empoignait par les cheveux, m'empêchait de me déplacer, non seulement de la pièce, mais même de mon lit. Tout l'espace de la chambre et tous les meubles semblaient comploter contre moi. Par la fenêtre entrait une lumière incertaine, qui me faisait comprendre qu'en bas ils n'avaient pas encore terminé. Je me suis approché de la fenêtre et j'ai vu le fiacre de mon père, ainsi que mon père lui-même, en train de fumer sur son siège, comme dans le bon vieux temps. Des fenêtres de la salle à manger, la lumière illuminait la cour. Ayant l'impression qu'il attendait d'une minute à l'autre de faire monter Helmut pour l'amener à la gare, j'ai couru à la porte et, l'oreille collée contre le bois, j'ai tâché d'écouter en cachette. Au début, silence total dans le couloir. Mais peu après j'ai entendu, venant de la chambre du défunt, des pas et des grincements du cuir des bagages. J'ai attendu un peu — pendant qu'ils passaient, silencieux, devant ma porte — et, au moment propice, quand de toute évidence ils se trouvaient le dos tourné vers moi, j'ai entrouvert avec mille précautions la porte puis j'ai regardé furtivement par l'entrebâillement. Ainsi, j'ai saisi une image de Helmut, quoique par-derrière et de profil. Oui, c'était lui que j'avais vu dans le jardin cette nuit-là. J'ai eu le sentiment que c'était Stoppakius tout craché, non seulement les traits, mais aussi la couleur des cheveux (tirant sur le roux), la coiffure, la pigmentation de la peau, la taille et la stature. Je pourrais dire qu'il serait difficile de distinguer l'un de l'autre, si on les rencontrait séparément dans la rue. Sur un seul point, ils avaient une petite différence : la démarche ; Stoppakius marchait comme sur des ressorts, alors que celle de Helmut était régulière, et indiquait un homme qui possédait une confiance absolue en tout ce qu'il disait et faisait. Aussi, pendant les rares moments où j'ai pu les avoir sous les yeux, Helmut m'a donné l'impression d'un homme resplendissant de santé, alors que Stoppakius, lui — maintenant je le voyais très nettement —, paraissait rongé par le remords, comme le ver dans une pomme apparemment saine. Au moment où ils allaient emprunter l'escalier, Helmut s'est tourné et lui a dit quelque chose avec beaucoup d'autorité, comme s'il n'allait pas accepter la moindre contradiction, et Stoppakius l'a rassuré, en baissant la tête pour acquiescer, indiquant que, quoi qu'il advienne, ce qu'il lui avait demandé serait exécuté. Il ne semblait pas y avoir le moindre indice d'une véritable amitié entre eux — ainsi que tout ce que j'avais entendu jusque-là au sujet de ces deux lascars m'avait laissé croire ; au contraire, l'un abordait l'autre sous une stricte optique de service. La preuve, le souper officiel qu'ils lui ont offert.

$$* \quad * \quad *$$

Mon cher et lointain ami, toi qui m'as fourni l'occasion de fouiller dans tous ces souvenirs, et qui te tenais au-dessus de mon épaule quand j'écrivais, comme pour me donner du courage, je t'en remercie. Je te remercie, même si, en réalité, ces souvenirs se sont révélés pénibles pendant des mois et des mois, où, à l'aide de ma plume bien-aimée, je les ai fait revivre sur ce pauvre papier. L'affection que je ressens pour toi est sans bornes. Je te le dis, les larmes aux yeux, du fond du cœur, et j'en frémis. De la distance qui nous sépare, et de ta lettre succincte — que je porte dans ma poche intérieure, du côté du cœur, au point qu'elle est devenue un lambeau sous l'effet de la sueur —, je t'imagine comme un homme de sentiments. Puisse l'Être suprême (celui qui se trouve quelque part en toi, en moi, en nous tous) te donner d'abord la santé et la persévérance pour faire face à tout revers qui se présente à toi aux jours sombres que nous vivons. Il faut lutter, il faut combattre de toutes ses forces pour tout ce qui est beau dans la vie, et pour les nobles idéaux que recèle, j'en suis sûr, ton âme. Et n'oublie pas ceci : l'image de ton vieil ami, dans son humble chambre où il trace ces lignes, qui garde allumé, dans l'obscurité qui nous engloutit tous, un cierge imaginaire — le cierge de l'Espoir. [Ici, il en rajoute encore, dans le même esprit.]

Tu dois être impatient, je le sais, et malheureux. Impatient de savoir qu'il a fini par me renvoyer. Je vais te raconter et m'arrêter. Je t'ai assez torturé jusqu'à présent. (Pardonne-moi le tutoiement. Tu me connais, et je te connais désormais — à quoi bon les formalités ?)

Cher ami, as-tu jamais entendu le *Für Elise,* cet air que j'aime tant, qui exprime ma jeunesse perdue, et tout ce qu'il y a de plus beau au plus profond de mon âme ? Très cher ami, c'est cet air qui m'est entré ce soir secrètement dans l'oreille, depuis l'abîme du passé. Maintenant, impossible de le séparer de mes lèvres — je le fredonne sans arrêt. Peut-être est-il venu me rappeler encore cette époque, à laquelle je me suis abandonné depuis que j'ai commencé à t'écrire. Cher ami, cet air — que sifflait notre héros ce soir-là à l'extérieur du théâtre pour attirer Béatrice, comme je te l'ai écrit —, celle qui allait fatalement devenir un jour mon idole, Solange, le jouait à son piano, quand j'étais encore un jeune garçon. La plupart du temps, elle n'interprétait que ce morceau, peut-être parce qu'elle le connaissait mieux, peut-être parce qu'il touchait plus profondément son âme. J'entendais cette musique avec effroi, certains après-midi d'été où je flânais dans le jardin. Mais, malheureusement, elle s'est arrêtée de jouer cet air, elle s'est arrêtée de jouer du piano tout court, quand son fils est tombé gravement malade. Je ne connais pas les détails, mais de sa chambre, où le piano se trouvait, elle a ordonné qu'on le transporte dans la chambre de son fils, bien avant qu'il ne revienne de Bohême avec Elfrida, avant même qu'il ne fasse ce voyage en aérostat. C'est là que je l'ai découvert, comme je vous l'ai dit, quand on m'a permis de m'installer, moi, un plébéien, dans sa chambre de patricien. Solange n'a pas manifesté d'intérêt à le faire descendre dans sa nouvelle chambre, quand les changements se sont produits. Je doute qu'elle s'en soit même souvenue. Et pour ce qui est de Stoppakius, il savait à peine pianoter quelques figures improvisées, quoiqu'une professeure lui ait donné des cours à domicile quand il était enfant.

Je me dois d'avouer que, depuis longtemps déjà, depuis l'époque des premières expériences spirites dans le salon, deux choses avaient vivement stimulé mon imagination dans ma chambre. L'une d'elles était ce piano-là, dans son coin de pénombre, derrière le rideau de velours. L'autre, c'était le lit vide, à côté de celui que j'ai pris, moi. Cher ami, quand les réaménagements sont survenus, Solange avait insisté — comme de raison — pour que Stoppakius prenne ce lit-là en particulier, dans sa nouvelle chambre en bas. Il n'en a toutefois pas voulu, mais pour ne pas révéler ce que cachait son refus, il n'a pas pris l'autre non plus — il les avait laissés là, sous prétexte qu'ils étaient déglingués, tous les deux. Sa mère avait fortement insisté, mue par la nostalgie du passé : Stoppakius y avait dormi depuis son enfance, elle le trouvait là, couché, quand elle montait lui donner un baiser, jusqu'à l'époque où il couchait avec Elfrida. C'est là par hasard qu'elle s'était alitée, la pauvre fille, dès leur retour du voyage en Indochine, pour ne plus jamais se relever. L'autre lit, celui que j'ai pris finalement, était entré dans la maison au moment de leur mariage. Ce lit appartenait à Elfrida, et c'est là où elle se réfugiait toujours le soir, en froid avec Solange, jusqu'à ce qu'ils partent en voyage.

Parfois, pendant la durée des expériences, je me tirais et je remontais à ma chambre, surtout le soir, un peu avant d'allumer le gaz. Il y avait quelque chose en relation avec ces deux objets (le piano et le lit) qui semblait vouloir communiquer avec moi, pour me révéler un secret quelconque. Il était impossible — et il m'est impossible encore maintenant — de définir ce qui m'arrivait au juste. Ce qui est sûr, c'est que d'un autre côté, je ressentais intensément, avec horreur, la présence de quelqu'un près de moi, dès l'instant où j'entrais et jusqu'au moment où je réussissais à m'abandonner au sommeil. Pendant un certain temps, je l'avais tellement approfondi que j'en oubliais même Solange, j'oubliais les tourments que m'infligeait Stoppakius. Celui qui me tenait compagnie était invisible, mais je percevais sa présence. Il m'est arrivé parfois, en montant dans la chambre, d'entendre de l'intérieur, alors que je me trouvais encore dans l'escalier, un écho imperceptible et triste, comme si quelqu'un jouait du piano — mais en cachette, pour qu'on ne l'entende pas. Je me suis mis à prendre peur, à penser qu'avec les tourments et les divers ennuis j'avais perdu la raison, et que j'entendais des notes imaginaires dans ma tête. Quand finalement j'ouvrais la porte, la musique s'arrêtait comme si l'on avait fermé l'interrupteur, même s'il y avait infailliblement dans l'air un reste d'harmonie qui me faisait frémir. Et, parfois, quand je me trouvais d'une humeur un peu différente, je m'empressais d'ouvrir la porte, en furie, certain que quelqu'un du groupe plaisantait dans ma chambre. Mon premier souci était de chercher derrière le rideau. Mais, à la dernière minute, quelque chose me disait que je ne trouverais personne, et c'était bien le cas.

Une autre fois — c'était l'après-midi, je m'en souviens —, ayant entendu de l'escalier des accords, j'ai eu l'impression, en ouvrant la porte, de voir les touches du piano s'abaisser toutes seules, sans qu'il y ait eu le moindre son, mais la constance des touches était telle, elles descendaient les unes après les autres avec une telle folie qu'on aurait dit que j'étais frappé de surdité. Mais si j'étais devenu subitement sourd, comment est-ce que j'ai pu entendre au même moment des rires venant du salon? Cela m'a préoccupé des heures durant, quand finalement je me suis retrouvé dans mon lit, la tête complètement enfouie sous l'édredon. Par instinct, je n'ai jamais rien dit à Sterilda. Et, d'ailleurs, j'avais cessé de lui parler depuis un certain temps des diverses épreuves que je subissais, de peur qu'elle n'en parle à son tour à Stoppakius.

J'arrive, maintenant, à ce soir-là, qui m'a tellement ébranlé, alors que j'ai entraperçu Helmut et Stoppakius, qui passaient dans le couloir.

Quand les deux conspirateurs ont disparu de ma vue et ont descendu l'escalier, l'idée de les épier de la marche palière m'est venue à l'esprit. Mais, voyant le nombre des dangers auxquels cela m'exposerait, j'y ai renoncé avant de sortir de la chambre, et, ayant fermé derrière moi la porte avec précaution, je me suis précipité à la fenêtre. De là, j'ai eu le temps de voir Helmut et Stoppakius en train de se faire leurs adieux, mais, paradoxalement, non pas devant le fiacre (où je m'attendais à ce que le premier monte), mais plus loin, là où commence le sentier qui mène au jardin, à la gauche de notre maison. Leurs adieux étaient tels qu'ils m'ont fait comprendre qu'il s'agissait d'adieux ultimes, comme s'ils étaient certains de ne plus se revoir de leur vivant — alors que, en même temps, c'était comme s'ils avaient eu de sérieux espoirs de se revoir quand même, et même de manière triomphale, dans quelques semaines qui seraient cependant critiques, et pendant lesquelles Stoppakius devait faire très attention à chacun de ses pas. Après avoir échangé quelques paroles à voix basse — alors que mon père les regardait comme si la scène ne l'impressionnait aucunement —, ils se sont donné encore une fois la main, avec une certaine émotion, puis ils se sont séparés. Helmut, dont j'ai oublié de mentionner qu'il était mal habillé et chargé du fameux bissac, a pris la direction du jardin, où il est reparti comme il était venu, sans que j'aie pu comprendre comment. Stoppakius, sans parler à mon père, s'est dirigé vers la Grande Porte, d'où il est ressorti peu après, accompagné de Solange. Derrière eux venait Sterilda avec les deux petites valises en cuir dont j'avais entendu le grincement derrière ma porte auparavant, croyant qu'elles étaient à Helmut. Quand Solange est montée dans le fiacre, Stoppakius l'a immédiatement suivie, créant ainsi l'impression qu'il allait l'accompagner en voyage. Mais, après être resté un certain temps sous la capote de la voiture avec elle, il l'a couverte de baisers sur tout le visage et dans les cheveux, puis il est redescendu, et le fiacre s'est mis en branle. J'ai appris plus tard, après avoir quitté la maison, qu'il l'envoyait à la villa (avec l'intention qu'elle y reste peu de temps seulement), de sorte que si, par hasard, les services du renseignement avaient eu vent des mouvements de Helmut, ils se seraient dit qu'il était insensé, s'il y avait un risque de guerre, d'envoyer sa mère loin de lui. C'est toutefois ce qui allait se passer en fin de compte, mais je ne sais pas si Stoppakius était celui qui avait lancé l'idée de ce voyage malheureux, qui l'a privé de la présence de sa mère pendant toute la durée du siège.

Les scènes, qui se sont déroulées en quelques secondes, passèrent sous mes yeux comme un film au cinéma (comme on dirait de nos jours). C'était comme la continuation du cauchemar que j'avais eu un peu avant. Cela te paraîtra peut-être étrange, mais ces deux moments des adieux ont laissé dans mon âme une telle amertume, une telle tristesse, un tel vide, comme j'en avais rarement senti jusqu'alors, en dépit de tous mes tourments. Au fond, je n'ai pas pu me dégager de la vue de ces deux scènes même dans les tranchées, pendant mes moments les plus terribles, plongé dans la boue jusqu'aux genoux comme je l'étais. Je dois souligner — ce qui est le plus curieux de tout — que j'ai sombré dans la mélancolie à cause du départ non seulement de Solange, pour laquelle j'avais ces derniers temps à bon droit tellement souffert (c'était écrit dans le ciel que je la reverrais, en piteux état, longtemps après le siège), mais aussi de Helmut, que j'avais toutes les raisons du monde de détester et d'exécrer autant que Stoppakius. Comme quoi c'en était fait de moi — comme si j'avais fait un autre pas vers la mort.

À la suite de cette remarque, je me suis dirigé vers le lit et je me suis couché comme un cadavre, alors que, dans mon esprit, je revoyais, avec tristesse et nostalgie, le passé. Je me suis remémoré Stoppakius jeune en train de circuler sur son vélocipède, son père, grand seigneur, en train de sortir d'excellente humeur par la Grande Porte, et Solange, en train de nous terroriser, nous les enfants, du regard. Cette période s'est mêlée ensuite dans mon esprit avec celle du retour de Stoppakius de la Suisse — qui, pour moi du moins, avait gardé une couleur festive pendant des mois entiers. Je me souvenais, très clairement, du jour où il est parti faire ce voyage en aérostat — un boucan d'enfer dans la maison à cause des divers préparatifs. Je ne suis pas allé au terrain vague où le décollage avait lieu, mais je me rappelle avoir eu l'impression qu'en montant dans le firmament il allait disparaître quelque part dans les cieux, là où je m'imaginais à cette époque que les âmes se rendaient. Puis me sont revenus sous les yeux ses déboires avec la police autour de l'affaire Béatrice — tout ce que j'avais alors entendu murmurer parmi ceux qui habitaient la maison prenait de véritables dimensions. Et d'autres fantasmes autour de la villa, où je n'étais pas allé plus de cinq ou six fois. Je m'affligeais au rappel des deux décès survenus dans la maison. J'étais atterré par leur effondrement économique, qui avait entraîné en passant sa famille et la nôtre, de même que mon avenir. Puis, encore une fois, depuis le début… Cette nuit-là, toutes les choses du passé me sont revenues à l'esprit, jusqu'aux plus petits détails — mais d'innombrables fois enchevêtrées, embrouillées, aux limites du paroxysme.

J'ai dû m'endormir à peu près à l'aube. Ce que je vais vous raconter maintenant est arrivé cette même nuit-là, pendant que sévissait toujours cette lamentation. J'ai eu une telle impression, je garde cela si vivant dans ma mémoire, que je n'ai pas encore pu trancher s'il s'agissait d'un rêve ou d'une vision, même s'il s'agissait d'un rêve — je tiens à le souligner. J'ai aussi à dire ceci : plus je considère ce point sous tous ses aspects, plus je perds la conviction en ce que je dis, et il me semble alors que ce n'était qu'une hallucination. Mais cela aurait pu aussi bien n'être qu'un rêve. Mais quelle importance, me diras-tu.

C'était, comme on dit, le crépuscule. J'étais dans un état d'effervescence psychique, en proie à des pensées cauchemardesques de toutes sortes — bouleversé encore une fois par l'innommable à la suite de l'engueulade en règle que Stoppakius venait de me servir. Au milieu des menaces, il formulait diverses promesses par lesquelles il me faisait comprendre, ni plus ni moins, qu'il me destinait au poste de maire — sans toutefois s'expliquer là-dessus. Mais tout en insinuant cela, il me rabâchait une phrase qu'il avait déjà proférée dans son bureau : « Je vais t'étriper TOI AUSSI avant même que tu n'aies pu ouvrir la bouche ! » Ce devait être quelques jours après le départ de Solange, et j'avais passé entre-temps des heures interminables de déprime et de solitude, ne pensant qu'à elle. Il tombait une pluie fine et monotone, et j'entendais dans mes oreilles les gouttes d'eau s'écouler, comme dans les supplices de la Sainte Inquisition. Dans la chambre sans lumière régnait une situation triste qui ne faisait qu'accroître ma mélancolie. Mille et une pensées noires, auxquelles se mêlait l'angoisse de la guerre imminente. Après avoir jeté un coup d'œil désespéré au jardin depuis la fenêtre, je suis allé me coucher sur le lit, les yeux fermés. J'y étais le dos tourné à l'autre lit, et je somnolais avec insouciance. De très loin, comme si cela sortait du fond des temps, le va-et-vient de fiacres dans la cour parvenait à mes oreilles. En bas, l'on s'adonnait à des expériences de spiritisme, auxquelles je me sentais participer à distance.

J'étais vraiment dans un état lamentable. Un rien pouvait me garder au lit. À un moment, j'ai décidé de me lever. Comme un somnambule, je me suis dirigé vers la commode dont je me servais comme bureau, dans l'espoir de réussir par l'écriture à échapper à cette mélancolie abyssale qui me dévorait le cœur. J'étais maintenant à côté de la table, debout, dos aux lits, et j'étais en train de chercher des allumettes dans l'un des tiroirs vides quand soudain j'ai été obsédé par l'impression d'une autre présence dans la pièce.

Glacé par l'effroi d'une telle pensée, j'ai oublié en fin de compte les allumettes. J'ai levé un instant la tête et, dans le miroir de la coiffeuse, j'ai vu, indubitablement, couchée dans l'autre lit, une apparition féminine. Elle avait une expression énigmatique, et c'était comme si elle voulait me faire comprendre, dans le miroir, qu'elle m'attendait depuis longtemps (alors que je lui tournais le dos) — qu'est-ce qu'elle m'a fait pour que je ne lui prête pas attention ? me semblait-elle vouloir dire. Inquiète, elle m'a fait signe comme si elle voulait avec horreur me dire, pour l'amour de Dieu, de ne pas allumer. Quand j'ai repris quelque peu mes esprits, j'ai pu constater qu'elle portait une chemise de nuit blanche, qui me donnait l'impression d'un linceul. Ses traits n'apparaissaient pas clairement, mais j'ai cru comprendre qu'elle s'était maquillé les joues avec une poudre de couleur ocre. Par contre, les tresses de sa chevelure dégageaient une luminosité phosphorescente, comme si elles n'avaient pas été blondes, mais toutes blanches. Cette apparition, dans l'obscurité, me rappelait à s'y méprendre le négatif d'une photographie.

Autour du cou, serré à ce qu'il me semblait, elle portait un voile comme un foulard de soie, qui faisait croire qu'elle souffrait d'un mal de gorge. Elle se tenait la gorge de ses deux mains, autour de l'écharpe, comme si elle avait voulu dire combien lui était pénible ce mal de gorge — qui l'empêchait de parler, et elle était sur le point de crever.

Au début, j'ai cru, par erreur, qu'elle communiquait de façon prétendument secrète avec moi. En dépit de la terreur qui devait se dépeindre sur mon visage, elle ne paraissait même pas faire attention à moi — c'est comme si son regard m'avait transpercé.

Mon œil l'a quittée l'espace d'un instant, et j'ai remarqué, à ma grande surprise, que je ne me trouvais pas dans ma chambre, mais dans une autre, inconnue, et beaucoup plus luxueuse — sauf que je ne pouvais pas distinguer où c'était au juste. Dans une maison ? un hôtel ? Oui, mais puisque j'étais dans une autre pièce, comment m'y serais-je retrouvé ?

Sans se rendre aucunement compte, selon tout indice, de ma présence, elle s'est levée avec mille difficultés, comme si elle avait été gravement malade, et s'est dirigée vers la porte, où elle s'est mise à essayer d'ouvrir le petit dispositif qui la verrouillait de l'intérieur. Constatant combien ses efforts seraient vains, elle est partie de cet endroit comme un fantôme — on aurait dit qu'elle ne touchait pas le sol — pour se retrouver dans le coin où trônait le piano. Là, au prix d'efforts herculéens, elle a réussi à tirer le rideau de velours, à s'asseoir sur le banc du piano et elle a commencé à jouer, avec une facilité qui m'a étonné, une mélodie triste, qui arrivait à mes oreilles comme portée par le vent… Pendant des années, cette mélodie m'est restée gravée dans l'esprit, et aujourd'hui encore je sais la siffler dans mon for intérieur.

Le matin, je me suis réveillé tard, sans être incommodé ni par Stoppakius, ni par Sterilda. Comme elle me l'a expliqué elle-même vers midi, quand elle s'est aperçue que je ne me présentais pas à l'heure habituelle dans la cuisine, elle a été surprise et inquiète et, avec précaution, elle est entrée dans ma chambre pour voir ce qui se passait. Elle s'est approchée et a constaté que je dormais d'un profond sommeil, alors elle n'a pas eu le courage de me réveiller, et, sachant que, étant donné les événements de la veille, Stoppakius allait tarder à se lever, elle m'a laissé tranquille. En entendant cela de sa bouche, toujours terrorisé par les incidents de la nuit passée, j'ai fait l'erreur de lui confier tout ce qui m'était arrivé. Aussitôt après, enflammé par l'ampleur que prenait en moi cette histoire à l'heure où je la lui racontais, je me suis dirigé vers le bureau de Stoppakius, où je l'ai trouvé en plutôt bonne forme, et somme toute de bonne humeur. Enhardi par son attitude, je l'ai prié de me permettre de changer de chambre, offrant de m'installer dans celle où dormait Solange auparavant, au sous-sol. Autant mon comportement que mes exigences ont eu l'air de lui faire concevoir mille et un soupçons. Il a fait une tentative pour me soutirer en douce la raison pour laquelle je voulais quitter une chambre aussi princière pour me retrouver au sous-sol, mais quand il a compris par mon expression que cela ne marchait pas, il n'a plus insisté, et il m'a dit d'un ton calme de me rendre à la boutique d'antiquités, qu'il allait me rappeler, et qu'il ne fallait pas m'inquiéter, il réglerait la question. Comme il m'est venu à l'esprit plus tard, sa première réaction a été d'aller dans la cuisine pour s'y entretenir avec Sterilda, qui, à ce qu'il paraît, lui a tout rapporté, dans les moindres détails, exactement comme je le lui avais relaté.

C'était au milieu de l'après-midi quand il s'est présenté lui-même à la boutique d'antiquités et, m'ayant ordonné de fermer la porte à clef, il m'a conduit dans son bureau. Là, sans même me dire un mot, il m'a remis un enveloppe pleine de billets de banque, puis il m'a dit, un sourire retenu aux lèvres, et en me tapotant l'épaule, de la mettre tout de suite dans ma poche. Par pudeur, j'ai voulu protester, et la lui retourner. Mais à voir le plaisir qu'il avait à me la donner, et concevant qu'il ne pourrait jamais se racheter, le salaud, même à coups de millions, j'ai gardé cet argent que je méprisais, étant donné qu'il venait de telles mains. Mais je ne voyais pas à quoi cela servirait qu'il reste dans ma poche. Il m'a dit ensuite que je devais bien le comprendre : il n'avait pas de marge pour des luxes superflus, sa mère était partie à la campagne pour leur permettre de faire quelques économies (je n'ai pas compris quelle sorte d'économies ils pouvaient faire ainsi), ils avaient depuis des mois l'intention de me donner mon congé, mais ils m'avaient retenu par pitié pour moi et ma famille. Et s'il m'a remis cet argent — comme je l'ai constaté plus tard, à la première occasion où je me suis trouvé seul, il s'agissait d'une somme substantielle —, c'était parce qu'il savait quelles difficultés j'aurais à affronter. Sinon, il ne me l'aurait pas donné, car il était sans le sou. Ensuite il m'a dit qu'il ne me pressait pas — je pouvais rester pendant quelques jours encore —, et que nous allions toujours rester de bons amis, etc., et que je ne devais pas hésiter à lui rendre visite quand bon me semblerait, que j'aurais toujours son soutien, pourvu que je sois un garçon rangé. Le miel coulait de ses lèvres ; il ne m'a pas fait de menaces.

Quand je suis descendu de ma chambre avec mes valises, prêt à partir, j'ai vu qu'il m'attendait à l'entrée. La mine basse, et avec un tas d'effusions qui me dégoûtaient, il m'a pris par la main et m'a conduit dans la salle à manger. Je ne voulais pas y aller, mais ma timidité ne me laissait pas m'y opposer. Là, Sterilda nous avait préparé à manger, conformément à ses instructions. Il m'a mis dans le fauteuil de Solange. Tout le long du repas, en dépit des sourires qu'il m'envoyait sans cesse pour m'amadouer, je me suis senti comme un paysan à qui l'on donne à manger. Il était très clair qu'il avait hâte de me renvoyer, et qu'il ne faisait tout cela que par nécessité.

Puis, le repas terminé, il m'a répété les mêmes mots réconfortants, qui me l'ont fait détester encore plus.

Finalement, il m'a laissé aller à la cuisine, et j'ai fait mes adieux à Sterilda, les larmes aux yeux — elle m'a transporté avec sa tristesse, m'a accompagné jusqu'à la Grande Porte, qu'il m'a ouverte lui-même. Je n'oublierai jamais la poignée de main qu'il m'a donnée à la fin. Les os de ses doigts étaient comme des griffes d'acier, dépourvus de chair, et sa main était moite et froide.

Peu de temps après, alors que je demeurais inconsolable et perdu dans notre taudis, sans sortir du tout, il y a eu la mobilisation, et j'ai été pris moi aussi dans la tourmente. Je suis parti pour le front quelques jours après le camp d'entraînement. Quant à ce salaud, il n'a jamais fait son service militaire, comme on sait ; il est resté à Gand, où il avait comploté pendant la durée du siège. De toute ma vie, je n'ai jamais révélé quoi que ce soit à son sujet, au début par peur qu'il ne me nuise, et plus tard honteux d'avoir gardé ma bouche cousue pour sauver ma peau.

Voilà donc ce que j'avais à dire sur ce salaud. Putride et maudite soit la terre inhospitalière d'Afrique qui le recouvre. NEMO ME IMPUNE LACESSIT[1].

Je vous prie, cher ami, d'agréer, etc.

[signature illisible]

---

1. Personne ne me provoque impunément. *(N.d.T.)*

Postface

Nikos Kachtitsis (1926-1970) :
ce passé qui ne passe pas

Si, dès les premières pages du Héros de Gand, *le lecteur sent monter en lui perplexité et anxiété, Nikos Kachtitsis a absolument réussi son pari esthétique. Ce sont là les deux sentiments qui émanent de sa personne, de sa brève vie et de toute son œuvre publiée : un recueil de poésie, quelques nouvelles, des milliers de lettres et deux romans.*

« Organe des assiégés de toute la terre » : tel est le sous-titre dont se servait Kachtitsis pour quelques-unes de ses premières tentatives littéraires. Il s'agissait de bulletins d'écoliers où on parle aussi d'un certain « grand assiégé ». À l'époque où ces récits du jeune Kachtitsis circulaient parmi ses amis et condisciples, son pays était encore sous occupation allemande. Est-ce que les « assiégés » de l'éditorialiste précoce faisaient allusion à la situation de son pays ? Aucune trace, à ce jour, ne confirme une telle hypothèse. Cependant, établi plus tard à Montréal et penché sur ses œuvres, Kachtitsis n'oubliera pas ses performances éditoriales de jeunesse : il installe au sous-sol de sa maison, à Outremont, une imprimerie manuelle, achète des plombs et imprime, entièrement écrite par lui, une revue littéraire : Palimpseste ; sans omettre le sous-titre consacré : « Organe des assiégés de toute la terre ».

Nikos Kachtitsis est né en Grèce en 1926, dans une petite ville de l'ouest du Péloponnèse. Son adolescence fut marquée par presque dix ans de guerre ininterrompue : 1940-1944, c'est la résistance armée contre les nazis ; 1945-1949, c'est la guerre civile. De cette longue période de violence et de détresse collectives, la seule chose remarquable concernant la vie de l'auteur est son inclination pour les langues étrangères (français et anglais), ainsi que sa passion pour la poésie anglaise. La moisson ne tardera pas à arriver. En 1949, durant la première année de son long service militaire (1949-1952), Kachtitsis écrit directement en anglais son seul recueil de poèmes : Vulnerable Point. Autre chose aussi remarquable de ces années de formation : sa fidélité à quelques amis de l'époque de l'école secondaire que, au fil du temps, il transformera en interlocuteurs intimes, en confidents et, finalement, en conseillers rigoureux de toutes ses tentatives littéraires.

Mil neuf cent cinquante-deux, changement de direction. Kachtitsis part au Cameroun — colonie franco-britannique — comme employé d'une entreprise commerciale et, parallèlement à son principal travail, envoie de longs reportages à un quotidien grec. En 1957, il se marie et, après un bref séjour à Paris, il se fixe à Montréal. Il exerce divers métiers. Principalement celui d'interprète auprès des tribunaux canadiens. Il travaille aussi pour une agence de voyages et pour un éditeur grec aux États-Unis.

Exigeant, perfectionniste à l'extrême pour ses écrits en grec qui commencent à être publiés dans des revues, il se brouille souvent avec les éditeurs, et il faut attendre l'année 1964 pour voir paraître son premier livre, O Exostis (L'Hôtel Atlantic, Hatier, 1995). La malchance éditoriale le poursuit aussi à son roman suivant : Le Héros de Gand. Le livre était déjà à moitié imprimé lorsque les militaires, qui s'emparent du pouvoir après le coup d'État d'avril 1967, interrompent toute activité intellectuelle et artistique. Kachtitsis récupère son ouvrage, compose *l'autre moitié en faisant usage d'autres caractères typographiques et l'imprime à ses frais à quelques dizaines d'exemplaires à Montréal. Ce n'est qu'en 1988, dix-huit ans après sa mort, qu'un éditeur grec se chargera d'en faire une édition typographiquement unifiée.*

Il ne serait pas du tout exagéré de surnommer Kachtitsis l'homme-livre. Non seulement parce qu'il était un lecteur insatiable. Et non seulement parce qu'il était épris du côté artisanal de son objet préféré au point de commencer à produire dans son imprimerie rudimentaire les livres de ses amis. Mais surtout parce que, à lui seul, il assumait ce qui entoure le livre ou, pour être plus précis, ce qui devait l'entourer et qui, pour notre plus grande désolation, n'existe plus, à savoir le commentaire littéraire. Kachtitsis l'a pratiqué de manière obsessionnelle dans ses rencontres avec ses rares amis grecs, canadiens et québécois de Montréal. Cependant, l'essentiel de cette activité livresque est illustré par son œuvre d'épistolier acharné. Sa correspondance dépasse de cinq ou six fois le volume de ses autres écrits. Il a correspondu avec les plus importants poètes et prosateurs grecs de son époque, et la plupart de ses innombrables lettres consistent en exposés détaillés à propos de ses lectures et de ses auteurs de prédilection, allant de Kafka et Proust à Murasaki (Japon, X^e-XIe siècles), Papadiamantis (Grèce, XIXe-XXe siècles) et les poètes anglais.

Sa mort prématurée (en 1970) a coupé court à une carrière d'écrivain solitaire mais d'un écrivain qui n'a jamais douté de sa voie insolite et déviante par rapport aux grandes routes que traçaient les avant-gardes de son siècle. Kachtitsis doit beaucoup à plusieurs maîtres, mais il a refusé d'imiter qui que ce soit. D'ailleurs, ses spécialistes, déjà nombreux, sont tous d'accord sur un point : Kachtitsis est inclassable. J'avoue que je me méfie un peu de telles affirmations. Certes, si on tient compte des divisions en courants, écoles et générations établies par les critiques professionnels et les universitaires à propos de la littérature grecque contemporaine, il sera difficile d'y discerner la place de Kachtitsis. Mais il me semble que de cette difficulté, caractéristique plutôt de la critique que de l'œuvre en question, il ne faut pas déduire que Kachtitsis est sans famille artistique. Pour ma part, je pense que son œuvre gagnerait en profondeur et en ampleur si on rapprochait son érotisme dissimulé de celui d'un Bruno Schulz et son exploration de la conscience fragilisée de l'œuvre d'un Robert Walser.

Cependant, je comprends aussi l'embarras de ses commentateurs : vu que Kachtitsis a mis un soin extrême à ce que nul élément autobiographique ne soit transposé tel quel dans son œuvre, vu aussi que ceux-là sont habitués à expliquer les œuvres d'art par la vie des auteurs, ils se sentent, dans son cas, comme des excursionnistes égarés dans une forêt obscure. Il est normal que, dans des conditions pareilles, ils négligent de se préoccuper de la seule chose qui soit à la hauteur de ses aspirations : chercher ses vraies affinités esthétiques, l'intégrer dans le panorama du roman mondial et comprendre son univers artistique en corrélation avec les énigmes de notre monde.

Milan Kundera disait, je cite de mémoire, que le romancier démolit la maison de sa vie pour construire avec les mêmes matériaux la maison de son œuvre. On peut alors supposer, en suivant cette métaphore, que dans l'œuvre accompli on trouvera ici ou là des parties reconnaissables de la maison de départ : fenêtres, portes, escaliers, etc. Rien de tel chez Kachtitsis. Lui, il a réduit sa maison en poussière. Pas seulement sa propre maison, d'ailleurs. Mais également celle de son pays. Et celle de son continent. Et celle de sa civilisation. Et, de surcroît, il a arrêté le temps. Il lui a fixé une barrière : la Première Guerre mondiale. Sur la scène kachtitsienne, tout ce qui a lieu est situé avant cette date fatidique. Quand les gens se déplaçaient en calèche et les fortunés se souciaient peu de leur avenir.

On peut évidemment lire Kachtitsis dans une perspective purement nostalgique. Comme si l'auteur du Héros de Gand essayait d'échapper par l'imaginaire aux désastres de son siècle. Oui, on pourrait le lire ainsi. Comme si Kachtitsis s'accrochait désespérément aux bribes de l'ancien monde, aux éléments psychiques qui faisaient sa beauté et sa cohérence et qui, paradoxalement, continuent à hanter son esprit. Sauf que le regard ironique et auto-ironique diffus dans toute son œuvre ne permet pas une telle lecture. Je dirai plutôt que Kachtitsis, avec son puissant microscope romanesque, agrandit jusqu'à la caricature les régions de notre âme propices aux cataclysmes collectifs, aussi bien ceux d'hier que ceux qui s'annoncent.

Le roman du XXe siècle a ses grands morts, des écrivains dont l'œuvre n'a commencé à vivre véritablement qu'après leur trépas : Kafka, Walser, Pessoa, Gombrowicz… la liste est longue. Il faudra certainement y ajouter, un jour, Nikos Kachtitsis. Son œuvre est relativement mince compte tenu de son immense originalité. Mais ce qu'il a accompli suffit largement à nourrir notre curiosité et à nous persuader que Nikos Kachtitsis a créé une vision de l'homme moderne que le monde contemporain ne se lasse pas de confirmer : l'homme réduit à un « point vulnérable ».

Lakis Proguidis